だめ連の
資本主義よりたのしく生きる

神長恒一
ぺぺ長谷川

現代書館

ロマンチックなぼくらの哲学は、しずかに燃える焚き火のよう
カイラスの頭をかすめて飛んだのは、自由という名の素敵な列車
（花&フェノミナン「稲穂」より）

はじめに

いよいよ世の中、どんづまってきている。

二十年くらい前（二〇〇〇年代前半）までは、この資本主義社会に乗っかって生きていれば、死ぬまでそれなりの暮らしができる雰囲気があった。

しかしいまは、そうじゃない。

もう経済成長もないようだし、日々の労働は過酷になるばかり。格差は拡大して、賃金は上がらない。物価は上がってきている。社会保障も悪くなってきて、生活の不安は増すばかり。孤独で冷たい社会。いったい生きていけるのか。

そんな競争社会で生き残るために、ただただ、だれかが決めたことに従うばかり。管理も強まって、不自由さは増す一方。

そして地球温暖化。

産業革命以降続けてきた大量生産・大量消費社会の結果、自然が破壊され、すわ！　人類滅亡か⁉という人類史上最大の危機をむかえつつあるかといういま。しゃれになってない。

このまま人類は、資本主義と心中していくのか。

いやいや、それ、まずいっしょ。

そんななか、カネ儲け中心の資本主義の世界から一歩降りて、それとは違ったオルタナティブな世界をつくっていこうと生きはじめている人たちが世界中でたくさん出てきている。

モノはそんなになくてもいいから心豊かに暮らしたい、人とは競争じゃなく支えあって生きていきたい。人にはたしかにエゴイズムの気持ちもあるかもだけど、そういう気持ちばかりが助長される資本主義の社会じゃあみんな不幸になるばかりだ。悪い人がはびこっている。もともと資本主義には問題があったのだ。

キリストも言ってました。「人はパンのみにて生きるにあらず」。

みんなでたのしく交流しながら生きていけたらいい。

われわれ「だめ連」は、「だめでええじゃないか」と、生産性中心の資本主義社会を問題にして、オルタナティブな生き方を模索して生きてきました。ろくに働きもせず貧乏だけど、友だちにめぐまれて、一緒に遊んだり社会運動したりしながら、ショボいながらも心奪われずに生きてきた。

この本では、われわれだめ連が三十年間の交流活動で経験したことを紹介しています。重要な話からヘボい話までいろいろあると思いますが、資本主義後のよりよい社会「ガンダーラ」を夢見るなにがしかのヒントになれば幸いです。

みんなで資本主義よりたのしく生きていきましょう！

そんなことはいくらでも可能なのです。

経済成長がなくても、いや、むしろあんまりないほうが、人は豊かに生きられるんじゃないか。

熱くレヴォリューション。

それではみなさん、行ってみよう〜！

その3　アクティビズム　

中野の路上にて。神長恒一（左）とぺぺ長谷川（右）

だめ連とは

1992年、就職した会社を辞め無職だった神長恒一と、大学に留年中だったぺぺ長谷川が結成。

生産性というモノサシで人がはかられる資本主義社会を問題とし、社会の変革とオルタナティブな生き方を提唱。

以降、おもに路上を舞台に交流・トーク・イベント・諸活動路線で活動。「どんな人生、社会がいいのか？」を人びとと語りあいつながりながら、労働と消費中心でない生き方を実践。ゲリラガーデンを行ったり、サウンドデモなどのさまざまなアクティビズムにも参加。

アナキズム的な生を生きるポスト資本主義の脱成長的なムーブメント。

生きる、暮らす

資本主義よりたのしく生きる　その1

その1……生きる、暮らす

仕事と人生

生きてるうちのかなりの時間とエネルギーを、働くことに費やされる人生。

そもそも仕事とはそんなにいいものなのか。この仕事、むしろ悪いことなんじゃないかという、人や自然からの搾取で儲けてる仕事なんかもいっぱいある。

職場では言いたいことも言えず、素の自分でいることもままならない。感情を捨てることまで要求され、疑問をかんじることも許されない雰囲気。クビになるのではないかという恐怖。仕事ができない人を見下したりする「だめプレッシャー問題」……。

地球環境も破壊していく資本主義というシステム。そこから一歩でも降りてみよう。大量生産・大量消費じゃない社会へ。労働と消費を減らし、カネがなくても生存のよろこびをぞんぶんにかんじられる生き方へ。

なるべく働かないほうがいい

神長恒一（以下、神長）　はい。それではよろしくお願いします。

この資本主義社会のどんづまりの状況のなかから、たのしく豊かに生きていくにはどうすればいいのか？　どんな人生がいいのか？　どんな社会がいいのか？　作戦会議をはじめていきましょう。

ぺぺ長谷川（以下、ぺぺ）　よろしく～。

神長　まず最初のテーマは、「仕事」。

仕事のことで悩んでる人は多いわけです。

では、いったいどうすればいいのか？

これはね、ズバリ言って、なるべく働かないのがいいんじゃないかということで、まずはそのへんの話から。

ぺぺ　はい。

神長　そもそもね、仕事は楽しいのかっていうね。

好きなことを仕事にしてるって人はごく限られた一部の人で、だいたいの人はね、好きなことを仕事にしてるわけじゃない。イヤだけど生活のためならしょうがないってことで、「納得してやっているんだ」と自分に言い聞かせてしまう。でもよくよく考えてみるとね、仕事してる時間って長いじゃないですか。起きている時間の大部分が仕事をやってる時間っていうね。そうすると、人生、生きてるうちのかなりの時間とエネルギーをイヤなこと、たいして好きでもないことに費やしてるわけだよね。これはやっぱりどう考えてもヘンでしょっていう、うん(笑)。納得してる場合じゃない。本当に仕方がないのか、ちょっと違う生き方とか考えたほうがいいんじゃないか、っていう。

ぺぺ　「カネのため、暮らしのためだ、仕方ねえ」と、必ずそうなるようになってしまってるということなんでしょうかね。これが当たり前で、疑うことのできない「現実」だ、となっているのは、考えてみると、「とんでもない×10」という気もしてくる。これじゃ、なんのために生きてるのかわからなくなって当たり前だと。

神長　次に、なぜ仕事をするのがつらいのかっていうと、ひとつ大きな問題として「仕事してるときに素の自分でいられない」ってことがあると思う。仕事してるときのかんじって、なんかいつもの自分と違ってるってことあるじゃないですか。あれはなんなのか。

例えば仕事って「おしゃべり禁止、私語禁止」みたいなプレッシャーがあったりすると思うんだけど、外国に行ったりすると、コンビニとかお店に入ったりしても、店員が仕事中に普通に雑談してたりするからね。客が来ないときは隣の店のおばちゃんと雑笑してたりとかさ。椅子に座って休んでたり。スマホ見てる人とかもいるしさ。本当は好きに振る舞ったっていいのに、仕事中は個人的な会話はしちゃいけないことになってしまう。

たまに見かける例で言えば、コンビニとかスーパーとかファストフードのチェーン店の店員とかもそうだけど、受けこたえがマニュアル化してるじゃん。なんかロボットみたいっていうか、自分のことばじゃないじゃないですか。そんな調子で「ありがとうございました」とかおじぎされても、困るっていうか。近所のスーパーで、最近会計のときに手を前にそろえておじぎするみたいなのがあるけど、そういうのもなんかされてるこっちがつらくなってくる。こういうふうにやらされてるんだろうな、みたいなね。人としての尊厳が奪われてるっていう。

ぺぺ　語尾が全部「〜でよろしかったでしょうか」っていう言い方になってるよね。「バイト敬語」なんていう言い方もあるらしいけど、それが丁寧に聞こえるっていう。

神長　話すことばだけじゃなくって、からだの動きまで規制されてる。キビキビした動きじゃないといけないみたいなプレッシャーがある。日頃、もっと適当に歩いてるじゃん。こういうのすごくロボットみたいにされてるっていうかさ、要するに管理・監視されてるわけだよね。店員のほうに監視カメラが向いてるお店とかもあったりするよね。そういうふうなからだの動かし方をしてるとさ、仕事以外のときも知らず知らずのうちに決まりきった動きになってっちゃうと思うんだよな。

ぺぺ　カメラあるしな、っていうのが大きい。規律訓練の社会、工場モデルの社会から管理チェックの社会に移行する。「自分で管理して生産性を高めろ」だから。服従＝仕事だったんだけど、工場モデルだと自発性＝仕事っていうふうにされる職場が多いわけですよね。本来資本家が考えるべきことを労働者にやらせてる。「社長になったつもりで考えろよ」って言われてるようなかんじでしょ。「働く一人ひとりが経営意識を持って」って、そういうかんじですよね。

神長　同僚とかもツッコミ入れてきたりするでしょ。「お前もっとちゃんとしろよ」みたいな。お前どっちの味方だよってね。

負け組側なのに勝ち組側にまわろうとする。だめなやつだと思われたくない、とか。ありがちなパターン。

ペペ　管理チェック社会のほうがつながったり抵抗するのが難しくなるんだよね。「自発的にやれよ」って言われるから連帯しにくくなる。組合とかへボいよな、みたいな感覚になる。自分で自分の内面の監視を怠ることなく続けなさいって、そういう命令だよね。

「感情を捨てて働け」

神長　素の自分でいられないっていうところで言うと、これは友だちの話なんだけど、老人の施設で働いてる人がいて、介助をするわけなんだけど、そこでご飯を食べてもらうっていうのがあってさ。いっぱいお年寄りの人がいて、全員に時間内に食べてもらわないといけないとかでさ、どんどんどんどんスプーンで口のとこにご飯持ってって、食べさせなきゃいけないわけ。その人のペースっていうのがあるじゃないですか、ゆっくりしたペースとか。でも、どんどん早く持ってかなきゃいけない、時間内に終わらせなきゃいけないから。

その友だちが上司にそれがつらいってことを言ったら、上司が「感情は捨ててください」って言ったっていうね。これはすごい話ですよ。

ぺぺ　きついね。

神長　感情を捨てて働けというのは、いろんな職場に存在するプレッシャーだと思うけど、これおかしいでしょ。

ぺぺ　それはやっぱりうつになっちゃうよ。

神長　あと、「言いたいことが言えない」っていうのもあるじゃない。これも友だちの話で、仕事中に仕事の愚痴言ってたらさ、やっぱり上司に怒られて、黙ってろってかんじで。「仕事とは服従することがすべてだ！」って言われたっていう(笑)。

ぺぺ　その次の瞬間にその人がなんて言い返したかすごく気になる。「うっせえ、このやろー！」とかは言ってないでしょ？(笑)

神長　要するに仕事っていうのはさ、「疑問をかんじるな」とかね、「ツッコミいれるな」とかさ、そういう圧力があるじゃない。上の人間の決めたことに逆らっちゃいけないという。やっぱり生産性中心の優秀なロボットみたいなのが良しとされてるわけだよ。言いたいことは言えない、考えちゃいけない、そういう圧力がすごくあるっていうね、これはすごく問題だよ。

これ、職場だけじゃなくていまはもう世の中全体がそうなっちゃったでしょ。でも、黙って服従なんかしてられるか、っていう。

そもそも、それはいい仕事なのか？

神長　なんで仕事が良くないのかというと、そもそも「その仕事いい仕事なのか？」ってね、そういう重要な問題があるよね。

世の中にはいい仕事もあると思うんだけど、そうじゃない仕事もいっぱいあってさ。例えば、おれなんか最初就職したときにデパートで服を売ってたわけね。でも服っていうのはさ、もういっぱいあるじゃん。

ぺぺ　本当にわかりやすい話で、服って本当に余っててさ、作っても売らずに捨てたりして問題になってるわけじゃないですか。だからわかりやすいんだよね、商品として。生産止めても大丈夫なくらいあるのに競いあって、ファッション性とかもあるんでどんどん作って、それもだいたい第三世界で作らせたりして。必要に応じたモノではない。

神長　もう消費のための消費っていうかね、まだ着られるのに時代遅れみたいなかんじでね、わざと意図的にやってるわけでしょ。むりやり購買意欲あおったり。

ぺぺ　ラジオ聞いてっとSDGsとかなんとか言ってる十分番組とか、そういうのをよくやってんだよ。この企業はこんな努力をしてとか、アパレル界はこんな取り組みをとかって。作られたけど売られない服をお客様の何かに作りかえてお出しする、それがSDGsとかって。それが地球環境に良いとか、それが一番イケてる取り組みです、みたいなことになっている。それカンケーねえじゃねえか⁉って、笑っちゃう。

神長　服だけじゃなくてモノ全体にそういうことがあるじゃない。建物とかもさ、こんなに造らなくてもいいだろみたいな、まだ使えるのに建て替えたり。

地球温暖化を考えても、いままでのやり方を見直さざるをえない。大量生産大量消費社会はもうだめでしょ。ただカネ儲けしてればいいってもんじゃない、どころか、むしろ良くないことのほうが多いんだよ。

ほかにもいくらでもあると思うけどさ、この仕事、むしろ悪いことなんじゃないかって。第三世界の人や自然からの搾取で儲けてる仕事なんかもいっぱいあるわけでしょ。海外の豊かな森を根こそぎ破壊して植林して、その木をまた伐採して木材として輸入してるとか、そんなようなことがたくさんある。

結局、経済至上主義でさ、ずっと経済成長路線できたわけでしょ。だけど、いつまでたっても長時間の過酷な労働がついてまわって、こんな息苦しい社会になっちゃって、その結果うつや自殺が増えて。自分たちが儲かればいいって、よくない仕事してると結局そうなっちゃうという。そうやってがんばって働きまくった結果、世の中すさんできてるんだから。もういいかげん、根本的に違う路線、脱資本主義的な脱成長路線に行くしかないでしょ。

世界中が「先進」国みたいな生活水準になったら、環境問題が深刻になるっていうのも昔から言われてたわけで。だったらまず「北側」の人間が、カネ持ちにならなくてもたのしく豊かに生きられるという生き方を実践していくしかないでしょ。

勝ち組・負け組・抜け組

神長　これ、だめ連的なテーマでもあるんだけど、競争社会っていうのは、「勝ち組・負け組プレッシャー問題」っていうのがあるじゃないですか。けっこう大きいっていうか、要するにカネ持ちが偉いとかっていう社会になっちゃってるでしょ。勝手に競争に組み込まれて、貧乏な人は一方的に負け組ってされるっていう。「だめな人」っていうふうにされて、「おれはカネ稼げないだめなやつだ」ってプレッシャーに潰されてさ、うつになっちゃったり自殺しちゃったり、そういう人がいっぱいいるわけですよ。

　これは非常に罪深い。カネを稼げるか稼げないかとか、資本主義的な意味で役に立てるかどうかってことは本当は重要なことではない。だから、カネ稼げないからって、それ、だめな人でもなんでもない。それははっきり言っておきたい。だめな人でもなんでもないんだよ。そもそも勝ち組が本当にいいのかってね。外から見ると、いい家に住んでて、いい車を置いてあってってなるかもしんないけど、毎日つまらない仕事して、大変な思いして働いてる生活かもしんないしね。

　そもそもカネ持ちになって高級車とかブランド品買ったってくだらないじゃない、そんなの。

ペペ　やったことないからわかんない（笑）。

神長　要するに勝ち組っていうのもカネの奴隷、優越感の奴隷なんですよ。この資本主義社会に適応すればするほど奴隷と化していく。勝ち組って言われて、優越感とかにひたって喜んでさ、また働いちゃうわけでしょ。

勝ち組になるにはさ、ある種、やさしい気持ちとかを捨ててく作業ってのがあるじゃない。競争社会で負けてった人のことを、「あれ、だめなやつだから」とか思って、ちょっと下に見るような。そういう冷たい性格になっていく人のほうが資本主義社会ではのさばっていくわけですよ。だから貧乏な人がだめな人でもなんでもなくて、本当にだめな人っていうのはむしろ勝ち組で搾取している側の人間ね。欲望が貧困なんです。

そういうキビしい資本主義の世界って、多くの人がカネの奴隷になっちゃってるっていうね。SFの世界のような状況だと思う。でも、これが当たり前って思わされてるわけ。

ここで何が重要かって、やっぱ「心の叫び」が重要。その人の心の叫びが一番大切っていうね、うん。

やっぱりおれなんかにしたら、やりたくもない仕事、良くないような仕事をやって、言いたいことも言えない、で、自分の気持ちも捨てて生きていくっていうのはイヤだね。それがおれの心の叫びですよ。うん。当たり前のことですよ。

資本主義っていうシステムでみんな生きてるような気になってるかもしんないけど、むしろみんな殺されてるっていうね。だって実際に競争に負けてった人は死んでってるわけだし。ことばも気持ちも奪われてってのは、殺されてるのと同じ状態。

資本主義というシステムのために、人間が搾取されてる。心を奪われてる。資本主義と資本家たちに搾取されるために生きてんじゃないよ、生まれてきたんじゃないよ。これははっきりと言っておきたい。

じゃあどうすればいいのかっていうときにね、まずは「カネの奴隷のカネ儲け人間たちの悪事に対して闘っていくこと」。それと同時に重要なのは、「労働を減らしていくこと」。

やっぱこんなに長く働かされてたら、疲れ果ててものなんか考えれなくなっちゃう。それと、会社で長い期間働いてたら、知らず知らずのうちにその会社に染まっていってしまう。たかだか生涯賃金何億円かのために自分を売るのはもったいない。それだったら貧乏でも自分の自由な時間を生きてったほうがいい。自分を取り戻そう。

まず労働を減らしていくっていうね、そのためには消費を減らしていけばいいわけで、そんなにモノをいっぱい買わなくてもいいし、高級品なんて買ってハクつけしなくていい。自然環境も破壊していくわけだから、モノなんて少ないほうがいい。そういう労働と消費ばっかりの世界から抜けていくのは、自分にとってもほかの生きものにとってもいいこと。勝ち組でも負け組でもない、抜け組になる。

ぺぺ　ケン(友だち)の弟がポルシェを買いましたよ。

神長　それ、だめだね(笑)。ポルシェなんか買わなくてさ、その分労働時間を削ればいいんだよ。みんな簡単に消費しちゃってるけど、消費すればするほどその分働かされるんだから、奴隷みたいにね。奴隷になる時間を減らすには消費しなきゃいいんだから。消費こそ労働っていうね。だいたい消費と労働って似てるんだよね。
例えば最近、中国で「寝そべり族」[中国の若者を中心とした競争社会に対するボイコット運動。二〇二〇年頃に登場した」っていう人たちが話題になってる。中国も資本主義化が激しいじゃないですか。いっぱい働いていっぱい消費するカネ持ちに憧れるみたいな人生はやってられないっつって、あんまり働かないし消費もしないみたいな、そういう「降りる人」っていうのが出てきてるんだけど、これも当然だと思うんだよね。納得がいく動きっていうかさ。もうバカバカしいじゃん、そんなの。

やっぱりいまの資本主義社会とは違ったオルタナティブな文化や生き方をね、一人ひとりがそれぞれ考えて創っていくっていうことが重要。カネ中心とは違う人生を生きていく方法を模索していくほうが楽しいでしょ。はっきりした答えないけど、はっきりしてないからこそ面白いっていうか、そこをみんなで考えてあれやこれやとやっていく。そうね、そうやって生きていくところにこそ、希望があるよ。

あまり働かないで生きていく

神長　われわれ、あんまり働かないでやっていくっていうことでこれまで生きてきたわけだけど、どんなふうにやってきたのか。自分たちおよび身のまわりのことを参考までに紹介します。あんまり働かないといってもなんらかの仕事はせざるをえなかったりするわけで、じゃあどんなしのぎ方があるのか。

ただこれね、あんまり期待しないでくれっていう(笑)。おいしい仕事情報があるんじゃないかとかね、そう思われるとなかなかそうでもないから(笑)。あくまでもこれは例であって、これをヒントに、それぞれ模索してったらいいんじゃないかという。

ペペ 経済成長に結びつくような提案はまったくないので、そこは汲んでください。

神長 そうそう。世の中的にも個人的にもないっていう、そういう情報だよね。

まずね、自分のことから話していくと、おれはあまり働かないでずっと生きてきて、正社員を十か月で引退してから三十年ぐらいになるのかな。無職のときもあったけど基本フリーターでやってきて、月にだいたい七万円くらい稼いで同じくらい使うっていうふうにやってきてます。

ペペ 昔よく、「七万円理論」って言ってたよね。

神長 一人暮らしだと七万円あればそこそこやっていけるんじゃないかなあと思います。もちろん、人並みの暮らしじゃないですけどね(笑)。最近年に二、三回買うけど、三十年近く自動販売機で飲み物買ったことなかった。

ペペ 当時のアパートが二万数千円くらい?

神長 四畳半で二万四千円。

ペペ だいたいの人に、「保険とか年金とかいろいろ大変ですね」って言われるっていう、そのパターンです。

神長 健康保険はめちゃ高ではない、いまんとこ。収入少ないから。年金はずっと入ってなかったんだけど、いまは入ってる。収入が低いから全額免除って。将来もらえる額も少ないけど。

ペペ 七万円理論はシングルでぼろアパートでっていう前提に立ってるわけだから。

神長　そこはバリエーションでね、自分はこういう条件だから八万円でやりますとかね、六万円でやりますとかね。

ぺぺ　月一万円台で暮らしている人もいるしね。

神長　うん。友だちにはそういう人も何人かいる。テント暮らしで家賃タダの人とかね。おれよりももっと徹底してやってる人はいっぱいいるでしょう。

極端な例だけど、インドのサドゥー［ヒンドゥー教におけるヨーガの実践者や放浪する修行者の総称］みたいな人。家はあったりなかったりみたいだけど、荷物はだいたい一つだった。やっぱあんまり所有しない。昔の坊さんとか、例えば良寛さんとかも、小さな部屋に住んでて、ほとんどモノも持たないでしょ。泥棒に布団あげちゃったりとか(笑)。そういう人から見ると、おれなんかぜんぜんカネ使ってるし、働いてるほうだからね。

将来の不安もないわけじゃないけど、将来のためにいまを犠牲にしてばかり生きてってもしょうがない。なかなか簡単なことじゃないけれど、思うがままに、なるべくいまを生きていくのがいい。

資本主義の社会では、カネ持ってるほうがなんでもできるような気になったりするけど、本当のところは、モノをあんまり持ってなかったり、だめでええじゃないかと思って生きてるほうがぜんぜん自由なんじゃないか。よりよろこびがあるような気がする。

めざせ！　いま、フラワー！　いま、アナーキー！

それぞれのいまのしのぎ〜神長編

神長　ここ数年はだいたい週に二日労働なんですよね。たまにもう少し働くときもあるけど。ひとつは障がい者の介助、もうひとつは学童保育、これでやってます。

障がい者の自立運動っていうのが一九七〇年代ぐらいからあって、それまで親元や施設で生きていくしかなかった障がい者が、施設から出て地域で部屋を借りて、一人あるいは家族で暮らしていくという。最初はみんなボランティアで介助に入ってたのが、障がいのある人たちが運動して介助料を要求していって、それで労働になっていった。仕事なんだけど、障がい者の地域での自立生活を支える社会運動的な側面もある。

いまは週一回で、同じ人のところに十年ぐらい通ってます。からだがほとんど動かない方なので、生活の手伝いですよね。

障がい者介助っていうのは、社会運動的な意識を持ってやってる人も多いし、おれのやってる事業所もそうだけど、みんなで作って立ち上げたみたいなところもある。そもそもカネ儲けが目的の仕事じゃない。

もちろん介助の現場だって、いろいろな問題は起こる。それで、少人数ながらも介助者たちで月一回集まって、仕事のこととかいろいろ話しあったりしましょうってことで、〈かりん燈関東〉っていう集まりを十年以上やってる。以前の事業所で、パワハラ受けてクビになったことがあって、すごくイヤな思いをしたんだけども、〈かりん燈関東〉の集まりでしゃべって励まされた。パワハラ上司と闘うときにどうしたらいいかとか、アドバイスをもらえたり。やっぱり職場の環境を良くしていくっていうのは、重要。仲間がいることで助けあえるというところはあるよね。

〈かりん燈関東〉や介助者たちの仲間で厚生労働省との交渉みたいなこともやったこともある。国会議員の人に協力してもらって厚労省の人と意見交換会。自分らの事業所だけとかじゃなくて、もっと全体的な介助者と障がい者の状況が良くなるような話しあいをやった。

ぺぺ　おれも一回行ったことがある、厚労省。官僚がおれの隣に座ってね。「はあ、これが官僚か！」って(笑)。

神長　その後、一つ実現できたことがあって、それまでは障がい者が病気で入院するときに、介助者を付けられなかったんですよ。でも、コミュニケーションがすごく難しい人もいるから付けられるようにしてくれっていうことを言ったら、数年後に一応付けられるようになった。交渉したのが役立ったかはわからないけど、意見を表明して話しあうことは大事だなって。

ちなみに、自分たちのまわりの人は、障がい者介助とかグループホームとか、わりと福祉系の仕事をしている人は多い。

ぺぺ　ですね。ある人が「だめ連は障がい者解放運動の脇から出てきたもんではないか」と言ってました。なるほど、と思うこともあります。

神長　で、もうひとつの仕事は、学童保育だけど、ここも民間のオルタナティブなかんじのところで、放課後に三時間くらい行ってる。かなり自由なかんじでやってます。

大変なこともあるけど、楽しく子どもと遊んでいる。仕事は嫌いだとかイヤだとか言ってたけど、考えてみると、今週一番楽しかったのが学童で子どもと遊んでるときだったなっていう(笑)。そういうことはよくあるね。

ぺぺ 子どもは、弾けがあるよね。逆もね。笑いも泣きもね。子ども相手で、初めて仕事がしっくりきたっていう人も何人かいるよね。

神長 なにげない夢のような瞬間もいっぱいあるし、いろんな気づきもいっぱいあるね。何がよろこびだとか子どもから教わることは多いです。自由に遊んで楽しむかんじとか。

以上がいまのおれの仕事だけれども、「介助や保育の賃金をもっと上げろ!」ということは声を大にして国に言いたい。厚労省や財務省の役人とか、いったいいくらもらってるのか。なんで現場で働いてる人の賃金が安いのか。こないだ厚労省前での座り込み行動があったときにもマイクアピールしてきた。軍事費なんて増やすどころか減らして、こっちの賃金上げろ。ほかの仕事もそうだけど賃金安すぎだ。時給二千五百円はもらいたい。格差なんておかしいでしょ。カネ持ちども、もっとカネよこせ!

それぞれのいまのしのぎ〜ぺぺ編

ぺぺ 賃労働はしていません(笑)。キッキキキキ(笑)。

神長 スーパーフリー状態だよね(笑)。二〇二〇年の五月にがんが発覚した後は働いてないよね。

ぺぺ　働けない。雑誌の取材で三万円もらっただけだね(笑)。がんになる前は、週一回、飲食関係。あと現場仕事が、多くて週三日。それと木曜日に〈あかね〉[くわしくは三二〇ページ。現在はだめ連は〈あかね〉には関係していませんのでご注意を!]に行って、第一、第三金曜日に高円寺の〈なんとかＢＡＲ〉[くわしくは三三五ページ]で店員みたいなことをやって。これが全貌ですね。

〈あかね〉も〈なんとかＢＡＲ〉も、当番制でまわしているスペース。説明するのが難しいんだけど、居場所づくり、関係づくり、みたいなことを目的としてやっているようなスペースっていうか。

神長　世間一般的な儲け優先的な価値観じゃないようなスペース。

ぺぺ　一か月の収入は、現場仕事がどれくらいあるかによったかなあ。

これはあまり言えることじゃないんだけど、母ちゃんと市役所に行ってさあ、「おまえいくら稼いでるんだ」っていうのをやったんだよ。あまり稼いでると扶養から外れちゃうし、これはけっこうびびった。

神長　で、がん発覚以降はカンパ生活。がんがわかってから、友人たちが「ぺぺさんの支援ナイト」とかやってくれて。

ぺぺ　それは、友人がやってくれたとしか言いようがないですよ。

神長　そうしたら、けっこうな額をカンパしてくれる人がたくさんいて、ね。昔だめ連をテレビや本で見てはげまされたっていう知らない人とかも何人か来てくれて。ありがたいよね。

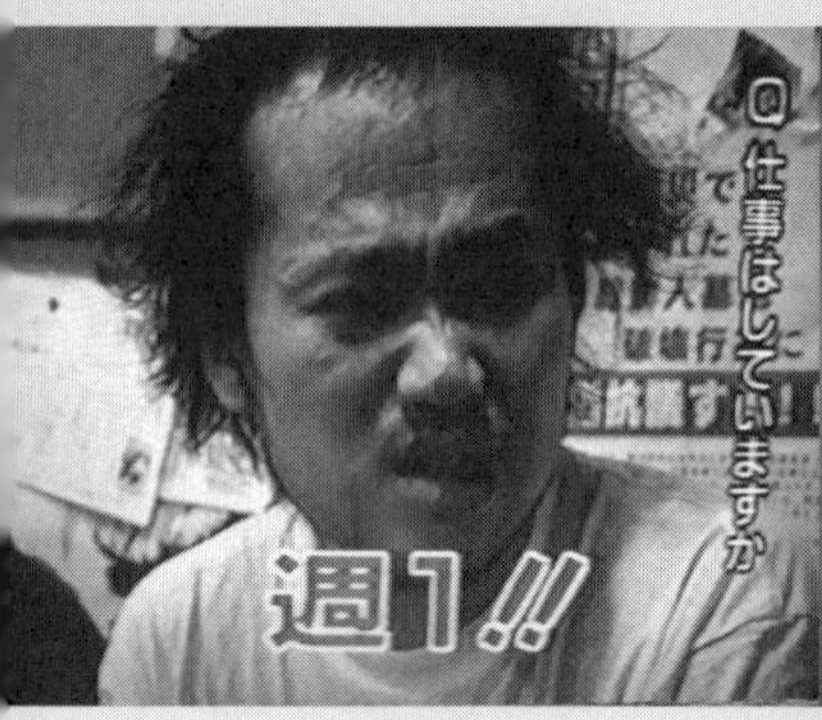

上の写真は約 20 年前のぺぺ長谷川(左)と神長恒一(右)。

右は神長が自宅で作っている梅干し。「おいしい」となかなかの評判。

下は神長が友人たちとやっている畑。頻繁には行けないが、季節ごとの収穫が味わえる。収穫時期を逃した作物が花を咲かせたり、タネをつけたり、やがて枯れたり。お店で買うだけではわからない、作物の一生を垣間見ることができるのも面白い。

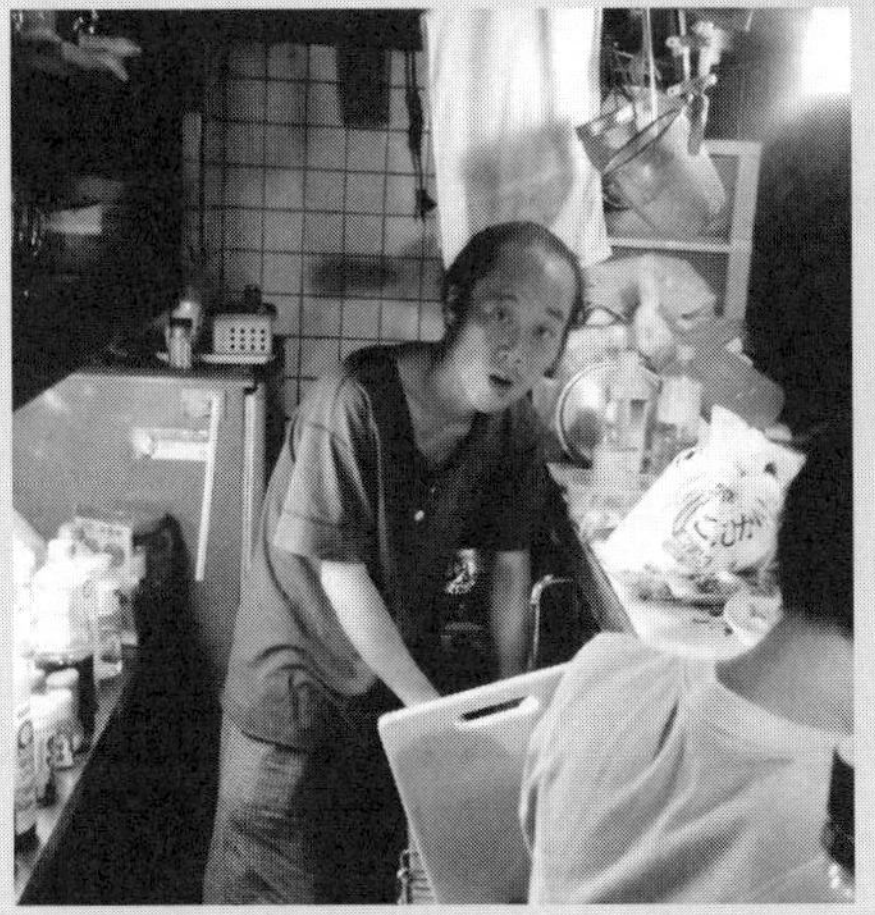

上の写真はペペががんになって、友人が企画してくれたカンパのためのパーティー。
左下は〈あかね〉のキッチンで働くペペ。
右下は〈なんとか BAR〉でよく握っていた「ペペ寿司」。

ぺぺ　それと、大学時代からの友人、高校時代からの友人、それぞれ呼びかけてまとめてくれたのが別にあって。

神長　おれが会った人が、「これ渡しといてください」っていうのもあった。

ぺぺ　道で会って一万円くれた人もいた。知りあいだけど。

神長　相互扶助的な生活みたいな。

ぺぺ　相互じゃない（笑）。

神長　まあでも、ぺぺに世話になったとか助けられたとかでカンパしてくれる人もいたしね。だけど、そのお金も底をついちゃうし、現実的にこの後どうしてくのかってながれだよね。

ぺぺ　現実的に言うと、かあちゃんが死んじゃって遺してくれたお金がちょっとある。だから生活保護はいまは受けられない。しばらくはそれで生きる、と、ここまでは決まってる。

自営路線など

神長　これがとりあえずおれとぺぺのしのぎの話しってことですけど、あと参考までにまわりの人は多種多様。

わりと、ちゃんとやってるっていうかそれなりに働いてる人とかだと、出版関係とか、大学とか予備校の先生、水道検針、パソコン関係などなど。

それ以外だと農業をやってる人とかもいて、そのなかでも例えば面白いなっていうのは、インディーズ農家。自分で土地を借りて畑やって、農協とかに属さない。そうすっと作ったら自分で販売先見つけなきゃならないらしい。半農半バイトとか、自分で畑を広めにやって野菜を売って、でもそれで全部しのげない分はバイトするとかっていう人もいる。地方に移住して農業や林業やってる人もいるし。

自営路線でいろんなお店をやってる人たちもいる。ユニークな本屋とかバー、レストラン、パン屋、よろず屋、リサイクルショップとか。リサイクルショップと引っ越しと草むしりとかなんでも屋みたいのを、友人たちと共同運営でやってる人たちとかも。

自分のおすすめの本やミニコミ、CDなんかを売ってるスペースをやってる人もいる。面白いイベントなんかのチラシが置いてあったり。

ぺぺ　あとラーメン屋さんとかね。友だち同士でやってるからけっこう自由に無理なくやってて、同時に仲間たちでテクノ音楽のスペースもやってて音楽イベントとかもやってたり。

おれなんか、まわりの労働形態としては一番憧れる。

神長　そんなにいっぱい働いてるわけじゃないしね。

ぺぺ　イベントとかで楽しくなっちゃうと、ＳＮＳとかで「今日はお店休みます」みたいにしてやってる。

神長　そうやってね自営のお店をやりながら、自分の好きな文化活動とうまく両立していくようなやり方もあるという。

小遣い稼ぎ、間借り

神長 次は、小遣い稼ぎなやつをいくつか。これだけでしのげるというわけではないけれども、ちょっとした足しになるよっていうね。もともとそんなにいっぱいカネを使うわけじゃないから、ちょっとした小遣いも役に立つ。参考までに。

まず、間借り。自分たちがやってたのは、例えば高円寺の〈なんとかBAR〉とか。もちろん、つながりがないとできない。おれなんかも何回かイカさん(神長のパートナー)と一緒にやった。友だちが飲みにきてくれるからとても楽しい。ぺぺはよくやっていて、料理好きだからいろんな料理作って出してた。名物メニューの「ぺぺ寿司」にぎってとかね。

ぺぺ 場所代払って、あとは好き勝手やっていいからシンプル。

神長 けっこう人がいっぱい来たりね。

ぺぺ あれ、でも稼げないからね(笑)。

神長 ちょっとくらい稼いだでしょ？　おれ、儲かったときあったよ。

ぺぺ やり方によるんだよね。面白くやるっていうのは、利益と結びつかない。

神長 だって、ぺぺに寿司とか頼んでしばらく交流してると、三十分たっても一時間たっても出てこないんだもん。それで、「あのー、寿司どうなった？」って聞いても、まだやってないんだから(笑)。

ぺぺ 人と楽しくしゃべりながらやると、ねえ。グッヒャヒャヒャヒャヒャ(笑)。トーク専門になっちゃうんだもん。

神長　普通の店でやってたら怒られるよね(笑)。インドでそういう店あったけど。

ぺぺ　インドでは当たり前だよ。

神長　「お客様は神様です」じゃないんだよね、これも重要。だって働いてる人の時間とか場所でもあるわけでね。日本社会は消費者優先になりすぎてる。もっと労働者優先でいいんじゃないか。ぺぺなんか、よくオーダー忘れてるから。「あ、あれね」なんつってね(笑)。でもそんなとこがあってもいいじゃないかってね。「もしもこんなお店があったら」系(笑)。

こんなふうに、友だちがやってる店を間借りしてやるという作戦はある。〈あかね〉でも、昔はそうやって昼の空いてる時間に水たばこ屋とかやってる人がいた。

イベントに出店

神長　それと似たやつでいうと、イベントで飲食ブース出すとかっていうのもね、よくあるじゃないですか。お祭りとか集会とかで。

おれもけっこうやってて、〈ゆんたく高江〉ってイベントでヒラヤーチーとかサーターアンダーギー出したりとか、河原でライブパーティーがあったときとか、野宿者(ホームレス)と支援者のお祭りとか、そういうところでブースを出した。自分らで野草茶とか手作り梅酒を作って出したりね。

あと、オルタナティブ系のお祭りとかで出店してる人もけっこういて、稼ぐ人もいれば、楽しみながらやる人もいてさ。〈かけこみ亭〉［くわしくは三三一ページ］のぼけまるさんに「今日は儲かってますか」って聞いたら、「いや、祭りで儲けようと思ったらだめなんだよ」って言ってたからね（笑）。

「北中夜市」ってこれは縁日みたいなのかな、高円寺の商店街でやってるんだけど、そこでも屋台で食べものや飲みものを出したことあるけど、それもそこの縁日に参加して楽しむってかんじ。そんなにお金にはなんなかったけど。

友だちでたこ焼きを出してる人なんかは、けっこう本格的にね、プロパンガス使っておいしいの作ってるから人気があって、安い値段だけどそこそこ儲かってたよね。

ぺぺ　あれは儲かる、おいしいしね。

神長　あとはライブとかね、そういうの。

ぺぺなんかはバンドやってるでしょ、ロバートDEピーコっていうバンド。たまに出演でちょっともらうこともあるでしょ。

ぺぺ　まあね、交通費プラスアルファ。ま、でもプラスアルファがあればいいですね。酒の一杯、二杯でもあれば。

そういう意味では、技術がなくても、バンドに、「メンバーです」って入っちゃえばね。「ダンサーです」とか言ってライブにタダで入っちゃうとか、そういう手もある。

神長　だめ連でイベント出てトークして、少しもらえることもたまにあるよね。

自分で作ったものを売る

神長　あと、ミニコミね。これはおれらもだめ連で『にんげんかいほう(27年の孤独)』[くわしくは三六四ページ]って昔作ってて、一冊三百円、四百円とか。五百部手作りで作って、おれなんかぜんぜんカネの計算してなかったから儲かってねえだろうと思ったけど、意外と儲かってたんだっけ?

ぺぺ　三百円で五百部だから全部売れれば十五万円。元手は紙代だけだから、あれはいい小商いになってます。あと、やっぱ、カンパくれる人が意外と多いんだよ。「こういうことやってること自体が大事なんで」とかって千円くれたり。

神長　あとミュージシャンの人だったらCDをね、作って売ってる人は多い。おれも昔バンドやってて、カセット作って売ってた。ロバートDEピーコのひろし君は、昔タダでCD配ってたみたいだけど(笑)。

絵が描ける人は、描いて売ってとか。ぺぺん家も壁にひろし君の描いた絵がたくさん飾ってあるよな。あれ、売ってるんだよね。

ぺぺ　画廊だからね。

神長　たまに買う人いるんでしょ?

ぺぺ　まれにいるね。

神長　それからTシャツ作ってる人とかね。RLLっていうグループがあって。

ペペ　大杉栄とか、アントニオ・ネグリのTシャツを作って売ってたね。
神長　あとはステッカーとか缶バッジとかアクセサリー、そういうのを作って売ってる人もいるよね。「NO WAR」とかいろいろ。だめ連でもなんか作ってみる？　売れねえだろうな。だめ連の缶バッジつけるやつもいないだろうって（笑）。
ペペ　ほかに、おれがたまにやってるのは、手作り梅干し。ぺぺもよく買ってくれてた。
神長　梅干しはいいと思います。いま、お店に行くと、甘い梅干ししかないから、ちゃんと塩だけのやつを作るとけっこう需要があると思うよ。
「うまい」って言ってもらえて、何人かファンがいて、わりと売れてる。
あと、石垣島に住んでる友だちは、釣りがうまくて釣った魚をお店や個人に売ってた。それでしのいでた。

バザー・フリマ、路上系

神長　あとは、バザー・フリマ路線ね、これは一般的。
前に友人が小さめのフリマを企画したとき出店して、本を売ったのも楽しかった。交流しながらね。ブックオフに売るよりいい。
あと、路上で弾き語りとか似顔絵とかっていうのは、昔はあったけど最近あんまり見ないね。
ペペ　高円寺にはいるけど。

神長 カネもらったりできる？

ぺぺ ギターケースに「入れてください」みたいな紙を置いておいたりね。

神長 あとはネットっていうのがいまの時代けっこうあるでしょう。おれも一時期、ネットで「せどり」っていうのやってたんですよ、古本をアマゾンで売る。でもつまらなくてやめちゃった。アマゾンにけっこうとられるしね。

ネットで紅茶を売ってる友だちもいるよね。店舗が必要ないからカネがかからないし。

あとよく知らないけど、ヤフオクとかメルカリとかですか。

ぺぺ そんなのおれたちより普通の人のほうがくわしいよ。

神長 そりゃそうだ(笑)。

物々交換

神長 あとはあれですね、友だちのマリオさんなんかは、包丁研ぎをはじめてる。これは物々交換アクション。包丁研いであげる代わりに食べものとか、なんでもいいですよみたいな、そんなかんじでやってる。相手の人が何をくれるかわからないのが面白い。

自分も物々交換みたいなことはちょくちょくある。多めにある野菜とかを近所の人にあげると、お返しをもらったり。カネ使って買うのと違ったかんじで、手元にあるもので発生するやりとりが楽しい。

ぺぺ　友人たちが駅前の路上で、「なんでも無料で持ってってください！」っていう「0円ショップ」をやってますよね。貧困者支援で、主に食べ物を集めて、やはり「持ってって！」とやっている人たちもいますよね。こういうやりとりはコミュニケーションを生む場合も多く、それが面白いとも思います。

もらう、拾う、DIY

神長　あとは、稼ぐんじゃなくて、もらう、拾う。

これもけっこう重要で、昔、友だちから「近くのゴミ捨て場に使えるこたつがあるんですけど、いります？」って電話かかってきて、それで取りに行って、それを何十年も家で使ってたりとか、うん。

服なんかももらったのが何枚もあるし、あと、この間、靴をもらったなあ。イカさんの親父さん（新潟在住）が自転車乗って畑に行くときに、道の真ん中に靴が落ちてて、帰り道でもまだあったから、「これ、神長君にいいんじゃねえか」っつって、拾ってきてくれたっていう（笑）。

そうやっていろいろもらって暮らしていると、消費しなくていいし、資源の無駄にもなんないじゃないですか。環境にもいいでしょう。

ぺぺ　「拾い道」っていうのは坂口恭平さんが言ってたよね。金持ち地区のゴミ捨て場とかすごいらしい。

神長　あと、お花見の後とかね。封の開いてない高級ブランデーをゲットしたこともあったよね。新品の遊び道具とかもゴミコーナーに捨ててあって、学童保育に持ってってたけど、子どもたちが使いまくってボロボロになってる(笑)。

ぺぺもいっぱいあるでしょ、もらいもの。

ペペ　だから、これで部屋がめちゃくちゃになったんだって。たぶんおれん家にある本は、自分で買った本より拾ったりしたもののほうが多いんじゃないかなあ。

神長　ぺぺなんか、カネ使ってないのにモノがあふれちゃう。

あと、知りあいのホームレスの人とか、いつ、どこに行ったらいい食べものが捨ててあるとかすごい知ってるからね。

ペペ　文字どおりの「しのぎ」ですよ。

神長　うん。オリンピック反対のアクションやってるときに、なんかすごく高級な肉を拾ってきてくれて、路上でみんなで料理して食べたことあるよ。あれは絶品だった。楽しかったなあ。その人、昔は山のほうで暮らしてて、狩猟採集でしのいでいたらしい。たくましい。

ペペ　前、花ちゃん(友だち。農家。「花&フェノミナン」、「つちっくれ」のボーカル)が河原に住んでたときは、近くのスーパーでけっこう拾えた。刺身とかいい肉とかさあ。刺身なんか柵のまま食ってた。〈あかね〉の近くのスーパーに良心的な店員さんがいて、閉店間際に余った刺身を持ってきてくれたこともあった、おれを憐れんでたのかもしれないけど。そういう人もいるはずなんだよね。

神長　友だちのホームレスの人も、昔よく売れ残った弁当をトラックでわざわざ大量に持ってきてくれる人がいたって言ってた。いい人もいるんだよね。

別の友人の話だけど、ホームレス時代に捨ててあるハンバーガーがもらえてたけど、あるときからいじわるな店員に代わって、わざとそれにタバコの灰をバーンとまきちらすようになったとか。イヤな話だね。

あと大事に使うという作戦もあるね。その分無駄にカネも資源も消費しなくてすむ。まだ使えるのに安易に買い換えるのは良くない。おれのベルトなんか、十九歳のときに原宿で買ったやつ。もう三十年以上使ってる。Tシャツも穴だらけのやつでも着ているときもある。こういうのもある意味おしゃれかっていう(笑)。

ぺぺ　パンクのファッションとかもそういうとこからきてるようなので、まあそんなふうに思ってやっていく、ってことですかねえ。

神長　なるべくＤＩＹでやるというのも重要な作戦。働かないで時間のある分、カネ払ってプロに頼むより自分でやってみるとか。

例えば自転車のパンク修理とか、家の修繕とか。サビ止めのペンキを塗ったり、庭木を切ったり、なにげに楽しい。ＤＩＹでいろいろやってみるというのは「資本主義よりたのしく生きる」ポイントっていうね。

自動販売機みたいに、カネ払って簡単にモノを手に入れてばかりより、たまには途中の過程をやってみるのも面白い。服を自分で縫う友人もいる。おれもこないだ手拭いを絞り染めして楽しかった。

パラサイト

ぺぺ　これが本番なんじゃないかってね、パラサイト問題。

現実的に考えたんだけどさ、パラサイト問題っていうと、とりわけ全共闘世代からちょっと下ぐらいの活動家系の人のことを考えるんだよ、これ。半分ヒモなんじゃないかなあ全員、みたいな気がしてきて。妻が公務員とか教員で手堅く働いていて、自分は何かやってることにしたいっていうかね、クックック(笑)。「仕事してます！」みたいなかんじでライフワーク的なことをやってる。

これだけ女性が働いてると、この趨勢は止まらない。「それでいいじゃねえか」って言うかどうか。女の人のほうが稼いでいく世の中になれますよね。たぶん社会の情報化っていうのが大きいと思うんだけど、これは漠然としたおれのイメージ。筋肉使って男が働いてるんだったらいばれるけど、もうだめでしょ。

神長　パラサイトっていうと、あんまり働かない、働けないような人が、自分の実家を頼りに生活してるケースもいっぱいある。それでもいいと思うんだけど、なかには悲劇もある。

ぺぺ　だけど、いいかんじで暮らしてる人もいっぱいいるんだろうしね。いいかんじになるためには闘いがいっぱいあると思うんだよね。

神長　やっぱ、親としては自立してほしいみたいなね。子どもも、なんていうか、自立してないことに開き直れないことが多いでしょう。そもそも「パラサイト」ってことば自体、悪意をかんじるわけだけど。
やっぱり働いて自立すべきっていう価値観が、この社会に根強くあるんだよな。それをどう考えるかっていう。

ペペ たぶん世界中の全人類のなかで、近代的個人としてちゃんと働いてっていうような暮らしをしてない人って、半分以上いるんじゃねえかって思うんだよね。とくに何もせず、っていう人が。

神長 仕事がないっていうのがあるのかもしれないけど、インドとかに行くと、平日の昼間で道ばたで交流してる人とか、ただボーッと立ってる人がいっぱいいたからね。

ペペ あれのほうが普通なんじゃねえか、っていう見方もできるっていうかね。

神長 西洋人がいろんな国に侵略していって近代化していくときも、労働させるのがすごく大変だったって話は聞いたことがある。搾取するために労働する身体にむりやりさせていったっていうね。もともとの労働の質も生活もぜんぜん違ったもんだったと思うし、なかにはそんなにあくせく働いてなかった地域もあるっていうかね。

ペペ 近代と労働っていうことになってくる。それまでは、食べる分だけ稼いであとは働かない、っていうのが支配的な回路だったんです。それでは困るということで……。

神長 資本家的にはね。むりやりね、あの手この手で。気がついてみると、いまの世の中はけっしてラクな世の中とは言えない。もっとラクしたいっていうのも正当な欲求。みんなでいまよりラクに生きれる道をさがしてったほうがいいと思う。
必ずしも経済的に自立しなきゃいけないっていうのも、ちょっといかがなものかってね。精神的な病とかいろんな理由で働けない人もいるしね。いまの世の中で普通の職場で普通に働くって、かなり大変というか、ハードルが高い。そこまでできない人って、ある意味まっとうな気もする。

まあ、パラサイトされる側はいろんな心配もあるんだろうけど。

やっぱりだめなやつっていう烙印があるよね。自立して働けなかった人に対してね。「おれの子どもはだめなやつになっちゃったか……」みたいなね。ちょっと耐えきれないっていう。

またパラサイトしているほうもヒマで、何したらいいんだっていうのがあって、社会的にやっぱりプレッシャーがあるし、行き場がないんだよね。なかなか自分でも開き直れないしさ。

ぺぺ いや、でもいまだと逆転するじゃないかと思って。ひきこもりはいま、トップランナー。普通の人が苦しんだ「コロナうつ」だって、ひきこもりの人はほぼ乗り越えてきてるから、先輩。「え！　コロナうつですか？　甘いんじゃないですか」みたいになってるふうにも思える。

神長 でもやっぱ、ひきこもらざるをえない状況とかもあったわけですよ。こんな非人間的な労働環境と消費文化ばかりの世の中で、しっくりこない、行き場所がないという人がいるのも当たり前という。ひきこもりというのもカネ中心社会に対するヒューマン・ストライキという側面もあるんじゃないか。

いまの労働っていうのはね、なんか直線的っていうか強制的っていうか、やっぱり働かせている側の性悪説的な論理なんだよね。

友だちと何人かでキャンプしたり遊んだりすると、みんなそれぞれの個性があってそれぞれのノリや好みで勝手に活躍したりして、面白いんだよね。ちょっとしたことなんだけど、「あっちの場所がいいんじゃないか」とか言っていい場所を見つける人がいたり、何か面白いことを思いついてやりだす人がいたり、だれかを手助けする人がいたり、それで全体が楽しくうまくいったりする。だいたい日頃、仕事が嫌いな人ばかりだったりするんだけど(笑)。

友人たちで畑作業をするときもそんなかんじで、それぞれの思いつきで自由に活躍したりしなかったりして、楽しくやってまずまずうまくいったり。

そんなかんじで、それぞれのペース、やり方で、自由にのびのびやったら、いまの上から決められた単一な労働のノリにあわない人でも楽しめるってことはあるよね。いまの労働のあり方が問題なので、ツラくて働けない人がいて当たり前なんだよ。いまの労働のあり方を根本的に変えていくしかないね。

あとは、あんまり働いてなくても、消費文化にのらなくてもオッケーですよ、みたいなかんじで集えるような場所とかイベントなんかがあるといい。実際そういう空間は、だめ連をはじめた三十年前に比べて増えてきていると思う。そういう空間から、愉快な人生を生きている人たちがでてきているんだと思う。

生活保護

神長　あんまり働かないほうがいいんじゃないかとか話しているわけだけど、いまや働きたくても希望する仕事がなかなかないという状況もあったりする。これは世の中の構造の問題だったりが原因なわけで、個人の努力の問題じゃない。

あとは、精神的な病や身体の病気になって働けないこともあるけど、これもだれがいつそうなってもぜんぜんおかしくないでしょ。だから生活保護（生保《せいほ》）があるというのは、一番大切なことだよね。

だけど、日本の場合は有資格者の捕捉率が低いっていう問題もあるし、いわゆる行政の水際作戦とかでとりにくいのが現状。これはとても良くない。生きにくくて息苦しい社会の元凶だよ。にっちもさっちもいかなくなったときの安心感がない。

一方でおれらのまわりも生活保護を受けている人はいるけど、受けてラクになったかという問題もある。

ぺぺ　もちろん、それで助かった人もいるけど、ただこれは難しいとこでね、やっぱどこかしら負い目をかんじてる人もけっこういるよね。

だいたい会話っていうのは、一般的にまず、「いま、何やってんですか?」からはじまるから。聞かないほうが失礼みたいなさ。「何やってんですか?」が曖昧になってるんで人と交流したくないって、それはそうなっちゃうんだよな。そこを吹っ切るのってけっこう大変なことだと思うよね。

神長　これもね、さっき言ったように、やっぱり「自立してなんぼだ」みたいなね、「だめなやつプレッシャー」があるよね。あとなんといっても生保バッシングがよくない。

結局なんで叩くかっていうと、「ずるいじゃん」みたいな感覚でしょ。「働かないでカネもらってずるいじゃん」っていう。だったら、働かなければいい。労働イヤなんだろうって。だったら、こんなにイヤな労働をたくさんしなきゃいけない世の中、人生を少しずつでも変えてったほうがいいよ。生保バッシングって弱い者いじめなんだよね。本当にずるいのは、過酷な労働をさせて搾取しまくってるカネ持ちだから。叩くんだったら、そっち叩けよっていう。

それと、生保とれても孤独だとつらいという問題もあるよね。やっぱりオルタナティブな交流圏を作っていくのが重要。

フリーター問題〜資本主義よりたのしく生きる

神長　おれなんか、あんまり働かないのがいいんじゃないってやってきたわけだけど、フリーターやニートって、自分で好きで選んでやってるっていう側面もあるかもしれないけど、資本の側っていうか企業の側もさ、望んでるわけで。それで、だんだん正社員雇用が少なくなって、いやおうなく非正規にならざるをえない人もいっぱいいる状況になっている。

ぺぺ　世代によるけど、いまは大学出ると正社員になれるみたい。でも、それは数字の問題で、実態はひどい労働環境の職場でしょっていうのは言えるけどね。

神長　いずれにしてもフリーター万歳ってわけではないような状況になってきている。闘っているフリーター系の労組もあるし、低賃金で保障も少なくクビも切られやすい非正規労働者の状況を良くしていくのは重要。

派遣社員とかも、結局竹中平蔵路線のピンハネの世界でしょ。オリンピックなんかでもパソナがオフィシャルサポーターになってて、なんかの記事では中抜き率が九五パーセントとかって出てた。ひどすぎる。

「働かざる者食うべからず」[*1]っていうことばも、ソ連ではそういう資本家とかを糾弾する意味で使われてたらしいよ。

非正規雇用の問題で言えば、みんなが正規雇用になればいいというわけでもない。おれみたいに週に何日も働きたくない人もいるし、正規雇用の人の長時間労働も問題。

というか、そもそも働きすぎなんだと思う。

福島原発の事故にしたって、それを境に原発を全廃するだけじゃなく、いままでの大量生産大量消費社会自体を見直すべきなんじゃないか。いまや地球温暖化が進んでいて、それはやっぱり決定的なことで、資本主義そのものを見直さなければいけないんだと思う。まさに資本主義は持続可能なやり方ではないわけで。

資本主義を見直すというのは、とても勇気のいることで、この物質的に「豊か」で、便利な暮らしを手放したくないというふうに多くの人は思っていると思う。

だけど、それほど資本主義っていいものなのか？　そんなにみんなが幸せなんだろうか？　資本主義は欺瞞だらけだしけっこう過酷。これもまた現在多くの人が実感していることでしょ。

資本主義的な暮らしを少しずつ見直していって、自然と共存していた昔の暮らしのいい点を参考にしていくのがいいんじゃないか。大変かもしれないけど、実はそこにはよろこびもたくさんあるんじゃないか。

ここ数年、小さな畑で野菜を育てたりしているけれど、スーパーで野菜を買うのとは違ったよろこびがある。学生のころ、一晩に数千円使っておしゃれなディスコなんかで遊んだこともあったけど、いま、学童保育で子どもたちと鬼ごっこしているときのほうがだんぜん楽しい。

もちろん、すべての資本主義的なものを急に捨てて暮らすのは難しい。自分にもとても無理。生まれたときから資本主義社会のなかで育っているから、からだに染みついちゃってる。普通に買い物することがほとんどなんだけど、たまにでもいいから、そういったものと違ったやり方で何かをやってみると、意外とよろこびの発見がある。それは資本主義的な楽しみよりえして面白い。そういうよろこびの機会を増やしていくのがいいと思う。

資本主義よりたのしく生きる。資本主義に見切りをつけて別の生き方を探さざるをえないいま、それはとても大変なことのように思えるけど、実はそこにはたのしいことがたくさんあるんじゃないか。というか、資本主義よりたのしく生きていけばいいのだ。

＊1　オリンピックのディレクター費を一日あたり二十万円要求して実際の支払いは一万二千円という問題もありました。https://www.mag2.com/p/news/494587

その1……生きる、暮らす

食のよろこびを取り戻す

生きていくといったら、まず食べるということが基本。どんな生きものもメシを食わなきゃ死んでしまう。

広大な土地を買い占め農薬を使って大量に育てられる野菜、狭いケージに押し込められ最終的に「食べられて死ぬ」ことを運命づけられているニワトリや家畜。挙げ句の果てに、大量のフードロスを生み出す資本主義というシステムとはいったい……。

自給自足的に食べものを自分で作ったり、採ったりする部分を増やしていけば、その分働かなくてよくなって、カネに依存する部分を減らしていける。その分自由になれる。しかもそれは楽しいこと。

チェーン店とかコンビニなど、みんな同じような、手作りでないものを食べていると、やっぱり味気ない生気のない人生になっていくんじゃないか。

いまこそ、資本主義に奪われている食にかんするよろこびを少しずつでも取り戻していきましょう。

農作業（田畑）

神長　カネを得てカネで食べものを買うのではない方法っていくつかあると思うんだけど、まず、「農作業」。畑とか田んぼとかやって食べものを作る。

これ、けっこう流行ってるっていうか、まわりでも自分たちで畑や田んぼやってる人って増えてきてる。自分たちのまわりだけじゃなく、若者も含めてそういう人が増えてきてるっていうかんじはあるよね、ここ二十年ぐらいいね。

ぺぺ　そうそう。

神長　ってことでわれわれもね、ちょびちょびながらそういうことやってきたっていう。まず、そのへんの話から。

自分の住んでるアパートに庭があるんですよね。そこの庭で少しずつだけど、いろいろな野菜を作ってる。その分、食費が浮くっていうのもあるし、スーパーで食材買って食べるよりも、自分や知ってる人が育て作ったものを食べるってのは、なんていうかダイレクトな行為っていうか。自然の中で自分が生きているっていうのをかんじることができるっていうか、それはいろんな意味で重要なんじゃないか。

ほぼ毎日野菜を食べてるわけだけど、どんなふうに野菜が育っていくかとか、ほとんど知らなかったからね。どうでもいい情報ばっかり知っていて、そういうことを知らずに死んでいくのももったいないし、実際に体験しながら知っていくのは世界が広がっていく感覚がある。

基本下手くそなんですけど、夏なんかはわりとうまくいって、プチトマトとかね、キュウリ、ナス、ピーマンとか。キュウリやゴーヤなんかは、もうできるときはいっぱいできちゃって、食べきれないぐらい。

ほかには春菊、セロリ、パクチー、バジル、明日葉、山椒、小松菜……。あと、のらぼうとか、これは多摩地域独特の野菜らしい。みょうがもたくさん自生していて、夏は毎日のように食べてる。自生してるものは、やっぱりよくできるね。収穫するのも楽しい。

去年はシソがけっこうできて。シソがちょっとあるだけでもね、そうめんとかそばとか納豆に切って入れたりして、それだけでもちょっとおいしくなるっていうか、買ったものじゃないのがちょっと入ってるだけで、生活が楽しくなる。一応無農薬でやってるんですけど、やっぱり採れたての野菜っておいしいね。

旬の野菜っていうのも楽しい。スーパーとかだと旬が違っても手に入っちゃうでしょ。便利なんだけどなんかつまらないっていうか、精神的にうつうつとしてくるんじゃないか。どの季節にどの野菜ができるとかもわかんなくなってくし。季節の移りかわりをかんじながら旬の野菜を食べていくのは、自然とつながって元気になっていく感覚がある。採れたての、手作りの、旬の野菜を食べるっていうのは、最高にぜいたくなんじゃないか。

ぺぺ　そのとおりでごぜえます。

神長　今年やって面白かったのはじゃがいも。この先どうやってしのいでいくかっていうところで、じゃがいもが重要なんじゃないかって。田んぼって、手間や耕作面積を考えても難しいじゃない。イモを主食にしてる人たちっているでしょ。うまいし腹にたまるし、じゃがいもがあればなんとか生きていけるんじゃないかって。じゃがいも路線っていうのはけっこう期待してます。

田んぼは、三里塚に農家の人の知りあいがいて、その人んとこでみんなでやろうかっつってね、何回か行ったりしたこともあったね。あと、近くの公園で市民の人たちがやってる田んぼにも何回か参加してみたりとか。

ぺぺ　自分としては畑とか田んぼでかかわったことがあるっていうのは、いま言ってた三里塚。〈あかね〉に来ていた人で三里塚の農家出身の人がいて、そこで〈あかね〉の合宿をさせてもらったりしたことがあった。そういう関係で〈あかね〉で月イチで野菜を注文したり。

二〇〇六〜〇七年くらいからかな、まわりでもそういう農業を意識した生き方にシフトしていく人もいたりして。自分にとって興味深い領域になった。

神長　音楽やってる人とかが自然に目覚めて、それで田舎に行ったりしてっていうのもあった。やっぱり都会で息苦しさをかんじる人が、農作業やるようになるながれがあるよね。

ぺぺ　あると思う。

がんになってからはバイトもできずスーパーフリーになって、バンドを一緒にやってる人が田んぼとか畑に連れて行ってくれるんだよね。作業療法じゃないけど、気持ちがいいなと思ってね。そこにいる人たちがまたいいかんじでね。いい時間を過ごさせてもらってるよ。

そこでやってる人たちは原発事故以後、自分たちの暮らしを振り返ってみよう、そういうながれからかかわりを作っていこうみたいなかんじでやっている。

神長　やっぱり資本主義的なものになるべく依存しないような。

ぺぺ　そういう暮らしそのものを見直して、生活を作っていこうというのが大きな志としてはある。

神長　それは重要だね。ぺぺは胆管がんが発覚してから、農作業をやってるところによく行きだしたじゃない。やっぱり自分ががんになったってことが影響してるわけ？

ぺぺ　考えだせばね。食べもののことから全部、もろもろの毒が体内に蓄積したんだなって。放射能から農薬から添加物から、全部かかわってるだろうと思いますよね。水でも食べものでも、前より農薬とか怖くかんじるようになった。急に全部を変えることはできないけどね。

人はからだ自体を自分のからだだって思ってるけど、よく考えると、これ地球の一部なんだなって思うようになってきて。汚染だなんだがあれば、それはやられるよな。地球環境問題っていうとバカでかくてどこから手をつけていいかわからなくなるけど、自分のからだも地球環境の一部なんだという感覚になってきた。からだって自分の思うようにならないわけで、それも含めて自然環境みたいな。

神長　マイクロプラスチックも、自分たちが出したプラスチックのごみが細かく砕かれて海水に含まれてて、それを摂取した魚を食べれば、当然体内に入ってくる。自分たちに還ってきている。

ぺぺ　バチがあたってんだよ。

おれは自然農のところにも行ってる。友だちに紹介された整体の先生が、からだのことと食べもののことをトータルに考えてて、畑を借りてやってる。

神長　自然農をやってる人からも、農薬とかでからだの不調がきっかけではじめたって話を聞くよね。

自然とつながる

神長　少しの量でも自分で育てた野菜を食べるのは面白いね。野菜を育ててそれを食べて排便するってとこまで全部自分でやってると、だんだん生きてる感覚が取り戻せていくかんじでわくわくしてくる。人なんてつい数十年前まで、何千年も基本はそんなかんじで生きてきたわけで。おれは賃労働は苦手だけど、農作業はわりと好きだなあ。まあ、重労働になったらへこたれるんだろうけど(笑)。これからの時代は、みんなで少しずつ楽しみながら自給率を高めていくのがいいんじゃないかな。

ユーチューブで昔のドキュメンタリーを見たんだけど、チベットの高原で生きてる遊牧民の人たちは、山羊かなんかの乳を取って、それを食べてるような生活なんだけど、そういう人たちって自然とずっとつながって生きてるから、現代のこの資本主義の東京とかで暮らしてる人とぜんぜん感覚が違うっていうかね。一日何もなく過ごせる、それで満ち足りてるみたいなかんじの暮らしをしている。資本主義社会ではモノがあふれててとても便利なんだけど、やっぱり何かを得ることによって何かを失っちゃうっていう部分があるよね。自然とつながるかんじっていうのを少しずつでも取り戻していったほうが、自分の心の軸ができてくるんじゃないかという気がしてる。

ペペ まったくだねえ。なかなか難しいですが。散歩だけはやってます！

採集・採取

神長 作戦としては採集／採取というのもあるよね。これは大昔から人が当たり前にやってきたことで、自然界に生えてるもので食べれるものはいろいろある。柿とか栗とかクルミとかギンナン、梅なんかはポピュラーだよね。

柿やヤマモモは毎年学童保育の子どもたちと採っていて楽しい。こないだは子どもたちと桑の実をたくさん採って盛り上がった。桑の木はうちの近所にも大きなのがあって、近所の人たちにも人気ね。

ペペ おれん家の近所もすごいよ。でかいのが。

神長 そのまま食えるのもいい。甘くておいしくて。すっぱいのも好き。

あと、うちのアパートの庭に大っきいビワの木があって。

ペペ ビワはいたるところにある。

神長 いっぱいなる年とあんまりならない年があるけど、毎年、時期になるとハクビシンが夜中に食べにくる。

子どものときの思い出なんだけど、金沢に住んでたときに家族で近くの山に登ったらアケビがあったんだよ。親父とおじいさんが喜んで「おおうっ！」ってなって、初めて食べたんだけどすごくうまかったのを覚えてる。

あとは野草ね。

野草もここ数年はまってて。昔ぺぺと友だちん家に泊まったとき、友だちが「庭にフキノトウ出て、フキ味噌にしたんで食べましょう」って出してくれておいしかったよね。フキは近所にけっこう生えてるところあって、採りまくって天ぷらにして食べた。春到来ってかんじがするよね。

ぺぺ　おれの実家の団地にもけっこうあるよ。

神長　みんなで多摩川の河原をキャンプしながら歩いたときは、友だちがホタルブクロを見つけて天ぷらにしたり。

春は野草の時期に山に行ってタケノコ掘って、途中でウルイ（オオハギボウシ）とか、あとワラビがたくさん生えてるところを見つけて採った。野草を採るのははまると楽しいね。

いくらでもあるよね。土筆、セリ、タラの芽、カラスノエンドウ、ノビル、アサヅキ、スベリヒユ。そのへんに生えてるオオバコとかスイバとかイタドリ、雑草みたいなやつ、あのへんも食えるっちゃあ食える。オオバコはオオバコ相撲も楽しいよね。

ぺぺ　こないだ畑に行ったときにはネコジャラシがあった。あれも食えるらしい。アワの原種だから。手間が大変らしいけど。

野草茶、果実酒、キノコ

神長　野草については本も少し読んでるけど、友だちの親が好きでくわしいんだよね。

ぺぺ　おれらの親（戦前生まれ）ぐらいまでは、けっこうふつうにいろんなもの食ってる。

神長　たしかに。おれのおふくろもいろいろ知ってるなあ。食べられるかどうかっていう目で見ると、見えてくるんだと思う。おれも少しずつ覚えてきた。〈あかね〉や〈なんとかＢＡＲ〉でカウンター入ったときに、野草メニューを出したりしたこともあるね。

家では野草茶も作ってる。ビワの葉っぱでビワの葉茶とか。これ、健康にいいっていうんでぺぺにもあげたんだけど。桑の葉でも作ったし。桜の葉っぱのお茶なんか、おいしい。ほかには、スギナとかギシギシとかドクダミとか適当に採って乾かして。あと、野草を乾かしてタバコに混ぜて吸ってる友だちもいる。

ぺぺ　あと、ヨモギが重要だよね。ヨモギを食えって言われた。

神長　野草茶の世界って、本とかネットとか見ると、これはこの病気に効くっていう情報もあったりして、けっこう効用があるんだよ。昔の人は薬代わりに飲んでたみたいで興味深い。おれは最近、友だちからもらったトゥルーシー（ホーリーバジル）茶を飲んでる。

あとは果実酒ね。

梅酒はよく作ってた。ブラックベリーの木があって、ブラッベリー酒とか。スモモ酒も作った。それとキノコ。

これも一大ジャンルで面白いでしょ。山に行って採れたてのキノコを食べるとめちゃくちゃうまい。原発事故以降はほとんどやらなくなっちゃったけど。

昔、ぺぺがうちに来たとき、キクラゲ食ったでしょ。散歩してたら枯れ木にキクラゲが生えてて、採ってラーメンに入れて食べた。こないだうちの庭にアミガサタケが生えてて、食べたらうまかったなあ。

ぺぺ 高級食材らしいよ。

神長 雨が降った翌日に山登りすると、けっこうキノコが生えてたりする。前に山登り行ったときに、ハナビラニカワタケって、ぷよぷよしたでっかいのを見つけて食べた。マツタケも採ったことあるよ。

ぺぺ それはすごい。でもキノコは、放射能のこともあるから、あんまりすすめられなくなってしまってねえ。キビしい問題。

神長 東京電力許しがたいね。大問題だよ。原発はやめるべき。

毒キノコ問題もあるよね。あれ、わかんないんだよ。いっぱい種類があって難しい。くわしい人と一緒に行けばいいけど。

虫捕りと釣り、小さな採集

神長　あと、生きものね。

ぺぺとは近所の公園でイナゴをいっぱい捕ったよね。何百匹も捕った。

ぺぺ　草むらを一歩歩くたびにピョンピョン飛んで。いるいる。

神長　いっぱい捕まえてうちに持って帰ってきて、いきがいいもんだから箱から飛び出して、部屋中ピョンピョンピョンピョン大変だった。かき揚げにしてありがたくいただいた。

あのとき、ザリガニも食ったよね。池で釣って、うちで炒めた。エビみたいな味だった。

ぺぺ　友だちが母ちゃんに、「子どものとき何がごちそうだった?」って訊いたら、ザリガニって言ってたらしい。

神長　釣り路線もある。おれは経験多くないけど。

狩猟採集キャンプに行ったときは、荒川で釣りして、イカさんがブルーギル二匹とスモールマウスバス一匹釣って、さばいてフライにしたね。

ぺぺ　普通においしい。東南アジアの人たちが夜通し釣りしながらパーティーしてて楽しそうだった。でっかいコイ釣ってて豪快だったねえ。

神長　ハゼ釣り行ったらけっこう釣れて、〈あかね〉で料理してみんなで食べたのはうまかった。

ぺぺ　二子玉川の河原でやってるレイヴに行ってたとき、あそこに住んでる人たちと遊びに来る人たちとで、釣りの得意な人がコイを釣って、元料理人がその場でコイをあらいにしてくれたの

左上はビワの木からの収穫。鈴なりに実がなっている。

右上は川で魚を釣り上げてよろこぶイカさん。そのまま野外で調理して食べる。

下は近所の草むらでイナゴを探すペペ。

自給自足的な要素を少しでも生活に取り入れるだけで、買って食べるのとは違うよろこびがある。

友人に連れていってもらった田んぼで稲刈りをするペペ。

を食べたけど、普通にうまかった。コミュニティみたいになってて、楽しそうにやってた。

神長　おれの親父の田舎が久慈川っていうアユ釣りで有名なところで、親父が子どもだったときはおじいさんとアユを獲りまくってよく食べてたらしい。それがおれの親父が一番楽しそうに語る思い出。

昔、川沿いに暮らしてた人は、魚獲って食べて暮らしてたわけで。

富山に旅したときに、イタイイタイ病資料館に寄って知ったんだけど、神通川もそういう生きることと切り離せない大切な川だったのに、公害で汚されてしまって大変なことになってしまった。

おれが子どものころは、田んぼや池に、トノサマガエルとかいろんな種類の蛙とかザリガニとかドジョウとかゲンゴロウとか、生きものがいっぱいいた。おれは生きもの大好きだったんで、よく捕まえに行ったりして遊んでたんだけど、ここ数十年でめっきり減っちゃったよね。この変化は重大なことだよ。なんともさびしい。

人間ばっかりがそんなに偉いのかっていう。これも資本主義社会の問題が大きい。そんなに経済成長ばかりが本当にいいのかって。いろんな生きものがいるほうがだんぜん楽しいよ。

狩猟

神長　野菜とか魚とかについて話してきたけど、肉食っていうことで言うと、鳩とか食えないかな。

中国では高級食材らしいけど。

ぺぺ　友だちが大学で働いているとき、山鳩が入ってきちゃったことがあって、ガラスにばーんってぶつかって落ちちゃったら、中国からの留学生の人たちがポケットに入れて持ってった、ということがあったらしい。あと、池の亀を捕まえて、とかね。

食文化の違いは驚くことも多いですが、学んでいきたいと思いますね。

神長　亀はさばくの難しいだろう。亀はだめだな。昔かわいがってたことがあるから。猫も難しい。しかし、猫や亀はかわいそうで、なんで牛や豚は食ってるんだっていう……。

ぺぺ　たしかに！

神長　友だちのお父さんの話だと、蛇や蛙や雀や犬、猫を捕まえて食べたって聞いたことあるけど、いまは生きものによっては鳥獣保護法があって難しいのかも。

前に畑やってる友だちのところでニワトリを殺してさばいたことがあったけど、ぺぺとは鹿をさばいたよね。

山のほうに住んでいる友だちの家に遊びに行ったときに、その友だちが地元の猟師さんと仲良くて、朝方その猟師さんから「鹿が捕まったよ」って電話かかってきた。急いでそこへ行ったら仕留めるところから見ることができた。首から血を抜いて、猟師さんの家でさばいていったんだけど、その作業を少し手伝わせてもらったんだよね。

肉って、ふだんはスーパーでパックになっているようなものを食べてるから、生きものを殺して食べているみたいな感覚がぜんぜんなくなっちゃってるでしょ。商品になっちゃってる。

ぺぺ　豚肉から豚を想像できないし、牛肉から牛を想像できない。そういうふうにして売られているっていうことでもあります。

神長　そう。でも、だれかが殺しているわけだから、肉を食べるんだったら、それは本当は自分でも体験しなきゃいけないと思ってたんだよね。おれもニワトリを絞めて殺せなかったし、鹿も殺すところは漁師さんが銃で撃ったわけだけど。つぶらな瞳とか見ちゃうとちょっとかわいそうになって。生きものを殺して食べるって、昔の人はそうやって食ってたんだろうけど、われわれなんかかわいそうでできなくなってるでしょ。だったら食うなよって話もあって、他人に殺させて食ってるわけだから、卑怯っちゃ卑怯なんだよな。おれもなかなかやめられないで食べてるけど。

ぺぺ　仕留められる前には全力で逃げ出そうとするんじゃないかと思ってたんだけど、その前に罠でやられちゃってるから生きる気力を削がれちゃってて非常におとなしかった。たぶん、もうやられるっていうのはわかってるかんじだった。おれはニワトリを絞めたことがあって、逆さまにして首をぶった切るっていうやり方だったけど、その瞬間はニワトリもおとなしいんだよね。おれはそのことに驚いた。首を切られた後になって暴れまわってた。

神長　おれは猟師さんが仕留めるとき、目をそらしそうになった。見ておかなくちゃいけないと思ってがんばって見てたけど。でも、肉はすごくうまかった。殺したところを見てるから、ありがたいなっていう気持ちがあるね。先住民の人とか、獲物を獲ったときに儀式をしたりして、山の神様のめぐみとかって感謝するじゃないですか。おれも自然の中からいただいた貴重な肉だっていう気持ちになって、ありがたいものとしていろいろな人に分けて、〈かけこみ亭〉でみんなに食べてもらったりした。「ここ心臓ですよ」とか言って。みんなもありがたがって食べてた。いのちをいただいてるってかんじがあった。

肉を食べるんだったら、食べるまでの過程を経験したほうがいいと思う。

そもそも肉食とは

神長 そもそも肉食はどうなんだという話があって、まわりでもベジタリアンの人とか、あるいはビーガンの人とか多いじゃない。

ぺぺ アニマルライツ、つまり動物の権利に対する問題意識もある。

神長 ビーガンがそうだよね。食事法じゃなくて、動物から搾取しないとか動物を苦しめないとか。

ぺぺ そういう政治的な態度ですね。

神長 動物実験して作られた製品とかも、ボイコットして買わないとか。

やっぱり人間中心主義というのは、地球環境のことを考えてもすごく問題。人間ばかりが偉そうにしてていいのかとか、ある意味人間こそ一番まずい生きものなんじゃないのかとか、よく思う。人間の都合で自然を破壊して、人間が絶滅危惧種とかを生み出しちゃってる。トンボ、セミ、ハエ……。子どもの頃にくらべてずいぶんと生きものが減った。

昔、だめ連メンバーの友だちで動物解放ってことを考えてる人がいて、あるとき仲間たちと

「パネル展」というのをやったんだよね。チェーン店の肉にするニワトリを育ててるところなんかの写真。それを見ると、極端に効率的にやってて、すごく狭いところにいっぱいニワトリが入れられてるから、お互いストレスで突っつきあって毛が全部抜けちゃってるのね。そういうニワトリに生まれてきたら、ずっとその狭いところに閉じ込められて、最後は殺されて肉になる。ひどい一生だよね。

あと、テレビで見たのは牛。そこは牛肉を作るための工場みたいになっちゃってて、これまたすごく狭いところに閉じ込められていて、ひたすらエサの藁かなんかを食わせて太らせる。さらには藁にビールをかけると食欲が増すと言ってバンバン食わせて、最後に、「肉になります」というときに初めてそこから出てくる。トラックに乗せられて運ばれるんだけれども、でかくなりすぎちゃってるし、ほとんど初めて歩くからうまく歩けなくなっちゃってる。虐待だよね。

そういう肉を食べてるという自分も加害者。

ペペ 悪くないやり方を追求している人もいる。放牧してやってる人もいる。そういう人とつながるとか。

神長 そもそも生きものを食べない、殺さないという人もいる。おれは虐待された動物の肉を食べるのは良くないなと思ってはいるけど、なかなかやめられない。少しだけ減らしてはいるけど。

家畜は他人事ではない

神長　動物虐待的な食肉工場みたいな、まるで物を作るようなかんじで畜産をやってるところが多くて、意識していないとそういう過程で作られた肉を食べることになっている。そうすると自分たちにも同じような仕打ちが返ってきちゃうんじゃないか。

ペペ　動物にやることを人間にもやるような方向性になっているわけです。

神長　人間の生活もそういうかんじになっているし。チェーン店とかファストフード、コンビニもだけど、どこへ行ってもみんな同じような、工場で作られた、機械で作られたものを食っていると、やっぱり味気ない生気のない人生になっていくんじゃないか。

ペペ　産業化、機械化そのものをどうとらえるかというでかい問題。

神長　さっき言ったような家畜の生と、そういう社会で生きている人間の生とはどこか似ている気がするよね。生産性中心で効率的に生かされるだけで、肝心の生きるよろこびが失われているという。資本主義は恐ろしい。生身の熱のある人生を生きるという反乱が重要。

料理する

神長　ここまでは、労働を減らすためにも、よりよろこびのある人生を生きるためにも、お金を介さないでいかに食べものを自分らで手に入れていくかという話だったけれど、料理というのもけっこう重要というか、やっぱりなるべく料理していったほうがいろんな意味でいいんじゃないかってね。お金もそれほどかからず、楽しかったりからだにも良かったりする。

おれもスーパーの半額弁当とかたまに買ったりしてるんだけど、添加物とかけっこう入ってるせいか、あんまりおいしくない。みんな働いて忙しいから料理するヒマがなくて、その分出来あいのものを買っちゃったりということもあると思うけど、それだったら仕事の時間や日数を減らして、料理する時間を増やしたほうがいいんじゃないか。おれもヒマな分、下手くそだけどよく料理はしてる。

イカさんのおふくろさんが畑で作った野菜をたくさん送ってきてくれるから、それを近所の人とかに分けたりもするんだけど、残ったものは日がたつにつれて傷んでくるから、なるべく傷みやすい野菜から使って調理するというかんじ。だから料理も、野菜を無駄にしないってことが第一で、何かうまいものを作ろうと思って料理を作ったことはない。

ぺぺ　「うまいものを作ろうと思って料理を作ったことはない」って大事だよなあ。虚をつかれて感動してます。

神長　やっぱり野菜、食べものを大切にしなきゃいけないじゃん。腐らせちゃったらだめでしょ。カレーでもいいし野菜炒めでもいいしスパゲッティとかでもそうだけどさ、おれがやると、だいたい創作料理になるんだよね。たとえばカレーを作るとすると、入れるのはジャガイモとニンジンとナントカだといって買いに行くんじゃなくて、そのときあるものやもらった旬の野菜で適当に作ればいい。スパゲッティだって、そのときにある旬の野菜を適当に炒めてさ、スパゲッティ茹でてそれにかければ、それが一番おいしいというか面白い。

これまでも家で友だちと料理して遊ぶ、食べて楽しむっていうのはやたらとやってきた。それこそいろんな人の家で友だちの作った料理を食べてきた。〈あかね〉とか〈なんとかBAR〉なんかでもたくさんの友だちの料理を食べてきたし、自分もイカさんと作って出してきた。界隈のイベントでいろんな人が出店して作ったものを食べてたりとか、よく考えてみたらここ何十年かで、かなり多くの人の手料理を食べてきたし、自分が作った料理も野菜もいろんな人に食べてもらったなと。これは相当多いほうなんじゃないかっていう。

ぺぺ　かもしれない。

神長　それはけっこういいことなんじゃない。楽しいじゃないですか。まさに「資本主義よりたのしく生きる」という。

あと、毎年野宿者（ホームレス）支援の越年越冬闘争というのにちょっとだけ手伝いで行ってるんだけど、そこでは共同炊事っていって野宿者と支援者が一緒になって炊き出しをするんだよね。みんなで野菜を切ったり、でっかい鍋で煮込んだり。できあがると自分も支援で行ってるくせにひと口ごちそうになったりするんだけど、やっぱりそういうご飯が一番おいしい。本当のごちそうは、たんに高級レストランに行ってカネ出せば食えるってもんじゃないでしょ。

ぺぺも料理好きだよね。

ぺぺ　自分がうまいと思うものを作るのは楽しいに決まってるわけで。どちらかと言えば、おれは魚なんだよ。

神長　魚さばくのうまいよね。

ぺぺ　変な話、ユーチューブを見ればどんな料理も作れるからね。寿司の握り方だって何十通りだって出てくるんだから。

最近ではカツオをみんなで食べたねえ。なるべく大人食堂的にみんなで食べる機会を増やしたいと思っているんですけど。前より回数は減っちゃってるけど、近所の住民と大人食堂。子ども食堂ってかなり一般的になっているけど、大人食堂こそ重要なんじゃないかと。

神長　重要、重要。おれも前一人暮らししてたときには食事がイマイチで、たまにみんなでホームパーティーをやったときに栄養を補給してた。みんなで食べると安く済むしね。

よくぺぺが、〈なんとかBAR〉の店長をやった翌日に、余った食材でぺぺ邸でホームパーティーをやってたよね。あれはいいよね。お金もかからないし、楽しいし、おいしいし。人とご飯を食べるの大事ですよ。同じ釜の飯を食う。

ぺぺ　これはいま、一人暮らしの人みんなが考えさせられているんだと思いますよ。ずっと一人で飯食っててもイマイチ楽しくない。きつくなってくると思うよ。

神長　コロナ禍でね。もともと無縁社会で、なかなかそういう機会もなかったりする人もいっぱいいると思う。二、三人でも十分だよね。

ぺぺ　離婚したばかりのとある友人が、「一人で食うって、ほんとにうまくない」って言ってました。やっぱ世間話をしないと。自分もこの間、何をやりたいのかっていうと、交流・トークとか大げさなものじゃなくても話をしたいんだよね。交流することが多いおれでも、一日人と話さないような日がいっぱいあるからさあ。やっぱり世間話がしたいんだよ。くだらないことを。大谷翔平の話でいいんだよ。自分のこととしてつくづく思う。

フードロス、グローバル化する食問題

ペペ　大きい話として、フードロス問題。

「賞味期限切れ」という検索ワードだけで、調べればすぐ出てくる。日本が特殊なのかもしれないけど、途方もない量の食べものを捨てている。さらにそれらをゴミとして石油をかけて燃やしているわけだから。バチが当たらないわけがない。

神長　世界の食料生産量の三分の一くらい廃棄しているって話を聞いたことある。[*1]

ペペ　そう思いつつ、おれもアルゼンチン産エビとか買っちゃうけどさあ……。

世界中の食べものを買い叩いてるようなものなわけですよ。なおかつそれを捨ててるという。

おれの知りあいでいま、廃棄になるような食材を配布することをやってる人がいるけども、関係を作るとそういうものが集まってきたりもするんだよね。だから身のまわりの工夫と同時に社会のありようが変わっていかないことには、これ、ねえ。

神長　食べものが商品になっちゃってるからねえ。

ペペ　売れないから捨ててるわけでしょ。

神長　スーパーとかだとまだ半額シールとかやったりするけど、コンビニの弁当とか、そのまま捨ててたでしょ。

ペペ　だから、それを考えるとクラクラしちゃうんですよ。

神長　あらかじめ廃棄するのも計算に入れて売ってて、最初から捨てる前提でやってるもんなあ。

まずいよな。おれもそういう弁当を食っちゃうこともあるけど、なるべく自炊したりして食べものを大切にしたいよね。

居酒屋での飲み会とかで、最後、余った食べものをおれら食べまくってるよね。無駄にならないように。お店の人に言って、パックに詰めて持ち帰ったり。なんか、そういうことをするのがかっこ悪いみたいな風潮ってあるけど、カネだけ払って食べ残すほうがかっこ悪いだろって。

あと、料理すると出る生ゴミをコンポストっていうか、堆肥にして土に戻すというのがずっと夢だったんだけど、十年ぐらい前にいまのアパートに引っ越して、庭があるので穴を掘って、生ゴミは全部そこに埋めてます。

ペペ　おれもそれやりたいんだよね。だって生ゴミを捨てて、それに石油をかけて燃やしているわけだからね。

神長　畑をやるのにいい土になるし。楽しいよ。

ジャンクフードの魔力

ペペ　ジャンクフード特有の毒々しさってあるよね。毒はうまいんだよ。

神長　あれね、アガる何かが入ってると思う。おれもけっこうスナック菓子とか食べちゃうけど、あれもなんかね、アガるような添加物とか入れてんじゃないかって、また食いたくなるように。だからたまに食うと刺激があってうまいなって思うようにできてるんじゃないの。ファストフードは売るためにすごい研究してさ、素材の味がおいしいわけじゃないけど、イライラしたり疲れているときにスカッとするようなかんじにできてるよね。ドラッグ的だよね。

でも、添加物が入ってる食べものってひと口食うとうまくかんじるけど、やっぱりうまくないね。逆に添加物入ってない料理だったら、だいたいなんでもおいしいよ。そういう料理食べてるほうがやっぱりうつになりにくいと思うし。

ぺぺ　うん。

外食

神長　食堂って、いまはもうどこの街に行っても同じようなチェーン店ばかりになっちゃったけど、やっぱり個人がやってるお店のほうが面白いよね。どんな味だろう、どんな店だろうって。

前におばあさんとおじいさんの二人でやってる大衆食堂に入ってラーメンを頼んだんだけど、めちゃくちゃしょっぱかった(笑)。たぶん作るときに何か間違えたと思うんだけど、シブい店の雰囲気も含めて味わい深かった(笑)。

チェーン店に入っちゃうときもあるけど、おれはそういうシブめの中華料理屋とか定食屋のほうが断然好きだなあ。チェーン店って、どこ入っても何食べても同じような味がするけど、あれ、なんなんだろうね。添加物の味なのかなと思うけど。うまいと思うときもあるけど、なんかうまくない。

外食って言えば、昔は一食四百円とか五百円以内って決めてた。最近はつきあいでたまに六百五十円くらいの店で食べるときもあるけど、店に入るとほとんどいつもその店で一番安いメニューを注文する。安いかんじの店が好きだね。雰囲気的にも。

釜ヶ崎で食べた百円のお好み焼きとか、二百円くらいのもつ煮込みうどんとか絶品だったなあ。

ペペ チェーン店やコンビニがすべてになってしまうような勢いだからねえ。味わい深さや、なんつうか、奥行きというか、そういうのがなくなっていったら、みんなますますうつ病になるっつうの。

神長 再開発反対！とかも、そういうこととつながるんじゃないでしょうか。

あと最近、安居酒屋が好きになっちゃって。こないだ、昔からの友だちにびっくりされた。「神長さん居酒屋行くんだあ！」って。路上でしか飲まないと思ってたって。なんだかんだ言って、資本主義に負けることも多いという……。

しかしそもそも、酒を勝手に作っちゃいけないって納得いかない法律だよな。けっこう税金払ってるぞ。稼ぎのわりには。

ペペ 酒づくりはもともと民衆が普通にやってたことなわけであって、どんどんそっちに戻ってったほうがいいはず。うちのおやじも、中学生だった頃は家の酒づくりが任務だったと言ってましたよ。

＊1　FAO（国際連合食糧農業機関）の報告「世界の食料ロスと食料廃棄」による。

住む、暮らす

いろんな暮らし方があっても、いいじゃないか。

共同生活（シェアハウス）、一人暮らし、集住（友だち同士で近所に住む）、テント暮らし、居候、スクワットハウス、コミューン、自治寮などなど……。

資本主義というのは、えてして人びとを個人や家族の枠に分断しがちで、それだと競争社会になって、さみしくなっていってしまう。これからは、そういうものとは違った、みんなで生きていくという共同性の感覚を持って生きていくのが重要だ。

孤立よ、無縁社会よ、さようなら。

うまくいかないこともあるだろうけど、少しずつでもみんなでつながりながらともに生きていくというのが、ポスト資本主義の鍵。

そのほうがなんとか生きていけるし、あたたかい。

オルタナティブな暮らしを求めて

神長　もともとだめ連は一九九〇年代、「結婚〜家族路線にこだわらないいろいろな暮らし」、みたいなことを言ってきてたんだよね。

ぺぺ　イベントもやったしね。座談会もやったり。

神長　一人暮らしや共同生活などしながら、そんなふうに暮らしていた。それから二十数年がたって、おれはイカさんと二人暮らし、ぺぺは半共同生活。自分たちのまわりはいわゆる核家族みたいな暮らし方じゃないかんじで暮らしている人が多い。

ぺぺ　というか圧倒的多数(笑)。

神長　これは本当にそう。驚くほどに。まあ自分らの友だちだとそういうような人が多いわけだけど、世の中的にも結婚しない(できない)人、子どもを作らない(作れない)人も想像以上に多くなったっていう。どういう理由かはいろいろ複雑なんだろうけど。もちろん格差社会で賃金が安いということが一番の問題なわけだけど。

おれらが子どもの頃なんかは、経済成長路線と核家族みたいな、お父さんがサラリーマン、お母さんが主婦で、子どもがいて、という暮らし方がオーソドックスとされていたよね。だけど、そうじゃない暮らし方をせざるをえない、いや、そもそもいろいろな暮らし方があったっていいじゃないかってことで、おれたちはこんなかんじでやってきましたよ、こんなのがあるよっていう話をしながら、住むということ、どういうふうに暮らしていったら面白いかっていうね。暮らし方の実践例をあれこれを語っていきましょうと。その先によりよい社会が見えてくるかもしれない。ということでよろしくお願いします。

共同生活〈シェアハウス〉いろいろ

神長　まず浮かぶのは共同生活。

共同生活っていうと、家とかアパートとかで何人かで一緒に暮らすというような形態なわけだけれども、例えばぺぺだったら、昔だけど〈高円寺ラスタ庵〉というところで共同生活していたよね。あと、われわれは暮らしていなかったけれども、よく遊びに行ってたつながりの深いところで〈沈没家族〉っていう共同生活、共同保育もあったんですね。

ほかにも、つながりのあったところでは、例えば大阪の釜ヶ崎には〈ヴィラ三日月〉っていうところもかつてはあって、映像を作っている人たちが共同制作するために一緒に暮らして、釜ヶ崎の野宿者支援にかかわってたりもしてたね。

それ以外にも、いろんな家で共同生活している人って自分たちのまわりにはいる。いま、「シェアハウス」っていうのがけっこう盛り上がっているでしょう。

ぺぺ　普通になったっていうかね、良くも悪くも商売として成立するようなかんじになってる。

神長　いろいろなところでいま、共同生活、シェアハウスの試みみたいなのが出てきてるかんじはあるよね。とりあえず、ちょっと前の話になるけれども、〈ラスタ庵〉と〈沈没家族〉の話を若干しておこうか。

〈高円寺ラスタ庵〉での共同生活

ぺぺ　当時、それまではおれは別の友人と二人で、不在にしていた友人の家をシェアしてたんだよね。半年ほどなんですけどね。その家主が帰ってくることになり、そこに住めなくなるっていうことで、「どうしようかな」と思っていた頃に〈ラスタ庵〉との偶然の出遭いがあったんだよね。八畳、六畳、三畳、三畳の四室に庭付き風呂付きという平屋で、しかも木天井が高いんだよね、昔の家だからね。これまでおれが住んだ家のなかで一番いいのではないかっていう(笑)。雰囲気がいい。

神長　〈ラスタ庵〉は古くていい家だった。アパートとかでも、昔のアパートのほうが広々としてて造りがいいよね。

ぺぺ　居心地が良くて、おれもいきなり受け入れてもらって。友だちの友だちが住んでいたんですけど、遊びに行って、「これは！」と思って打診したところ、「あ、いいですよ」と。それから七、八年かなあ。家賃は専有面積に応じて割ってましたね。八畳の人はサラリーマンやってたんで、うだつも上がっているってことで多めに。おれはたぶん一万円台だったと思うよ。で、おれは八畳の部屋の隅に布団を敷かせてもらってた。
最初三人で、別の人が来たり、最大五人とかだったね。

神長 庭にテント張って暮らしてる人もいたね。

ぺぺ Tさん。

神長 Tさんは、友人の知りあいだったんだよね。

ぺぺ 友だちの彼女が職場で知りあった人。その人が家に住めなくなって、「私は公園に住みます」と言っているから、「ちょっと大丈夫ですか」って紹介されてきた。
そもそもおれはアパートを借りたことなかったんですよ。実家(埼玉県和光市)が大学(早稲田)からわりと近いというのもあって、そこにときどき帰るくらい。おれ、着替えとかしてたのかなと思うんだけど(笑)。

神長 友だちん家を渡り歩いてたから。だめ連初期は一緒にそういうのをやってたりしてたんだけど、ぺぺは本当に家に帰んないんだよね。
毎日交流するでしょ、で二次会終わってだれかん家についていって、必ずそこに泊まるんだよね(笑)。それもある種の住み方のひとつ。だからなんていうのか、日々居候先が変わる、ある種「都会の旅人」じゃないけれどね。

ぺぺ このへんは大学のときの友人の影響だよね。

神長 自分の部屋を持たないで友人の家を泊まり歩いている人がいたんだよね。私有財産を否定して、実践してるっていう。その人、自分ではほとんど何も所有してなかったもんな。

その友人の影響でそういう習慣が身についていったと。いろいろ泊まり歩いてるっていう生活だったんだよね。

ぺぺ　実家にどんだけ帰っていたか覚えてないからねえ。ときどきは帰ってんだけどね。

神長　結局それを何十年もずっとやってるんだよね、ぺぺは。

ぺぺ　その頃からある意味基本は変わってないよね。

神長　またおれも気に入っちゃってさ、〈ラスタ庵〉が。

ぺぺ　大変なことになっちゃってね。どんどん人を連れてくるからさ。住人のAさんっていう人は、もうキビしくなっちゃって、家に帰ってくると「あなただれですか?」とか言われて(笑)。

神長　おれは住んでないんだけど、近くに住んでて。鍋会とかやったりしてたよね。

盛り上がるんですよ。もう盛り上がって楽しくってしょうがなくてね。だんだんだめ連界隈の人が集まることが多くなっちゃってね。いっぱい人が来ちゃって。って、おれが呼んでんだけど。

ぺぺ　最大二十人ぐらいいたんじゃないかな。

神長　イベントとかもたまにやってた。その後に飲んで雑魚寝とかね。

ぺぺ　いいところがあるらしいとか噂になっちゃってて。

神長　二十人ぐらいで宴会しているところにAさんが帰ってきて、宴会している人に、「あ、どうぞどうぞこっちに」とか言われて(笑)。「いや、おれ住人なんだけど」、みたいな(笑)。

ぺぺ　Aさん、一回、近所の公園のブランコに座って本を読んでましたからね。それでちょっとかわいそうすぎるなって。

神長　いや、おれも申し訳ないことしたなって反省してますよ。すいませんでした。

ぺぺ　〈あかね〉ができていく理由とも重なるんだけど、ひとつにはやっぱ住宅と交流の場所は分けたほうがいいんじゃねえかっていう。

神長　ただ住みたい住民とやみくもに遊びに来る人との葛藤がね。Tさんが一回立て看出しましたからね。「平日夜間の交流訓練を中止せよ！」って(笑)、「くだらない性の話、くだらない政治の話など」って。グッヒャヒャヒャ(笑)。

ぺぺ　あの頃は本当に盛り上がっちゃって楽しくて、爆笑ばっかしてましたからね。毎日お祭り状態で。おれもギャグ連発しまくってた。

だけれども住民のプライバシーっていうかねえ。盛り上がりすぎもいかがなものかということで、やはり交流と生活はある程度分けたほうがいいんじゃないか、みたいな議論が出てきた。

神長　最後はKDさんが庵長になってね。

ぺぺ　そうそう。〈ラスタ庵〉は「庵長」っていたんだよね。KDさんは二代目庵長だった。

神長　おれとKDさんの関係がキビしくなっちゃったんだよね。

ぺぺ　あれは、ぺぺが人の家を泊まり歩いてぜんぜん〈ラスタ庵〉に帰らないから。当時、黒電話が一個だけあって、いろいろな人からぺぺ宛にやたらとかかってきて、で、ぺぺはいない。KDさんはいちいち電話をとらなきゃいけないから。

神長　そりゃあ溜まるよなあ。

神長　まあ、ぺぺと暮らしてたら、たしかにだんだんムカついてくるでしょう（笑）。おれ、絶対暮らしたくねえもんな（笑）。

ぺぺ　まあ、いまは時間もたったんで普通に一緒に飲めますけどね。

〈ラスタ庵〉は基本的には楽しかったよね。寂しいとか言ってるヒマがないんだから。

ポジティブに打ち出すと、共同で暮らしたりしてある種の共同性を持つことで、楽しかったし盛り上がりもしたよっていう話はあるね。

神長　〈沈没家族〉もね。

〈沈没家族〉

神長　「沈没ハウス」って、あれはビルみたいな建物だったよね。下の階に台所とみんなで交流するようなかんじの広いスペースがあって、上に個室がいくつかあってね、二階と三階。そこに各々が住んでいて、あとは屋上があって。

当時はシングルマザー三人に子どもがそれぞれ一人ずつ、それ以外にシングルで住んでいる人が二人かな、それぞれ個室でみたいな。だいたいそんなかんじだったよね、たしか。

くわしいことは加納土《つち》君の本（『沈没家族―子育て、無限大。』筑摩書房、二〇二〇年）に書いてあるけど、もともとそこに引っ越す前から、加納穂子さんが仲間たちと〈沈没家族〉って名前で共同保育的なことをやっていて、その保育におれやぺぺも参加していたんだよね。おれは週に一、二回とか。

ペペ　途中からそんなでもなくなったね。月に一回くらいかな。

神長　子どもが大きくなると保育も減ったからね。おれは加納さんとかが映画を観にいくとか出かけるときにもうちょっと保育に入ってたけど。

ペペ　あとは月に一回、〈沈没家族〉の会議を広間でやったりしていて、おれらなんかはそのままそこで泊まり込んでね。

神長　帰るわけにはいかない。

ペペ　一泊、二泊、三泊してね、ずーっと遊んでたっていう(笑)。

神長　〈沈没家族〉の会議では、保育のことをみんなで話しあってたよね。例えば、子どもが泣いてるときどうしたらいいかとか。

ペペ　怒る怒らない問題とか。放っておいていいか悪いかとかね。

神長　土君の落書き問題とかあったな。当時一歳の土君がクレヨンで殴り描きするようになって。紙に描くべきものっていう思い込みがないから畳なんかに自由に描きなぐって、それを止めるべきか否かとか(笑)。

あと家族制度のこととか、いろんなことをけっこうまじめに議論してたよね。おれなんかもそうだけど、それまで子どもと接することも少なかったし、子育て経験もなかったから。最初に共同保育がはじまったときなんか、土君がまだオムツをつけていたたから布オムツの替え方からはじまっててね。

沈没ハウスもおれにとっては本当に楽しい思い出がいっぱいで、めちゃくちゃ盛り上がったし、やっぱり子どもがいるっていうのがね。子守りをみんなでしながらっていうのが面白かったよね。

ペペ　まあ、そりゃあそうだよねえ。子育て的な意味あいと意味もなくパーティーだから来る人と、両方あったからね。

神長　やってくるのはだめ連界隈の人とかも多くて、フリーター的な人が多かったから、日頃けっこう煮詰まりがちな人もいたと思うけどね。やっぱりあそこで子どもとふれあって、ちょっと和むみたいなね、そういうことはみんなあったんじゃないかな。心の励みになったり、世界が広がったり。大人も子どもに育てられるみたいなこともあるしね。

ペペ　ある人が〈沈没家族〉の保育ノートに、「初めて来たときに刺身が出てた、刺身に光明を見出す」って書いてた。それから来るようになった。一人暮らしだとキビしい食生活を送ってた人が多いから。

神長　一階が共有スペースで個室が二階、三階に分かれていたから、〈ラスタ庵〉のようなことにはあんまりならなかった。

あと、加納穂子さんが写真をやってたんで、屋上で写真展やったりとかしたよね。

ペペ　さんまパーティーだなんだって。

神長　ほんと楽しかったなあ。思い出すと夢のようだ。

いま、自分の子どもがいないって人はけっこう多いと思うけど、自分の子どもじゃなくても子どもとふれあう機会が増えると、人生がより豊かになるってことはあるんじゃないかと思う。

おれもいま、学童保育で働いてるけど、困ってる子どもがいると、なんとかしてあげられないかなって思ったりするという。たいしたことはできてないんだけど、そうやって人のことを思える時間っていうのは重要だよね。もっと子守りとか共同保育みたいなのが増えると面白いと思う。平日昼間ブラブラしている大人が、不登校の子たちと河原やハイキングに行ったりして遊ぶとか。子どもも家でゲームばっかりしてても、なんかもったいない気がするし。子どもを育てるのに、必ずしもお父さん、お母さん、子どもの核家族スタイルじゃなくてもいいと思う。沈没ハウスはいろんな人の出入りがたくさんあって、かなり風通しのいいところだったなあ。

うまくいかないのはしょうがない？

ぺぺ　一方で、さっきもちょっと話したけど、〈ラスタ庵〉では、最後はおれとKDさんは仲悪くなったりとかもあったわけだけど、夫婦だっていいときがずっと続くわけじゃねーよって話ですからね。

神長　どういう暮らし方をしたって、いい状態が長く続くなんてのはなかなか難しい。共同生活なんてとくにね。人も多いし、その人を取り巻く状況が変わっていくからね。メンバーも変わっていったりするしね。

ぺぺ　そういう場所が増えればいいいんだけどね。こういった人はここでは無理だけどこっちは大丈夫だった、とかね。相性っていうのもあるよね。

神長　無理に共同生活することもないんですよね。ただ、おれなんか遊びに行ってる形だったけど、やっぱり共同生活してる場所の面白みっていうのはすごくあったよね。個人宅とか普通の核家族とは違う面白みっていうか可能性っていうのはね。家族という枠にこだわらない、より広い共同性の実験、実践というか。一緒に住まなくてもだめ連的に友だち同士つながって生きていくというのも、そういう志向性があると思う。すごくゆるいつながりなんだけども。

一般的にはずっと家族制度・家制度というのがあって、それがメインだったわけで。でも、いろいろだめ連で交流していくと、子どもの頃がつらかったみたいな話がけっこうあったよね。親に対してすごく怒りを持っていたりとか、家の中でこじらせたとか、そういう話は聞くじゃないですか。家族がキビしかったというのや学校とかでいじめがあったことがトラウマになりがち。夫婦や家族間のＤＶとかもあるし。家制度というのは、閉鎖的だし、いろいろ問題がある。いろいろな暮らし方、もうちょっと風通しがいい暮らし方があったほうがいいなと思う。

半共同生活

神長　ぺぺがいま住んでいるＭ荘は半共同生活みたいになってるよね。

ぺぺ　全員知りあいでアパートを借りている。アパート四部屋、自分としては全員友だちかなというかんじでね。風呂なし共同トイレというだんだん貴重な物件となってきている。

神長　家賃は？

ぺぺ　三五（三万五千円）というねえ。

神長　よく滞納してるよね（笑）。半年分とか。

ぺぺ　間取りが？

神長　六畳に五畳くらいの板の間というか台所でねえ。銭湯あっての暮らしですけどね。

ぺぺ　銭湯は大切だよね。

おれもたまに遊びに行ったりするけど、前は燃《ねん》君や原さんなんかも住んでたから、そっちの部屋で遊ぶときもあったし、ぺぺん家で遊ぶこともある。

ぺぺ　ホームパーティーの会場には事欠かない。

神長　そうやって友だちと住んでて、いいことっていうか楽しいってのは？

ぺぺ　うん。がんになってこの半年、寝てばかりのような日々を送ってたんですけど、「いざ死にそうになったら……」ってふと頭をよぎるけど、まあ隣にだれかいるからなっていうような安心感はあるよね。差し入れも含めてありがたいことがいろいろありました。

神長　まったく知らない人が住んでいて交流がないっていう状態とはぜんぜん違うよね。

ぺぺ　そんなに頻繁に遊ばなくなるんだけど、逆にね。安心感というのでいいと思うよ。

神長　安心感、重要だよね。M荘もとんでもないハプニングとかいろいろ起こったよね。次から次へと。すごすぎてここには載せられないけど（笑）。

おれも「どくだみ荘」っていうところに昔住んでた。そこは二階建てのアパートで、一階には最初四部屋あったんだけど、住んでいる人が交渉してそのうちの一部屋を共同のシャワー室にしてもらって。六畳間で家賃が一万六千円ぐらいだから安いんですよ。大家さんがいい人で、二階にも四部屋あったんだけど、そこも部屋が探しにくいだろうってことで外国の留学生に貸してた。一階の三部屋はわれわれが友だちで回してて。

神長　思い出したけど、ガテマラ(友だち)ががんばってたんだよね。住む人募集ビラとかを作ってた。

ぺぺ　だれかが抜けていくとまた代わりにだれか友だちが入って、いろんな友だちが住んだ。敷金、礼金、更新料がないんですよ。保証人もなし。部屋を探すときに、不動産屋に行くのとか面倒じゃないですか。

神長　そういう意味だとクチコミがいい。

ぺぺ　おれも友だちの紹介で。

神長　そのほうが大家も不動産屋に手数料払わなくていいから。

ぺぺ　トイレは共同で、廊下には共同の洗濯機があった。冷蔵庫も共同で廊下に置こうかという案が出たこともあったけど、冷蔵庫なんてないほうがいいんじゃないかってことで実現しなかった。おれなんて、その前に一人暮らししてたときは部屋のあかりもなかった(笑)。電気スタンドはあったけど。

どくだみ荘には七年ぐらい暮らしたけど、もちろん友だち同士で住んでいるから交流もあったんで楽しかったり安心感とかもあったんだけど、そんなに盛り上がんなかったね。

ぺぺ　まあ、住民もシブかったからね。

神長　激シブの面子で。おれもなんかも、うつ気味で調子悪い時期で、後半はみんなそれぞれの部屋にひきこもっちゃって(笑)。壮絶だった(笑)。みんなほとんど仕事してなかったから、だいたいみんな一日中ずっと部屋にいるっていうね。ずーっと横になっていて。

ぺぺ　「寝そべり」だよね。

神長　そう、文字どおりの「寝そべり族」状態(笑)。だけどすごいんですよ。高級マンションとか家賃の高い部屋に住んでてもさ、その分働いていたら部屋にいる時間って短いじゃないですか。おれら、一万六千円で二十四時間三百六十五日をほとんど部屋にいたから(笑)。時間割り計算したらすんごい有効活用してるっていうか、格安だったっていうね(笑)。あんまり働けない時期だったから、助かった。

でもこの半共同生活っていうか、アパートの各部屋にそれぞれ友だちが住むってパターンは、界隈ではちょくちょくあったりする。

安アパートに暮らす

神長　住むっていうことでいうと、なんといっても家賃問題ね。。家賃って高すぎだろ。家賃払うためにどんだけ働かされてるんだっていう。家賃をもっと安くしろと。礼金、敷金、更新料とかもええかげんにしろよと言いたい。これで苦労してる人は実際多い。

おれなんかもずっと安アパートに住んでる。

昔住んでた中野のアパートは四畳半で二万四千円とか、どくだみ荘では一万六千円。いまのアパートも一人二万五千円ずつ。家賃問題は、なるべく働かないというときにひとつポイントになってくる。家賃が高いということは、その分いっぱい働かなきゃならなくなるわけだから、なるべく安いところに住むというのは生活のコツ。

ぺぺ　ところがこれがどんどん減ってってるんだよね。おれはもっと安アパートを造れって思うよ。団地も造ればいいと思うんだよな。

神長　現状に逆行してるんだよね。みんな貧困化しているのに家賃の高い家しかないんだから、そりゃあ困るに決まってんじゃん。

ぺぺ　そりゃあ死んじゃうよ。

神長　一番は公営住宅。おれも都営住宅に何度も応募してるけど当たったためしがない。倍率が高いってことは、必要としている人がいっぱいいるっていうことだから、どんどん造らせていくべきだし、安アパートも増えたらいいよね。

界隈では面白い安アパートに住んでいる人が多くて、遊びに行くと楽しい。げんきいいぞうさんと燃《ねん》君のところも、大家さんが自分で造った変わった造りの家だったりするし、友だちのJのところなんて、〈ラスタ庵〉みたいに平屋の木造で庭があって、なぜかヤギがいたりする(笑)。

ぺぺ　どこにいるかわからなくなるよ。軽井沢にいる気分になれる。

神長　ぺぺがM荘に住むながれって、シェアからはじまってあそこに住みだしたんだよね。

ぺぺ　もともと居候してた。友だちが出ていくにあたって正式に契約したという。ちゃんと大家さんとやりとりするっていうのは初めて。不動産屋で借りたわけではない。クチコミ。

神長　仕事もそうだけど家もクチコミが多いというね。界隈でも面白いアパートとか安くていいアパートに住んでいる人とかいて、自分が出て行くときとかほかの部屋が空いたときとかに大家さんに紹介してもらって、その友だちが入ったりするっていう。そういう文化がある。これはいいと思う。

ポイントのひとつは面白く住む。要するに楽しく住むという感覚。これは生活を楽しくしていくひとつのポイントじゃないかな。

ぺぺ　住むということは、楽しみもそうだけど苦しみを共有することでもあるので苦楽をともにするというか……。

交流のある家

神長　あと、「交流のある家」っていうのがあると思うんです。いま暮らしているおれのアパートなんか、これまで家に来た友だちの数つったら相当の数、百人じゃきかない。

ぺぺ　ホームパーティーとかね。

神長　一晩で三十人近く来たこともある。さすがにパンク状態(笑)。雑魚寝であふれた人は庭にテント張って泊まったり。

ぺぺん家もよくホームパーティーやってたよね。いろんな人がしょっちゅう泊まりにくるし。

ペペ　刺身パーティーをやってたね。

神長　ペペもそうだけど、家の鍵をかけない人ってたまにいるよね。これはけっこう深いっていうか、面白いよね。田舎育ちの友だちは、子どもの頃、まわりの家もみんなそうだったって言ってた。

ペペ　面倒くさいっていうのもある。おれの部屋から盗るものなんかねえだろうっちゅうくらいのもんだけどね。昔の家なんて鍵をかけてなくて、出入り自由だったもんなあ。

神長　学生のときも、友だちのアパートがそうだったなあ。終電を逃して家に帰れなくなったときとか、友だちがまだ帰ってきてなくてもよく勝手に部屋に入ってたよ。

集住

神長　「集住」っていうのをおすすめしたいなと思っているんだけど。

例えばペペは高円寺に住んでいて、近所に友だちがたくさん住んでいるわけだよね。で、街を歩けば友だちにちょくちょく会ったりするっていうね。国立の谷保界隈でも、〈かけこみ亭〉っていうオルタナティブな飲み屋さんの引力がすごくて、みんなそこの近くに移り住んできてたりするわけだよね。そうやってゆるやかな都市のオルタナティブなコミュニティができている。おれもそう。近くに友だちが何人も住んでいる。そうやって友だちが近所にいるとちょっと違う。なんか楽しいし安心感もある。病気になったときとかでも、まわりの人がご飯を家まで持ってきてくれたりとか。

もうちょっと引いて考えると、中央線沿線にたくさん友だちが住んでいるよね。この駅には誰々がいてっていう、これもある種なんとなく集まって住んでいる「集住」のように思えるんだよね。それぞれ離れて住んで個別でいるよりも、近くにちょっと友だちがいてつながっていると、なんかワクワクするし孤独感は減る。気軽に遊べるしね。

ぺぺ　もともと貧乏人というのはある程度限定されてるんだよ、住める場所が。安アパートがあるところとかさ。

神長　みんなで近所に住む、「集住」っていうのはいいんじゃないかな。

貧乏人でも、各々孤立して暮らしているよりは、ちょっとそうやってつながっておけば、やっぱりちょっと面白くなるっていうかね。心強くなる。

焚き火のイメージがあるんです。火も薪が集まって熱く燃えあがるでしょ。

資本主義というのはやっぱり個人とか家族とかの枠に分断しがちだけれど、それだと競争社会になってさみしくなってっちゃう。だから、そういうものとは違った、「みんなで生きてくという共同性の感覚」を持って生きていくというのが、いままさに重要になってきてるんだと思うね。みんなでつながってともに生きていくというのが、ポスト資本主義の鍵という。そのほうがあたたかいでしょ。

田舎でつながる

神長　田舎にも、資本主義っていうか、いまの世の中がしっくりこないような人、ひきこもったり孤立して暮らしてる人って、いっぱいいるわけだよね。こぼれ落ちた人や落とされた人って、無縁社会で孤立していると煮詰まってくる。つらくなってきてうつになっていくとかっていうのを避けるためにも、そういう人たち同士が出会っていくといいなって思うんですよ。

とくに田舎なんかで働かないでいると、外を歩くことさえハードル高いっていうかね。あるじゃないですか、「平日昼間問題」。

ぺぺ　散歩ができないっていうねえ。

神長　「働かないでブラブラしてる」とか言われちゃって。そうするとひきこもらざるをえなくなっちゃうんで、家庭内で煮詰まっていく場合なんかもあるわけだけど、それぞれの田舎で、資本主義の価値観に合わせなくてもいいというようなかんじで、人が集まれる場所とかイベントとか友だち関係とか、バラバラだと弱いし孤独だけど、そういうつながりができていけば、違う展開になっていくんじゃない。

「いや〜、ぜんぜん働きたくないんだけど」とか「カネがなくてもなんか面白く生きていきたいね」とかさ、そういう話も当たり前にできる場所とか関係があったほうがいいっていうかね。それがけっこう重要な一歩としてあるかなって気がするんだよね。資本主義に乗れない人のつながりが、集住みたいに地域地域でできていくといいと思うんだよね。

オルタナティブなスペースがあるのが理想的だけど、いきなりスペースを作るのは難しいから、まず一回二、三人とか少人数でいいんでイベントとか交流会をやるのもいい。だめ連もいろんな地方でイベントをやりたいと思っているので、よかったら声かけてみてください。出会いのきっかけになるかもしれない。

ていうか、実際、地方で面白いことをしている人たちの話はいろいろと見聞きする。すでに地方のほうがオルタナティブな動きは盛り上がってるのかもしれない。

広場、街の交流化

ぺぺ　何かやろうってことじゃなくても、高円寺の北口広場とかはただ人が集まってるんだよね、意味もなく(笑)。コンビニでビール買って飲んでるからカネもかからないし、だれかががんばって場所を作ってるわけでもない。ああいうのがいっぱいあれば、相当孤立みたいなものも減っていくと思うんだけど、いまの高円寺みたいに人が集まって飲んでいるような場所はほぼない。人が広場で集まってどうこうというようなことがなくなってきた。日本の社会にもともとないってことはないと思うんだけどね。

神長　いや、昔はあったと思うよ。昔の人はよくそのへんの道で、近所の人同士で立ち話してたし、銭湯なんかでも交流があった。商店街でも、例えば魚屋さんとか八百屋さんなんてさ、コミュニケーションの場所になってたわけじゃない。

いま、スーパーやコンビニでの買い物は本当に無味乾燥で、ものを選んでレジに行って、無言のまま買い物して終わりっていうのがだいたいでしょう。そういうふうに企業側は仕向けていった。けれども商店街っていうのは、そこに毎日のように行って魚屋で世間話したり、「今日はどんな魚があるの？」とか「こんなふうに料理するといいよ」とか、会話があったわけだけど、そういうのがなくなってきた。

ペペ　商店街が潰されたっていうのはあるねえ。高円寺みたいなのは珍しいからわざわざきてる人もいる。高円寺の南北両方に広場があるけど、おれなんか、あそこにいて一人になることが難しい。

神長　そういうスペースがあるところはいいわけですよ。恵まれているっていうか。別に高円寺駅前で、「お前、就職もしてねえのか、ぜんぜんだめじゃねえか」なんて言うやつは、あまりいないわけでしょ。

ペペ　それはマイノリティになるわけですよ。
高円寺北口がモデルになるかわかんないけど、おれはああいう場所が増えてくれたらいいなとはいつも思ってます。駅なんて何百もあって駅前に人がいっぱいいるのに、広場がほぼないんだよね。

神長　ないね。みんな駅からまっすぐ帰るからね。たしかにああいう場所が増えるといいよね。広場がもっといろんなところに増えるといい。公園でも道ばたでもいいけど、目的や理由なく人がたむろできる場所は必要。ただボーっとできたり、話ができたり、なんにもしてなくてもいてもいいっていう。おれのおふくろなんかにしてもそうだけど、みんなそういう行き場所がなくて困ってるんだと思う。変だよね。海外旅行に行ったりするとそういう場所ってあるけど、日本は圧倒的に少ない。お店しかないから、買い物するしかなくなる。交流ができない。これは大きな問題だと思う。

話しかける人っていうのがいると、少し変わってくる。たとえば喫煙スポット。昔はああいうとこで普通に会話が起こってたよね。電車の中とか銭湯とかで知らない人と話をするとかね。だからちょっと話しかけてみるっていうのが重要なんだよ。おれもなるべくそうしてる。

こないだ面白かったのは、コンビニでお酒買うときに、レジで店員さんにちょっと話しかけたの。そしたら、レジで「二十歳以上ですか?」「はい/いいえ」みたいなボタン押すって動作やらされるってあるじゃない。あれをさ、「なんかおかしいよね」って話になって。だって、どう見てもおれが二十歳以上なのはわかるからね。そのときお店に二人っきりだったんだけど、なんのための動作なんだって。機械や企業に振りまわされてるよねって。この時間はなんなんだって二人で文句言って、人間性を取り戻せてうれしかった。

だから、場所がなくても、そのときそのときで知らない人でも話しかけてみることによって、そういう場所って生まれてくる。

旅先なんかでも、話しかけてみると意外と親切だったりいい人だったりすることは多い。

いま、日本社会で求められてるのは、寅さんみたいなキャラの人。見ず知らずの人でもきさくに話しかけて、だれとでも打ちとけてしまうという。そんな人なんじゃないかな。かっこつ

左ページ：〈高円寺ラスタ庵〉の玄関。右の写真は東中野〈沈没ハウス〉の前で加納穂子さんと。土君を膝の上に乗せる神長。2022 年に〈沈没ハウス〉だった建物が取り壊されることになり、屋上に行った。

右ページ：高円寺北口広場のペペ。下の写真はペペのアパート。

けてちゃ、だめなんだよ。

テント生活

神長　テントで暮らしてる友人たちもいるよね。多摩川の河原で暮らしてた花ちゃんたちとか。テントで暮らしはじめたら友だちがそこに集まってきて、五人ぐらいでそれぞれのテントで暮らしてた。河原の林の中には共同のかまどがあって、みんなで楽しくパーティーしたり、川で水浴びしたり、畑を作ったりしながら暮らしてた。公園でテント暮らししている友人もいる。

　テント暮らししている人は、住む部屋を失っていやおうなくそうしてる人がほとんどで、大変だと思うけど、自分は逆に、質素な暮らし、モノを持たない暮らしっていうのにどこか憧れているところがある。「寒くてしょうがねえ」とか「暑くてしょうがねえ」とか、大変なことはいっぱいあるんだろうけど。

　いまも河原でテント暮らししている知人もほとんど働いてなくて、使うカネも年に一万円代だって言ってた。クルミを集めて食べたり、トイレも穴掘ってやってて、けっこう楽しそうに暮らしているかんじだよね。

　賃労働に縛られてないし、環境破壊にほとんど加担していない。これが本当の最先端なんじゃないかって。

ぺぺ　住む家がないって言われてるホームレスっていう人たち、とうていひと括りにできないんだけど、おれはそういう人たちと会うこともあって、ときどき「この人は一番えらいんじゃねえか」とか思ったりするんだよね。無所有で自由な精神を持っているというかね。

神長 おれも野宿生活している人たちといろいろ交流することがあって、ほんとひと括りにできないけど、なんか魅力的な人が多いなあ。

居候

神長 ほかには居候というのもあるよね。

ぺぺも昔ジミーさん（友だち）の家に居候してたし、東京に出てきたばっかりのときにだめ連交流会で知りあった人のところに居候して暮らしてた人もいるし。小川てつオ君［アーティスト。ホームレス。いちむらみさこさんとエノアール・カフェを運営。野宿者排除に抵抗する活動もしている］は、テント暮らしの前はアートとしていろいろな人のところに居候して、それをフリーペーパーで報告して、それを読んだ人が「うち来てくださいよ」って言ってまた居候して、という暮らしをやってた。

まわりを見てみると、居候というのもある種のセーフティーネットみたいになるときがあるなと思って。家がなくなっちゃった人でも、友だちがいればしばらく暮らしていけるケースもある。ジャマルさんもぺぺの部屋に居候してたでしょ。

ぺぺ ジャマルさんは、話しあいでいくら払ってっていう形だから、シェアハウスともいえる。うちにいたときは一万円もらってました。助かってた（笑）。

神長　お互い助かってた。ジャマルさん自身が、自分で部屋を借りられない状況だったんだよね。

ぺぺ　イラン人で、仮放免だから仕事には就けない、生活保護もとれない、部屋も借りられなくて困ってた。ケンカしたこともゼロではないけど、おれにとってもいい時代だった。一、二年だったけど、部屋はいまよりきれいだったねえ。

神長　仮放免制度ひどすぎる。ぺぺの部屋に住んでジャマルさんも助かったと思うし、それをきっかけにジャマルさんとみんなで交流して、楽しかったことがいっぱいあった。居候は本当に困ったときにはセーフティーネットになる。

ぺぺ　当座のものとしては最強の方法。

神長　C君なんかもそうでしょ。

ぺぺ　あれはシェアなのかなあ。

神長　シェアだけれども、自分が部屋なくて困ったときに、友だちに、「そこの一角いいですか」って、そういうながれだからね。まあ居候「的」。

ぺぺ　いざ本当にヤバくなったらって考えて、何軒かをイメージできているかいないか、これは大きな違いだと思う。

神長　何軒かあれば、一つのところで煮詰まってキビしくなったらちょっと移動してとかね。その間にもうちょっと長期的なビジョンを組み立てていくという。

家がなくて困ってて、〈あかね〉で寝泊まりしてた人も昔いたなあ。

ワンルームマンションの罪

神長　ちょうどおれらが大学生ぐらいのとき（一九八〇年代後半）に、トレンディードラマとかが流行りだしてワンルームマンション化っていうのがあったね。

ぺぺ　地上げだよ。まず銭湯を買ってつぶしちゃう。そうするとまわりの風呂なしアパートがやっていけなくなって、それをどんどんワンルームマンションにしていく。そういうながれがあったんだなと思うね。

神長　当時の資本主義の流行で、おしゃれなワンルームマンションを奨励する。大学に入学すると、洗濯機から電気炊飯器から何から何まで、全部一人一個ずつ買うのが当たり前みたいな。
　それまで早稲田の辺りでも寮みたいなアパートとかあったわけよ。古い木造で何部屋もあって、台所は共同で昔は賄いもやってたような。先輩後輩で交流もあって、ちょっと開かれていた雰囲気だったのが、ワンルームマンション化して、みんなが個室化していくっていうか閉じこもっていく。世の中も消費社会化していく。私有財産的なメンタリティとすごく結びついていると思うけどさ。

ぺぺ　企業の利害と一致するものを一人一個ということだね。大きく言うと、いま一人暮らしが多数派になっているということにいたるながれだよね。

神長　人といるのは煩わしいし、部屋に恋人呼んでいちゃいちゃしたいとかね。でも、プライバシーは保たれるんだけど、今度は閉じこもっていって、個人の中で殻ができていく。なんか活気や助けあいもなくなってくし、ハプニング的な展開も少なくなっていく。

ペペ そうそう。それは民衆が望んだ側面もあり評価は難しいんだけど。お一人様を肯定的にとらえるということもあるからね。でも寂しくなったとは言える。

神長 そうなっちゃったよね。共同性みたいなのが失われてね。個人個人で努力して生きていくみたいな。そういう発想にやたらとなりがち。夢がない。

ペペ それがひとつのポイントです。

神長 ポイントだよね。

スクワットハウス

神長 欧米のムーブメントだけど、スクワット(無断占拠)運動っていうのがあってね、アナキストとかパンクスの……。

ペペ われわれが影響を受けたのはね。

神長 イタリアのアウトノミア運動の人たちとかが、使われなくなった家とかビルに荷物を持ち込んで、勝手にみんなで共同生活するという空家占拠。個室とは別に、一階にはバーとかライブスペースがあって、映画の上映会とかいろんな社会運動のイベントをしたり、みんなでデモに行ったりとかするらしい。スクワットハウス・ムーブメントはいまでもいろいろあるんだろうけど。

ぺぺ　おれらのまわりの人がベルリンに行って、刺激を受けて。

神長　究極Q太郎さん［詩人・介助者］なんかも、ベルリンのスクワットハウスに行って、一階がたまり場のバーみたいになってるのを見て、そういうのをやりたいってことで〈あかね〉をはじめたりね。日本でも九〇年代に、京都に「きんじハウス」っていうのがあってね。京都大学で今西錦司の研究棟の空いている部屋かなんかを占拠して、何人かで暮らしていたという。

ぺぺ　いわゆるホームレスといわれている人たちが集まって暮らしているところもスクワットなんじゃないか、ということを言う人もいる。おれらが行ってた新宿西口とか……。

神長　まさにダンボール村ができていた。アーティストの人がダンボールハウスに絵を描いて。これも九〇年代のことだよね。東京都に強制排除されるんだけど。その跡に「動く歩道」なんて作って。

ぺぺ　最後は火事もあったからね。

神長　家を失った人たちがたくさんダンボールハウスに住んでいて、みんなで炊き出しをしたりする共有スペースみたいな場所もあった。当時ダンボール村はすごく話題になってて、マスメディアがニュースで取り上げてたけど、ジャーナリストの友人は運動の内部から映像を作って、あの場所で上映するっていうようなこともやってたね（「新宿路上TV」）。

そういえばいま思い出したけど、大学のとき、ぺぺたちもキャンパスに勝手に小屋を作ってたね。あれは楽しそうだった。

いまは空き家・空き部屋が増えてるみたいだし、一方で家を失う人も増えてきているわけだから、アパートを何軒も持ってる地主なんかは、空いてるアパートを部屋のない人に格安で提供してくれたらいいんじゃないか。

コミューン

神長　あと、重要なのはコミューン。ヒッピーの人たちがやってきた運動が有名で、ポン(山田塊也)さんたちは「部族」とか奄美で「無我利《むがり》道場」とかやっていた。〈沈没家族〉をやっていた加納穂子さんは、共同保育をはじめる前に無我利道場だったところに行って、子どもたちがすごくいきいきとしているのに感銘を受けたと言っていた。

ぺぺ　古くは「新しき村」、ですかねえ。

神長　武者小路実篤のね。いまも続いているみたい。

いわゆるカウンターカルチャー系のコミューンというと、六〇年代の後半、サマー・オブ・ラブの頃に長野県の富士見高原で「雷赤鴉族《かみなりあかがらす》」とか、鹿児島の諏訪之瀬《すわのせ》島では「がじゅまるの夢族」(後に「バンヤン・アシュラマ」)っていうのがあったみたい。国分寺には「エメラルド色のそよ風族」とか。

おれも昔は、田舎での自給自足的なコミューンに憧れてたときもあったけど、結局ずっと東京暮らしという。

ぺぺ　当時のヒッピーの人たちも、東京の拠点と地方をネットワークして、みたいなビジョンだったと思う。

神長　東京でも何十年もコミューンをやってる人たちもいる。地方で牧場や農場をやりながらコミューン的に暮らしている仲間がいたり、地域に根差してさまざまな支援や社会運動をやってきている。近所の外国人の子どもたちに学習支援したりとか。

昔のヒッピーの人たちがやっていた自給自足的なコミューンというのは、オルタナティブ・ライフのひとつの理想形だと思う。自分は都市で集住的につながって、オルタナティブで抵抗的な生活、文化、交流空間を、少しずつでも楽しみながら作っていくのが好きだけど。

最近知りあった若者たちも、都心近くでコミューンをはじめた。パレスチナ・ポスター展をやっていた。いろんなことをはじめる人たちが出てきて心強いね。

ぺぺ　最近知りあいがフランスのコミューンに行って経験した話も興味深いね。

神長　ああ、第二次世界大戦後に貧困問題に取り組んだことがきっかけでできたコミューンなんだよね。訪問するとまず、「働きますか？　働きませんか？」って聞かれるっていう。働かないのもありみたい(笑)。で、友人は「働きます」って言って、滞在中に働いてたみたいなんだけど、まわりの人から「そんなにがんばって働かなくていいよ」って言われたらしい(笑)。

世界中にはいろんなコミューンの取り組みがたくさんあって、とても興味深い。ユートピアを作っていくのは、重要だ。

自治寮

神長　大学生だと大学の自治寮というのもあるよね。おれらは住んだことがないわけだけど、京都へ行くときに京大の吉田寮に行ったりとか、かって東大には駒場寮というのがあって、廃寮になる前はおれらもイベントや学習会をやってたりしてたよね。「ゼロバー」ってバーもあって、にぎわってた。あとは山形大学の廃寮反対闘争とかもあったわけですよね。

ぺぺ　山形大学の寮に行ったのは、短い間だったけどね。

神長　自治寮は、いまでも京大とか東北大、一橋大学とかにある。

ぺぺ　細かく見るとあるんだろうけど、昔のように有象無象がいっぱいいてみたいなのは、軒並み潰された。学生運動の拠点にもなるし。

昔の寮をぶっ潰して、個室の建物に変えるっていうことをやってますよね。自治寮じゃなくて、まあ普通のアパートに近いようなものを寮として造ってはある。

神長　うん。そういうながれになってきちゃってる。つまらないかんじにされてきちゃってるという。自治を経験するなんてとても重要なことだと思うけど。

ぺぺ　共同生活でも寮でも、好きなだけ飲み食いして、「寝れる」というのが、これが重要なわけで、そういう状況だと人はどんどん話すし、けんかも起こるけど議論も深まる。こういうのが醍醐味なんじゃないですかね。いつ寝てもいいんだっていう安心感がコミュニケーションを深めるんですよ。

神長　とことん話したり、自治だからみんなで議論して運営をしていくっていうね。お客さんじゃないというか、消費的なもの＝資本主義的なかんじではない。これからの時代、自治というのは重要。

ぺぺ　大学の寮っていうのは、学生であるとか、やっぱりある種の限定はあるとかね。ある種の特権的な空間ではあったんですよね。その場をめぐって議論する。外の人を入れようとかそういうかんじで。駒場寮は二十四時間だれでも入れたし、開かれているっていうかね。ぶらっと入って寝ることができたからね。

寮にはねえ、青春時代いろいろ学ばせてもらったなと思っております。

刑務所⁉

ぺぺ　あと、刑務所に住んでる(服役している)人とかいっぱいいて、刑務所と一般社会を行き来している人がいるわけですよ。住居ってことではないんだけど、住んではいるわけで。

神長　それは大変だよ。それはおすすめできないよ。

ぺぺ　刑務所と一般社会とどっちでもいいと思って生きている人がいて、そういう人は自由なんだよね。そういう選択をしている人もけっこういるんですよね。どっちでもいいというふうに思えるとしたら、その人たちはなんらかの自由を勝ち得てるというふうにおれは思ってる。でも日本の刑務所はとりわけ処遇がひどいわけで。

神長　入ってた友だちから聞くけど、人権ないですからねえ、日本の刑務所は。どうなんですかねえ。

ぺぺ　住むっていうテーマで考えたときに、現実に住んでるんだよってふと思って。

神長　いや、でもやっぱりずっと閉じ込められててつらいでしょう。なんせ自由がないわけだからねえ。

ぺぺ　シャバと刑務所の中が等価値でどっちにいてもいい。だから言いたいことはすべて言うし、っていう、そういう自由なんだよね。自殺するくらいだったら、刑務所でもシャバでも同じっていう世界観を持ってる人のほうが強いな。

そういう世界観で精神の自由を得ている人がいるんだなって感心した。言いたいことは全部言うし、やりたいことは全部やる。いわゆる仕事もしてない。

神長　そりゃたしかにハンパない。まあ、そもそもいまの法律は、すべてが正しいわけではないからね。

食客⁉

神長　でも、ぺぺみたいな、日々交流寝泊まり生活みたいなのもね、そういうのもひとつの面白い暮らし方だよね。

毎週末のようにいろんな友だちの家を泊まり歩いて交流しまくってるから、ネット上には出てこないようなコアなネタをやたらと知ってて、そんな話をしたりして盛り上がってごちそうになったりしてるという（笑）。

ペペ　う〜ん。

神長　でも、そういう一見なんの役にも立たないような、東京を旅する「食客《しょっかく》」みたいな人がいることによっていろいろつながりができていって、それでシーンが面白くなっていくっていう。そういう効果もむりやり意味づけすればあるわけです（笑）。核家族とはぜんぜん違う暮らし方で、ある種のグルーヴがある。

ペペ　「食客」っていうのはどういうことばなんだろうね。わざわざそんなことばを作らなくてもいいのにねえ。食べるだけのやつってこと（笑）？

神長　わかんない（笑）。ことばのひびきが面白いからテキトーに使ってみただけ。間違ってるかも（笑）。

ペペ　たぶん中国のことばだよねえ？

神長　でもまあ、普遍的なんじゃないんですか。古今東西、どこにでもいるんじゃないの、どの時代でもどこの街にでも（笑）。「なんだかなあ」みたいな調子のいい人がさあ。でも、それもいいわけですよ（笑）。

路上交流会で盆踊り（高円寺南口広場にて）。

遊ぶ

資本主義よりたのしく生きる　その2

その2……遊ぶ

交流・トーク

「遊びをせんとや生まれけん」。遊びは人生の重要なよろこびのひとつ。

でも、世間を見渡してみると、遊ぶと言えば、買い物やテーマパークへのお出かけなどなどお金のかかるものばかり……。これって要するに、お金がないと遊べないということ?!

お金を使って遊ぶっていうことは、消費者としての振る舞いとなんら変わらないのではないか。消費が称賛される傾向が強すぎる結果、遊び方も知らず知らずのうちに制限されているのではないか。

本来、遊ぶというのはそういうものではない。カネなんかかけずに創意工夫と想像力で自由に楽しむもの。

だめ連はあんまりカネを使わないで遊ぶ人たちと出会い、カネを使わずに楽しく遊んで生きてきた。

その遊びのひとつが、「交流・トーク」。

交流しまくってきただめ連の二人が、だめ連の交流・トークについて語ります。

カネを使わず自由に遊ぶ

神長 はい。「遊ぶ」っていうね。

ぺぺ 本編！

神長 得意ジャンルっていうかね。「遊びをせんとや生まれけん、戯れせんとや生まれけん、遊ぶ子どもの声聞けば、我が身さえこそゆるがるれ」って。『梁塵秘抄』ですか(笑)。遊び、これけっこう重要なんじゃないかって。あんまり言う人いないでしょ、遊びが重要だとか。

ぺぺ 言わないよね。

神長 でも、面白く遊ぶために生まれてきたんじゃないかって、そういうふうにも言える。人生の重要なよろこびのひとつ。学童保育で子どもと遊んでるときなんかも、よくそう思わされる。なんとなくいまの日本の社会だと、つらそうにがんばって働いているとか、そういうのは称賛される雰囲気あるけど、楽しそうに遊んでいると印象良くないような雰囲気もある。そういったなかでも、楽しく遊んでいくということは重要だと思うんですよね。

前に雑誌で、「いまの人生の悩み」みたいな記事があって、その何番目かで「遊びたいんだけど遊ぶお金がない」と、そういう悩みが上位にあった。やっぱこういう資本主義の社会だと、「遊ぶ＝カネ使って遊ぶ」みたいな発想になっちゃっていてさ、遊ぶにもカネがねえから遊べねえなあみたいな、そういうのが一般的には多いでしょう。

ぺぺ　遊ぶことは勧められていないかんじもするけれども、例えばメディアでも「東京ディズニーランドに行きましょう!」みたいなのはいっぱいあってねえ。それがメインになっちゃうとどうしたってねえ。

神長　遊ぶっていうとだいたいテーマパークに行くとか、ショッピングモールに行って家族で買い物とか、「遊び＝消費」になっちゃってね。飼いならされて、踊らされてる。

ぺぺ　「ＧｏＴｏキャンペーン」だって、「旅をしてお金を落としましょう」というのが主眼だからねえ。

神長　消費は称賛されているんです。遊び方も知らず知らずのうちに決められちゃってる。やっぱり「カネをあんまり使わないで自由に遊ぶ」というのは、ひとつの抵抗でもあり重要なんじゃないかってことで。

だめ連もやってきたことはいろいろあると思うんだけど、結局たんにあんまりカネを使わないで遊んでいただけなんじゃないかってね(笑)。そういう説もあるんだけど、でもそれは、これからますますキビしい時代になっていくなかで、うつとかにならないためにもすごく重要なこと。

人生、楽しんで生きてったほうがいい。おれなんかはむしろカネを使わないほうが楽しく遊べるんじゃないかというふうに思う。

カネを使って遊ぶって、消費的なかんじになっていてそれはお客さんで受け身でしょ。それで「サービスが悪い」なんて怒っちゃったりとかしてさ、やっぱりそういうのはつまらないと思うんだよね。ハクつけ的にブランド品を買ったり、高級な飲み屋で飲んで優越感を得るとかさ、そういうのはつまらない遊びで、カネをかけずに遊ぶほうが創意工夫と想像力で楽しめるんですよね。かっこつけなくてよくて、開放感がある。カネがいくらかかってとか心配しないでのんびり遊べる。子どもなんてそんなかんじでさ、あの人たちはぜんぜんカネなんか持っていないわけで。

ペペ　ディズニーとかああいうのはもう「遊びじゃねえ！」ぐらい言ったほうがいいかもしんないね。あれは消費行為であって、遊ぶというのはそういうもんじゃないだろうっていうふうに考えていったほうがいいかもね。

神長　消費というのは労働なんだよ。もっと自由なもんだもん、本当は。あれはもう枠が決まってるでしょう。カネを持ってるほうが有利ってルールも、つまんなすぎる。
　子どもたちは本当にはっきりしていて、カネがないなかでどう楽しくなるのか、どうアガるかというところだけ追求しているから。ここに穴掘ってみようとか。ぐるぐる回ってみるとか。創意工夫と想像力はやっぱり重要っていうね。

ペペ　だめ連でいろんな人と知りあってきたけど、要はあんまりカネを使わないで遊べる人たちと出会ってきたというかんじもあるよね。「ディズニー行こう」とか言う人、いないもん。

神長　そういうある種の文化や生き様を創ってきたとも言えるわけで、それは資本主義的じゃない豊かな人生を生きるうえで重要なわけです。そういうふうに生きていったほうがいい。自然環境にもいい。
で、この章ではなんとなく具体的にいくつかの遊び方を例にとって紹介をしていこうと、そういうかんじですよね。
まず、その最初のトピックで「交流・トーク」。

交流・トークの空間の重要性

ペペ お金はかかりません(笑)。

神長 本当にシンプルなことだからさ。話したりして交流するって、だれでもやっていることと言えばそうかもしれないけど、だめ連ではあえてそれを活動のメインに謳ってきたっていうね(笑)。

ペペ でも、だれでもやっているとも言えないような世の中になっているということもあるだろう、というのが一方である。

神長 そうそう。そうなんですよ。人生で重要なことのひとつは、人と交流をし関係を作っていくということ。それがメインのよろこびのひとつじゃないですか。心と心のふれあい。

ペペ これがコロナの影響でできないということで、自分もそうですけどみんな相当考えたんじゃないですかね。それができないってことがどういう影響をもたらすのかっていうことですよね。

神長 逆に、できなくなっていることで交流の楽しさ、重要性に気づいたりもしたでしょ?

ペペ みんな考えていたと思いますよ、これは。

これが続くんだったら、生きてる意味あんのかっていうような感覚になることもあったし。おれはただただたんに世間話してえなあって、すごいなったけどね。

神長　交流がなかなかできないっていうのはコロナだけじゃなくて、もともと無縁社会とか言われるなかでそういうふうになってきてたよね。

例えばひきこもりだって、ひきこもりたくてひきこもってる人もいれば、ひきこもらざるをえなくなってひきこもってるという人もいっぱいいるわけじゃないですか。そうなっている原因のひとつとして、やっぱ資本主義のせいっていうのはあって、キャピタル(資本主義的)な価値観でイケてる感、要するに仕事をバリバリしているとか、結婚して家族を作ってやってるとかの「だめプレッシャー問題」。そういうのがない人だと……。

ぺぺ　同窓会は行けないな、とかね。そういうやつですよ。

神長　普通に暮らすっていうのは、いますごく大変じゃないですか、ハードルが高いでしょう。人間性をすり減らされるような大変な労働条件でねえ。

一方で、いまの資本主義的な世の中がしっくりこない人なんていっぱいいて、そういう感覚は別に悪いことじゃなくてむしろ可能性とも言えるわけで、そういう人たちが集まれるような機会や場所が増えていったらいいなと思う。

だめ問題。要するに、「いっぱいカネを稼いでるようなかんじで働いていないと恥だ」とかっていうような価値観から開き直って、逆に反撃していくノリが広がっていくといい。

ふざけんな、と。だいたいいまや働いてない人は数的には少数派でもないし、働きたくてもロクな働き口がないというのは資本主義の構造的な問題なわけで。

人とのつながりの作り方

神長　ふだん普通の生活をしていると、人に突っ込んだ話をしたりいろいろ聞くみたいなことは失礼だみたいな雰囲気があるけど、喰い込んで話を聞くことも重要っていうかね。

ぺぺ　場の作り方とかあり方に大きく依るところはあると思う。友だちから聞いて、なるほどと思ったんだけど、〈あかね〉に行ったときに最初は変なとこだなって思うんだけど、だんだんと、ここは何を言ってもいい場所なんだと思ったって言うんだよね。これは一番重要なことでね。そういう場や関係を作るって実は難しいことで、やっぱりしたい話をするということは大変なことなんですよね。

神長　いきなりコアなところまでおれらも喰い込めない。だけど、だめ連ってことで交流会を主催したり、主催していなくても交流してきたわけなんだけど、そこで何をやっていたかというと、強がらなくてもいい、見栄を張ったり自分を大きく見せたりしなくてもいいようなコミュニケーションのシーンというのを作っていく。ぺぺとそういうことを話しあって決めたわけじゃないんだけど、だめ連って、むしろ自分たちをある種意識的に実際よりもショボく見せるぐらいのかんじで交流してきたと思う。競いあいじゃないんだよって。ノーガードで(笑)。例えばおれもぺぺも汚い格好していたりとかね。

ペペ　いろいろまわりの人から学んでいったことだとも思うんだけどね。おれらよりもカネをかけないでもっと楽しく遊んでる人もいるんだなとかね。そういういろんな積み重ねっていうのがあったなあって思うよ(笑)。

神長　めちゃくちゃダサくて汚い格好をしている人を見て衝撃を受けるわけですよ。履いてる便所サンダルがすり減りまくってて踵の部分がまるまるない人とか(笑)。ハッとさせられるというか、開放感があったりして。かっこいいな、パンクだな、と。

ペペ　一般社会的な価値観の逆みたいな世界があるんだなと思うと、こっちも心はゆるむという。条件があってなんとなく友だちになる。

神長　資本主義的なテレビや雑誌に出てくるみたいに、オシャレでイケてるようなかんじが良しとされるような風潮が八〇年代くらいから強まって、みんなそういうのに影響を受けちゃったじゃん。

ペペ　バブルは大きいだろうね。

神長　それはやっぱり不自由なことだと思うんだよね。鎧ができていくし。そんなかっこつけなくてもいいんだというような雰囲気醸しながら、自分のくだらない失敗談とか赤裸々に「いやあ、最近ぜんぜん働いてないんですよ」とか(笑)、「何やってもうまくいかなくてねえ」とか、最初ヘボいところバーッと言ってね。しかもそれを深刻に言わずに笑い話的に言っていくことによって、相手の人もリラックスするっていうか。

自傷、ひきこもり大国ニッポンでの交流と課題

ぺぺ　一時の〈あかね〉はそうだったね。精神的にキビしいほどハクがつくというかね。

神長　当時はまだ「うつ」ということばも一般化してなかったけど、だめ連界隈には精神科に通ってる人がいっぱいいて、メンヘラ前提のトーク空間になってたりしてね。「病院、何年ぐらいですか？」とか「薬、何飲んでます？」とか。「ああ、まだまだ大丈夫ですねえ。私のほうが深刻ですよ」みたいな。

ぺぺ　でもそのぐらいでないと、やっぱり人は自分の話をできないよね。

神長　いまの社会でだめなこと、弱さってされてるようなことを、恥だと思わずに語れる場所っていうのは非常に重要だよね。そういうプレッシャーから少しずつ解放されていくっていうかね。

ぺぺ　「おまえ、ホームレスやったことないの？　だめだなあ」みたいなね(笑)。

神長　こころ系［だめ連では精神的にキビしい人のことをこう呼んでいた］の人の話が出たから話すけど、ビフォ（フランコ・ベラルディ）っていう人がいて、イタリアのアウトノミア運動の人でアントニオ・ネグリとかの友だちでもあるようなんだけど、その人が「二一世紀の社会運動はセラピュティークなものになっていくだろう」ってどこかで書いてるらしい。ビフォは昔から日本に注目していているみたいで、ひきこもりとか……。

ぺぺ　自傷行為とかに注目してる。日本はそういうのは発達してるじゃないですか。

神長　最先端だよね。

ペペ　そういったことでは先進国だから、間違いなく。

神長　まさに。だからだめ連が出てきたというのもあると思うんですよ。おれらの意志だけじゃなくて。すごく生きにくい、プレッシャーの強い社会なんだよね。もともと世間体とか他人の目というのが強いじゃないですか、日本社会って。

ペペ　恥の文化とか言われます。

神長　心の病とか自傷とか出てきて、それをどう反転させていくかというのは大きな課題だったよね。だめ連の交流っていうのも、そういったなかでどう生きていけばいいのかっていうのもあったと思うけど、笑いというのが重要だったと思う。セラピーじゃないけど、笑いとばすってことが一番いいじゃん。笑うことって少なくなっちゃっているけどさ、人生ずいぶん笑ってきたなあって。よく爆笑してたもんな。

ペペ　コロナのことに戻るけど、笑いも含めて、声を出すということがたぶん相当大事なことで、これができないというのは、気づかないうちに相当な抑圧を被っているだろうなっていうことは思いますね。大声を出すとかね。日本の人の声ってどんどん小さくなってきているらしいですね。一九六四年の東京オリンピックを境に人の声が小さくなったという説を唱えている人もいた。だんだん抑える方向にはなっている。うつも増えるよね。

神長　声だけじゃなくて動きとか表情とかも……。

ペペ　全部抑圧。知らず知らずのうちに強まっている。

神長　ペペは顔芸よくやってるよね(笑)。

思い出すんだけど、昔だめ連合宿というのをやってて。参加者が男四、五人ぐらいだったときがあって。合宿所に着いて、おれはなぜかすぐ全裸になって、別になんの意識もしてなくて中島みゆきの『悪女』を「ザカザンッ！　ザカザンッ！」って、声で伴奏つけながら適当に鼻歌で繰り返し歌ってたの。そしたらそこに来ていたWさんって人がいて、この人もIT企業で精神壊されちゃって……。

ペペ　もともと壊れてんだけどね（笑）。

神長　感情鈍麻って診断された人で、わりと能面、ポーカーフェースみたいな表情の人なんだけど。おれがその鼻歌を歌ってたら、いきなり大声で「ハッ、ハッ、ハハハッ、ハーーッ！」って大爆笑して。おれはギャグのつもりもなく、ただ無意識で歌ってただけなんだけど、あまりのゆるさ、くだらなさにこらえきれず爆笑、と。ビフォが言ってた二一世紀の社会運動ってこういうのが重要か、っていうかね（笑）。

ペペ　その後しばらくわれわれも「ザカザンッ！　ザカザンッ！」って言いまくってたもん。

神長　久しぶりに思い出したけど、昔はおれもくだらないことばっかりしてたなと。読者も意味不明だろうしあんまりひかれても困るんでやめとくけど。

交流無限大状態で生きる

神長　話を戻すと、おれとかペペは貧乏暮らしっていうのをずっとやってきたわけなんだけど、楽しく生きてきたわけじゃないですか。なんでかと言うと、交流があったからだと思うんだよね。いろんな人と遊んでたからっていうね。

同じような低収入で生きていても、孤立して生きていたらやっぱり暗くなっちゃうことも多いわけで。貧しくても似たような、気のあう友だちと一緒に交流しながらやってきたからここまで楽しく生きてこれたんだよね。遊んだり一緒に社会運動しながら、ある種のライフスタイルとかコミュニティを作ってきたっていうのもあると思うんだよね。「いっぱいカネ稼いでいっぱい使うのがよろこびだ」みたいなのと違うような生き方、世界を作ろうとしてる人たちのコミュニティというか人と人とのつながり。

普通、人ってそんなにいろいろなところに行かないと思うんだけど、ぺぺもおれもいたずらに幅広いじゃないですか。いろんなイベントに行って交流して、それぞれで面白い人と知りあって。最初の頃のだめ連の活動って、二人で、呼ばれもしないのにほとんど知らない人だらけのイベント行ってやたらと交流してたんだよね。自分たちでイベントを主催したりしてなかった。

ぺぺ　活動っていうか、遊んでるだけ(笑)。

神長　「コク」というのを重視してたね。一見だれにも注目されないような人でも話しかけて喰い込んでいくと味があったりして、その味わいをコクと言ってた。コク、重要。

変わった人とかも好きで。交流していくと、面白い話とかいっぱい聞けて。へぇーこんな人いるんだって衝撃受けて、自分の常識が壊されて世界が広がっていく。

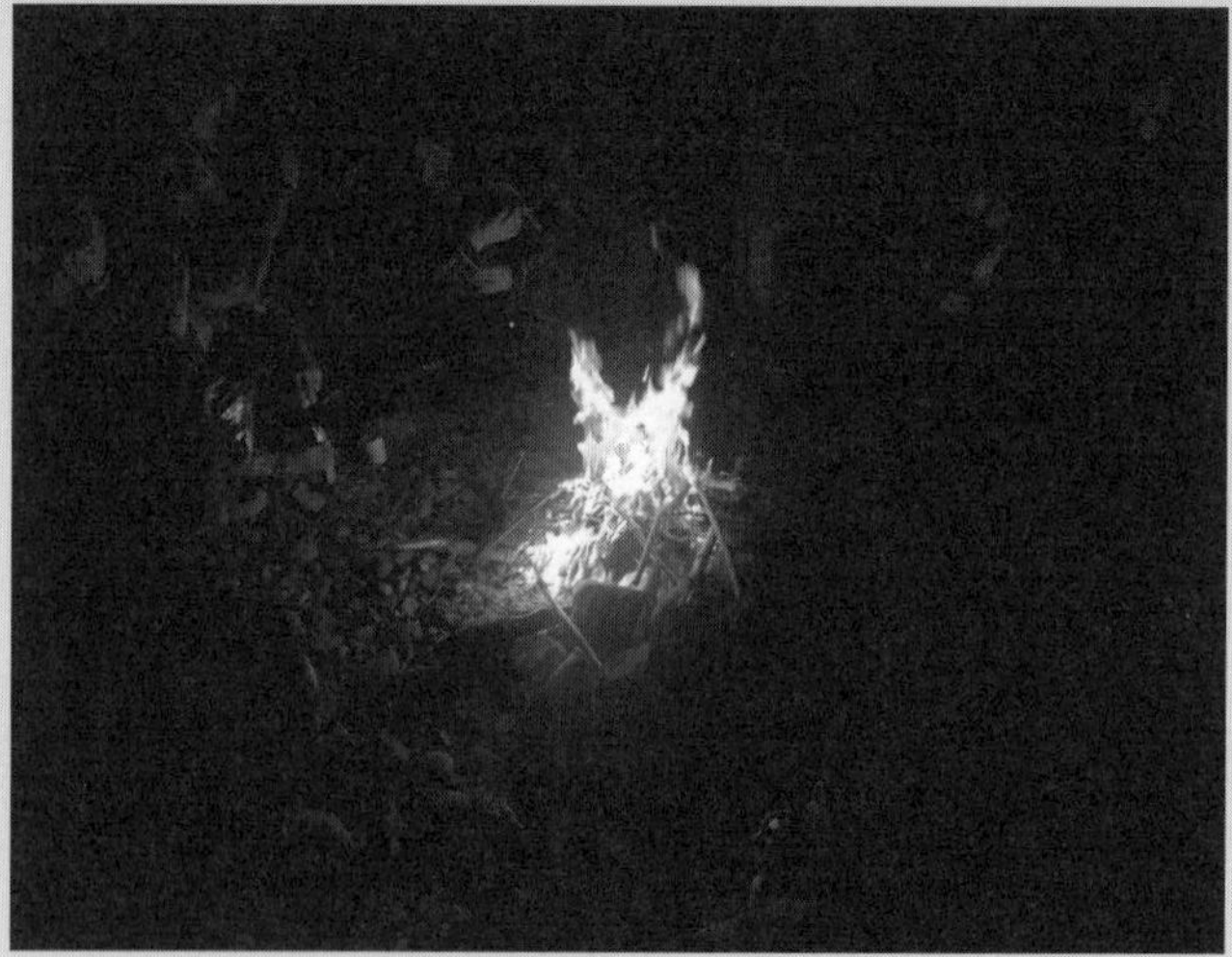

左ページ上は、1990年代半ば頃、中野駅北口公園でのだめ連交流会。

右ページ上は、交流会での焚き火。焚き火を囲むと話が弾み、日頃は話しにくいテーマでもほっこりとした雰囲気で話ができる。

下は、左からだめ連交流会のチラシ、ロフトプラスワンでの「だめ連トークの集い」のチラシ（性をテーマによく語りあった）、身内での祭りでは胴上げも。やってみたいことをやってみる。上手い／下手、できる／できないを超越して解放する。

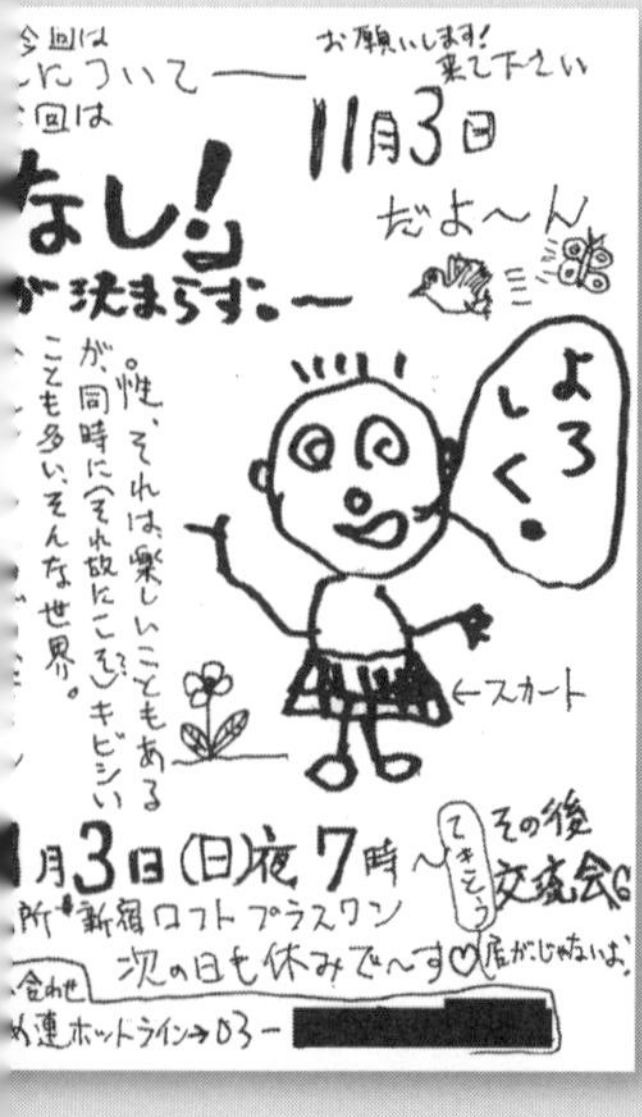

7/17（金）夜7時《しち》～
8/29（土）
だめ連 交流会
やります。 '98

場所：中野駅北口駅前公園
自転車駐輪場付近
駅徒歩3分！

○人生トーク ○自己紹介
歌 ○踊り ○ビラまき…その他
いろいろできます。何もしなくてもOK！
御活用下さい。
人生・世界にささやかな広がりを求めて…！

雨でも。
○カンパ額数百円。なければいい。

サンプラザ
公園
北口
中野 → 新宿
この辺です。

夏……！

問い合わせ－だめ連イベントホットライン～[redacted]
何と！だめ連ホームページ～http://www.bekkoame.or.jp/~tm-asano/dameren/dameren.html
← 読めるか？
○だめ連系(?)飲み屋「あかね」にも来てみて下さい。 →Tel [redacted] 地下鉄早稲田3分

だめ連トークの集い スペシャ

題「性《せい》に王《おう》

サブタイトル――いろいろ話

○神長恒一（だめ連）
○田浪亜央江（ゲスト）
○司会 ぺぺ長谷川（だめ連）
そして…
あなた!?

らためて、トークし、考えたい。
私達が今よりも、少し、「自由」に、考え、ふるまえるように。
そんな夜も大都会、新宿で共にすごしませんか？
性にうるさい人、悩める人、性だめなん、その他誰でも、お待ちしています。
イヤですか？…すいませ

場所 ロフトプラスワン
●営業時間 PM6:00～AM4:00
TEL&FAX 03-[redacted]
http://WWW.ask.or.jp/~loft
●丸ノ内線「新宿御苑前」4分
●JR新宿東口 12分

ロフト
靖国通り
NTT
伊勢丹
新宿三丁目駅
新宿御苑前駅
新宿区富久町16-11武蔵屋スカ

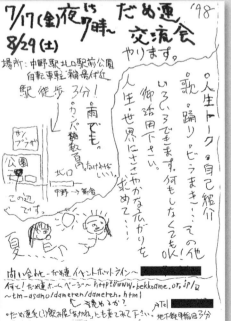

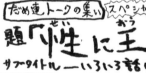

いろいろなジャンル、アート界隈とかヒッピー界隈とか運動界隈とか、それぞれにパンチのきいた人、コクのある人、だめな人がいて、いっぱい知りあっていくでしょ。そうすると今度は、それぞれこの人とこの人が出会ったら面白いだろうなとか、それもあって「だめ連交流会」を主催したんだよね。そうすると、ヒッピー界隈のイベントで出会ったとんでもない人と運動界隈のイベントで出会ったとんでもない人と、ノリがちょっとまた違ったとんでもない人どうしがだめ連の交流会で話してたりして(笑)。

ぺぺ　それをヒヤヒヤしながら見ているのが楽しいんです。グッ、ヒャヒャヒャヒャヒャ(爆笑)。

神長　お見合いおばさんじゃないけど、昔はSNSとかもなかったから、それをリアルでやると面白いんですよ。そうしていくとまた展開して、だんだんとマルチチュードだとか、プレカリアート[プレカリアとプロレタリアートを組みあわせた語。主に一九九〇年代以降の不安定労働者や失業者]だとかそういったオルタナ系な人のつながりっていうのができてくる。

いまでもいろんなところで交流してるけど、そういうオルタナティブな生き方をしてる人のシーンみたいなのがいっぱいできてきているでしょう。

ぺぺ　「オルタナティブ」っていうことばで考えるとわかんなくなるところもあるけど、まあそうなんだろうな。それに励まされて生きているわけであってねえ。これはこれで無限大なんだろうなって。

神長　そうそう。交流無限大状態っていうか。バンドやってる人とか畑やってる人とか……。

ぺぺなんか交流すごいよねえ。

ぺぺ　数えたこともないよねえ。

神長　おれも相当交流してるけど、ぺぺなんて毎週末どれだけいいイベント行ってるんだっていうねえ。それで平日だって交流するでしょ。ほとんど毎日ずっと交流してるんだから。

ぺぺ　限界に達します。

神長　だってそれを三十年以上やってんだよ。こんなにフルに交流人生やっている人なんていないでしょう。おれだって相当な人と知りあって交流してるけど、それをＭＡＸでやってるからねえ。そこまでやるやつはいねーだろうって。アッハッハッハ(爆笑)。
それと交流で重要なのがトーク。われわれ「人生トーク」というのをやってきた。出会った人の人生に喰い込む。例えば仕事の話とか、性、恋愛の話とか。このへんはだれでも話せるテーマ。それと、楽しいことばかりじゃなくキビしい話、悩みとか悲しみとか。人それぞれに歴史あり、ドラマあり、ポエジーあり。笑いもあれば涙もある。だれかが苦しんでいることはほかのだれかにとっても共通の悩みだったりして。「それは世の中のこういうところが悪いのでは」、と社会化して考えていったり。社会変革への扉。「自己責任なんてふざけるな」と。なるべく社会のせいにしていく。すぐには解決できないことも多いけど、悩んでいることをだれかに話せるだけでもぜんぜん違う。ぺぺなんか、人のキビしい話聞くの好きだよねえ。

ぺぺ　キビしい話マニアか、っていうねえ(笑)。

神長　本や映画も面白いけど、目の前にいる現実の人間はもっと面白い。いまここの醍醐味があって、交流してお互いに影響受けてその後の人生が変わっていくという。コミュニケーションっていうのは正直、なにげに難しいけど、交流、話しあいからいろんなことがはじまる。自分の考えていることを人に話す。人の思いを受け止める。

おれは話すのも聞くのもそんなに得意じゃないけれども、下手なのも味わいっていうか、人と人とが直接話をするということは民主主義やアナキズムの基本だし、生きるよろこびでもある。だめ連的に自戒も込めて言っときたいのは、人生競いあいじゃないよ、ってこと。無縁社会をぶっとばせ。話しかけたい。トークから革命へ。

ぺぺ　どう生きたいのか、どんな社会がいいのか、夢のある話をしましょう。

表現をする

アートは上手い下手ではない。ごっこ遊び、自由に歌い絵を描く……。子どもの頃は毎日のようにやっていたのに、おとなになって役者・歌手・画家を実際にやってみることはほとんどない。社会化されて、だんだん表現しなくなってしまう。カネをかけない、巧さを追求しない。もっと身のまわりの友人たちと一緒に表現していくほうが、開放的で面白い。

実際に歌ってみたり、友だちの歌を聞いてみる。日頃歌わない人の歌を聴くのは楽しいいし、その人の味わいこそが重要。昔の祭りだって、全員歌って全員で踊っていたじゃないか。

人間解放、人生の爆発、路上解放！　自由に表現して、自由に生きよう！

もっと歌ったらいいのにな

神長　カネをかけないでこんな遊びしてきました、ということで「歌う、ライブ」ね。歌って遊ぶ、歌というのは基本というか……。ぺぺはバンドを昔もいまもやってるよね。昔は「男女間の友情」で、いまは「ロバートＤＥピーコ」ってバンドだよね。

ぺぺ　歌はねえ、うちの母ちゃんが年がら年中歌を歌ってたからね。

神長　家で？

ぺぺ　歌いまくってんだから。なるほどと思うんだけど、昔の社会は大声で歌っててもそんなに問題になってなかったよね。思い出すと不思議なくらいだけどねえ。

神長　鼻歌を歌ってるの？

ぺぺ　大声だよ！　全力で歌ってるよ(笑)。

神長　はぁー、それはすごいなあ。すばらしい。おれも鼻歌好きでしょっちゅう歌ってるけど……。鼻歌も重要ですからね。でも、そこまで大声で歌う人はなかなかいないなあ。さすが。

ぺぺ　そういうふうに懐かしく思い出すんですけど。でもそういう影響だよね、歌は面白いなっていうんで大学で音楽サークルに入って、音楽をやっている人たちと知りあう。

神長　自分は子どものとき、歌ってたの？

ぺぺ　普通に歌ってたよ。

いまのバンドは、たまたま知りあって面白いなと思って応援してたんだけど、気がついたら入れてもらえたみたいなね。ありがたい限りとしか言いようがないよね、これはもう。みんな適当にやりたいことをやって、たまに褒められたりするわけだからね。これはありがたいょ。グッヒャヒャヒャヒャ（爆笑）。

神長　ライブとかで歌うのって、相当楽しいでしょう。

ぺぺ　いちいち考えないけどねえ、面白いしありがたいよね。交流の話じゃないけど、好きなことをやっていて人と出会うのが、それは一番いいのであってね。

曲も詞も林さんという人が一人で作ってる。

神長　そもそも彼が歌ってたんだけど、いまやぺぺがメインで歌ってるよね。いい曲多いよね。とくに「生きる意味」とか「さて」は、聴いてでだめ連的な歌だなあって思う。こないだ一緒にハモったよね。〈だめでええじゃないか！　人間解放デモ〉のとき［二六二ページ写真］。「♩すばらしい世界を〜作るのが僕らの仕事です。この世界は楽しむためにあるのです〜」って、吉祥寺の路上で。

ぺぺ　われわれは練習を一回もやったことがないんですよ。うまくいかないのも含めて芸風みたいな。

神長　そこもぺぺに合ってるんだよね。だってうまくいかないどころかひどいときもあったから。

目撃してるよ(笑)。まともになかなか演奏がはじまらなくて、酔っ払いすぎだろ、とかね(笑)。衝撃のライブがありますよ。みんな、大ウケだった。

ペペ　歌ったらいいなっていうかね。バンドとかやってる人に、本当はみんな憧れるんじゃねえかって思うんですけどね。

神長　バンドやってる人のことを羨ましいなと思う人はいっぱいいるだろうね。

ペペ　みんな何かやったらいいのにと思うよね。

「できない」を超越する

神長　そのながれだと、〈あかね〉でよくやってたのは〈ヘボくたっていいじゃないライブSHOW〉。人前でライブするのは初めて、みたいな人とかが歌うイベント。ギターの演奏で何度もつまずいたり、歌に対する気持ちはとてもあるけどそんなに上手くない人のライブって、独特の味わいがあって、かえって集中して聴いちゃう。初々しい表現の場だった。

ぺぺが昔やっていた「男女間の友情」っていうのは、これはアレですよ、ヘボいバンドなんだけど、オリジナルはやらないっていうポリシーでね(笑)。

ペペ　替え歌オンリーです。イージーなコンセプトのもとで。

神長　おれも「わくわくバンド」とか「セックス・ピストルズ」っていうバンドやってたんですけど、

楽器ぜんぜん弾けないけれども、けっこう歌ってやってましたね。
ギターを弾きながら歌うんですけど、コードは一つも知らないんですよ。適当にジャカジャカ打楽器的に鳴らしながら歌うんですよ。

ペペ 「ビッグマン・ブルース」だよねえ。

神長 あの頃は歌を弾き語りしたい気持ちがいたずらにあって、遊んでるときにギター弾きながら適当に、「おれはビッグだ、ビッグだ」とかギャグで歌ってたらけっこうウケちゃって。みんなで遊びながら、そのときそのときの即興でできてった歌。みんなふざけて、「ビッグ、ビッグ、神長ビッグ」とかコーラスしはじめて(笑)。それであだ名が「ビッグマン」になった(笑)。

ペペ それがバカバカしすぎて意外とウケたりして、それを見てたギタリストをめざしてた真面目なやつがギターやめました(笑)。「亜流のほうがウケるんだったら、ギターとか練習しても意味があると思えない」とか言って。グッ、ヒャヒャヒャヒャ(爆笑)。
「わくわくバント」では、だれでもいいからとにかくステージに立たせて歌わせてた。

神長 日頃バンドやってる人が歌ってもあんま面白くないよなって。歌えなさそうな人とかが歌ったりすると面白いだろうなと思って(笑)。

ペペ そうだったもんねえ。ういすさん(友だち)と究極Q太郎とKとねえ。

神長 あー、「ヘンタイオーケストラ」ね。たまにやたらと面白くなることがあるんですよ。

ペペ たしかに。歌わなさそうな人が歌ったほうが面白いんだよ。

神長 ライブだととくに緊迫感が違うというか。普通はある程度予定調和じゃないけど、日頃ライブをやってる人がライブをやるわけでしょ。でもぜんぜんそうじゃない人がパッと出てきて、で「はい、歌いましょう」って。ちょっと緊迫感あるじゃないですか。これはなんだろうってね。何か起こるんじゃないかってね。で、面白いことになるときもあるっていうね(笑)。

ぺぺ 変則的な要素がなければ何事も面白くはない。ああいうヘボいことをやってたのが重要なような気がします。

友だちの歌にこそ勇気づけられる

神長 それと歌ということで言ったらば、だめ連をはじめて三十年、オルタナティブなシーンで遊んできたわけで、あらためて振り返ってみると本当にいろんな人の歌を聴いてきたなってね。「食」のテーマのときに、いろんな友だちの作った食べ物を食べてきたっていう話をしたけど[七〇ページ]、普通、歌っていうと、テレビとかラジオ、レコードとかで有名な人のものをまず聴いたりしてたじゃないですか。子どものときはそういうものしか接点がないっていうか、そういうものしか知らないわけだけど。でも、だめ連的な生活で交流してきたら、面白いミュージシャンや歌を歌う人にもいっぱい会ってきたわけで。一般的には無名なんだけど、いい歌をいっぱい聴いてきたなって。これは相当なよろこびとして自分たちの人生のなかである。これはすごく幸せなことですよ。

〈はらっぱ祭り〉とかいろんなお祭り、〈かけこみ亭〉とかでのライブ、例えば花ちゃんやコージ君たちの「花&フェノミナン」とか「つちっくれ」、げんきいいぞうさん、「エクペリ(国分寺エクスペリエンス)」、ぼけまるさん、森人さん……とかね。世の中的には無名だけど、自分のまわりの人はみんな知ってるようなミュージシャンでいい歌を歌ってる人が本当にいっぱいいて、いいライブをいっぱい見てきたっていう。ライブで聴いたことばとかそのときにみんなで盛り上がったかんじとかっていうのは、やっぱりけっこう支えになるよね。歌詞を思い出したり、そんときのことを思い出したりして生きてきたっていうのはあるよね。

ぺぺ いや、まったくそのとおりだよ。それは有名人の歌だっていいんだけどね、やっぱり直接知りあえる範囲でそういうことがあるということは、有名な歌を聴いて感動するよりも価値が高いように思うよね。いまだって花ちゃんの「どんづまりの歌」とか思い出すよ。

神長 ふとしたときに友だちの歌の歌詞を思い出して勇気づけられるね。

ぺぺ 本当に大きいと思います。

神長 また、いいミュージシャンがいっぱいいるんだよね。有名な人よりよっぽどいい歌詞だなとかね。

ぺぺ 小さなライブイベントとかよく行くんだけど、必ず一人くらいは驚くほどいい歌を歌ったりするんだよねえ。売れる売れないとか関係ないんだろうなあって思う。それは素朴に驚くよ。こんなにいい歌を歌っているだれも知らないような人がいっぱいいるんだなあって。

神長 むしろ一般には無名な人のほうがいい歌を歌っているってたくさんある。

ぺぺ かもしんない。

神長　純粋に生きていて純粋に歌っているから心を打たれてしまう。

ぺぺ　おれはラジオばっかり聴いてるけど、ラジオがいいのはコミュニティ性がちょっとかんじられるから。常連のリスナーさんというような人がいたり。そんなかんじで自分たちが盛り上がれる歌があるというのは、やっぱりすばらしいことなので。

神長　友だちの歌、自分たちの好きなミュージシャンのライブをみんなで一緒に体験するのはほんと楽しいね。音楽でつながれる、仲良くなれる。〈はらっぱ祭り〉のエクペリのライブなんて至福の時間。ステージ前で聴いてるのも楽しい人たちばっかりで。エクペリ好きな人がいて、ほかのミュージシャンのファンがいて、お祭り好きな人がいて、それぞれ重なってたりして気がつくと仲良くなってる。音楽がコミュニティを作ってるというのはすごくあると思う。ミュージシャンの人たちってつながってるしね。

ぺぺ　つらいときとかに思い出す歌は、有名な歌よりまわりの人の歌のほうが多いわ。まあしみじみと思い起こします。

神長　いい歌多いしね。自分たちの仲間の歌が心の支えになるって、よりいいよね。

歌手への憧れを実現してみる

神長　遊びで歌うと言ったらあれでしょ。毎年恒例だった〈かけこみ亭〉の〈カラオケ新年会〉ね。

ぺぺ　究極のイベントだねえ。

神長　〈かけこみ亭〉は面白いイベントがいっぱいあるんだけど、そのなかでも異様に盛り上がってたっていう。前もって選曲しておいて一人一曲ずつ歌う。総勢四十人とか。あれも、面白いのは、日頃歌わない人の歌が聴けるからなんだよね。

ぺぺ　みんな参加者であって、自分のためにもほかの人がやっているときに盛り上げるから異様なボルテージ。

神長　自分が出演だから。自分が大勢の人前で歌うなんてそうそうないでしょ。やっぱステージ上がりってあるし緊張するじゃん。おれなんか飲んじゃうもんね。シラフじゃやってらんないから(笑)。で、飲みすぎちゃって。

選曲も含めていい人もいるし、爆笑のステージの人もいるし、いろんな友だちの歌を聴けるってのは面白いねえ。芸達者な人もいるし、仮装好きな人もいる。

ぺぺはもう大賞を二回とって殿堂入りしちゃってるもんね。審査員入りしちゃってたから、「ぺぺ賞」なんていうのもあって。

ぺぺ　あと、あれもやってたぞ。ディナーショー、〈神長恒一四畳半ディナーショー〉。

神長　〈四畳半ディナーショー〉、やりましたねえ(笑)。

ぺぺ　ペヤング。

神長　自分の四畳半のアパートでディナーショーやって、ディナーはペヤングソースやきそばって。おれの歌を延々聞かされる(笑)。地獄のイベント。四、五人でね。

ぺぺ　でも盛り上がってたよね。

HOTEL METS

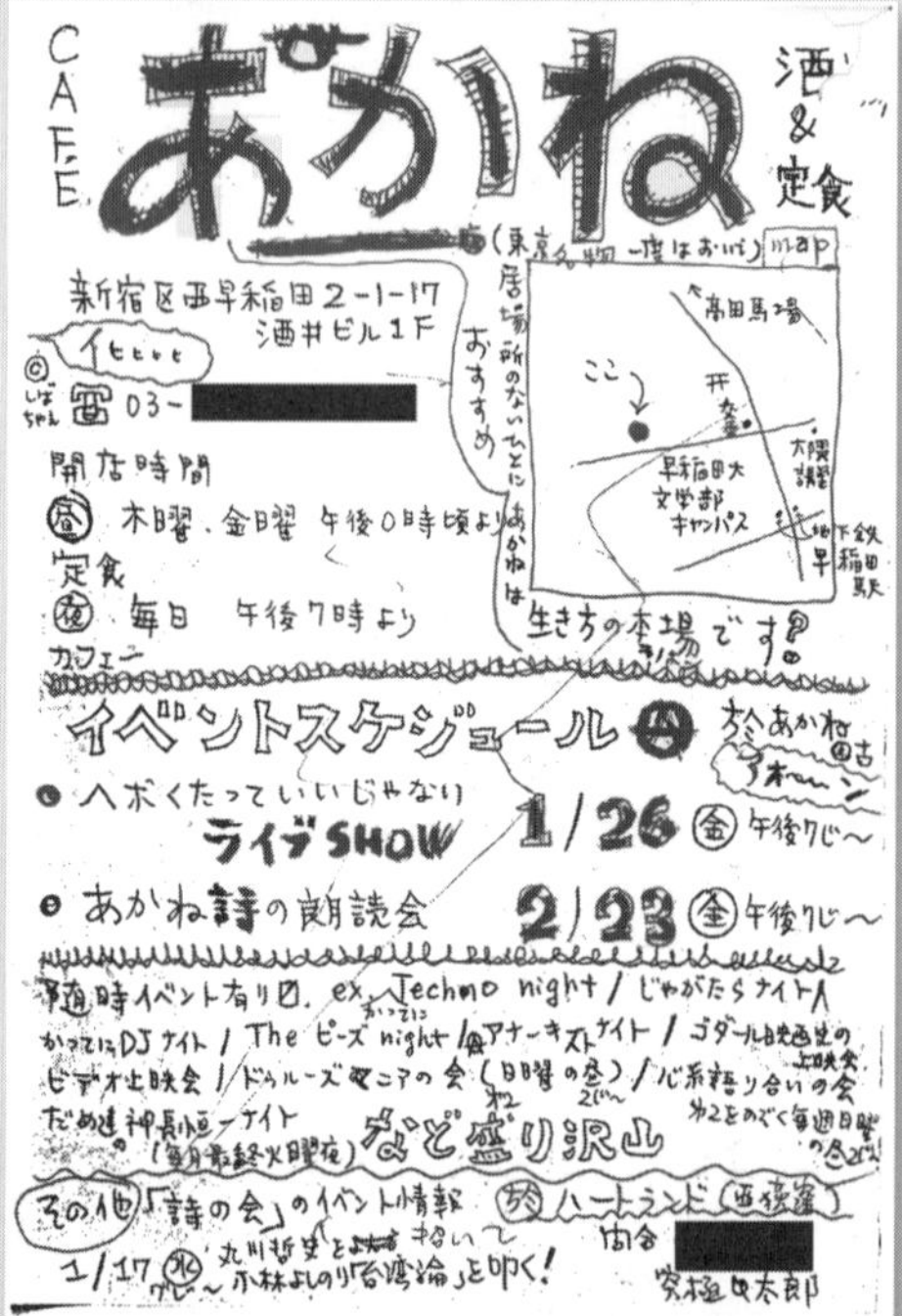
CAFE
あかね
酒&定食
(東京名物 一度はおいで)
map
新宿区西早稲田2-1-17
酒井ビル1F
©しばちゃん
☎03-[redacted]
開店時間
昼 木曜、金曜 午後0時頃より
定食
夜 毎日 午後7時より
カフェー
居場所のないひとにおすすめ
あかねは生き方の市場です?
ここ
高田馬場
早稲田大 文学部 キャンパス
大隈講堂
地下鉄早稲田駅
イベントスケジュール
於あかね
● ヘボくたっていいじゃない ライブSHOW 1/26 金 午後7じ〜
● あかね詩の朗読会 2/23 金 午後7じ〜
随時イベント有り□. ex. Techno night / じゃがたらナイト / かってにDJナイト / The ピーズ night / アナーキストナイト / ゴダール映画の上映会 / ビデオ上映会 / ドゥルーズマニアの会(日曜の昼)/ 心系語り合いの会 / だめ連の神長恒一ナイト(毎月最終火曜夜)
など盛り沢山
その他「詩の会」のイベント情報 於ハートランド(西横堂)
1/17 水 7じ〜 丸川哲史と招いて小林よしのり「台湾論」を叩く!
問合 [redacted]
究極Q太郎

左ページ：上は〈かけこみ亭〉での〈カラオケ新年会〉で熱唱する神長。大賞を受賞した。ただならぬ熱気のなか、文字どおり「熱唱」。

下は、〈さらば戦争法案　平和コンサート〉で演奏するロバート DE ピーコ（吉祥寺にて）。

左ページ：上は高円寺南口広場にて。上手く弾く必要はない。中央のげんきいいぞうさんの表情が何かを物語っている。右下は昔の〈あかね〉のチラシ。左下はロバート DE ピーコのライブ。**2023** 年 **1** 月 **30** 日、泪橋ホールでの演奏が、ペペの最後のライブとなった。

神長 だってもう、超満員ですからね。「今日はこんなに満員のお客さんの前で歌えて光栄です！」とかってノリノリで（爆笑）。やっぱほら、歌手にみんな憧れるじゃないですか。自分が歌いたい好きな歌を歌って、「歌手ごっこ」ですよ。

四、五人だから、みんな途中で帰りにくい（笑）。だれかが「ちょっと……」とか言ったら、「えっ！」とかってね。「つまんないっすか？　つまんないっすか？」って、「もうちょっと声を張り上げて歌いまーす」なんてねえ。ワーッハッハッハハ（爆笑）。ドラえもんのジャイアン・リサイタル的な。

ぺぺ あれだよなあ。昔の祭りというのは、全員歌って踊っていたわけですよ、たぶんね。無理やりじゃなくて。いまは、そういうふうに戻していかなきゃいけない。特殊な人しかやらなくなっちゃったから。日本人って世界一踊らないっていうかんじもするけど、世界ではもうちょっと歌ったり踊ったりしてるんじゃないかってねえ。

神長 そうだよね。上手いとか下手だとかそんなに気にしなくて、気さくにみんなで歌ったり、踊ったりして楽しんだほうがいいね。

こないだ友だち数人でやった〈かってにゆるくはらっぱまつり〉なんて、そんなかんじで楽しかった。

だめ連的にはそういう「ヘボい表現」っていうのを推奨してたよね。ハードルを下げるというかね。

ぺぺ 「音痴ですから」とか、そういう問題じゃないんだよってね。

神長　どうしてもレベルの高いミュージシャンが多いからね。

ペペ　そういうのはもうユーチューブで見てればいいんだから。ある意味なんでもいいんですよ(笑)。昔のお祭りみたいになったほうがいいと思うな。

神長　ゆるさ、気さくさが重要。だれだって歌えるんだからね。もっといろんな人の歌を聴いてみたい。日頃つきあいのある友人が歌ってるのを聴くなんて、有名な歌手が歌ってるのを聴くよりどうしたって心に響かざるをえない。

ペペ　でも、こないだ伊藤蘭のコンサート聴いて良かったけどね(笑)。

神長　それも日比谷野音の外でカネ払わないで聴いてたんだろ(笑)。

ニヒらず爆笑！　路上演劇

神長　だめ連初期には「劇的⁉︎　Ｂｉｇ座」っていう劇団をやってて、これはだいたい路上の公演が多かったんですけどね。

最初、早稲田大学の大隈講堂前でやって、青山劇場前の路上、中野駅周辺を移動しながらとか、上野とか、あと渋谷の宮下公園の野宿者支援の越年闘争でやってた。「演劇ごっこ」みたいなかんじでね。

ペペ　やりたい役を出しあってから話を決めるっていうふうにしてたんですよ。二枚目の役をやりたい、とかね。

神長　歌だってみんな憧れがあって歌手になりたいなんて一度は思うように、芝居だって一度はこんな役をやってみたいなとか、こんな人生をやってみたいなとか、そういうのはあったりして。友だちでキャラの立った面白い人が多くて、役者やったら面白いんじゃないかというのもあった。
それに、街中で芝居という形で声を張り上げて演技することで、人間解放、人生の爆発、日常の変革になるんじゃないかという。
劇場でやったことってないんですよ(笑)。街の景色を変えるというか、街を劇場にというか、現実のなかで虚構をやって日常を揺さぶるという。寺山修司の「町は開かれた書物である。書くべき余白は無限にある」ということばが好きだったんだよね。路上演劇ってことで「これ、芝居ですから」って、なんでもできるんじゃないかって気になる。

ぺぺ　カネをかけない、練習をなるべくしないとこうなるんです。

神長　観客は、いろんなところで交流するときにB・i・g座の公演のビラをまいて、それを見て観にきてくれた人が多かったかな。多いときだと三十人くらい来てくれた。ま、通行人もある意味観客だし(笑)。
だめ連の交流会も、きっかけは、青山劇場前でB・i・g座をやったとき。その後、神宮橋まで歩いて、そこで打ち上げをやって、〈路上交流会〉って自由でいいなと思って。

ぺぺ　あ、そういうながれだったの？　ちなみにそのときのタイトルは『飛び出せ！　熱血大統領根性編』。グッヒャヒャヒャ(爆笑)。ケツ出し先生が半ケツで。

神長　おれが青春ものに憧れてて。小六のとき『ゆうひが丘の総理大臣』ってドラマが好きでね。

そんときもやったし中野でもやったんだけど、芝居の中にデモのシーンというのを入れるんですよ。路上演劇だから路上で勝手にデモやって。疾走するかんじのデモをしたいなと思ってたから走るデモをやって。中野でやったときは、走りながらコール。「人生……」なんだったっけ?

神長 あ、そっか。「青・春・革・命! 闘・争・勝・利!」だ。そんなかんじでコールしてみんなで走った。いやあ、まさに青春だったなあ(笑)。

ぺぺ 「青・春・革・命!」。でもこれ、一応芝居でデモやってんだけど、道行く人はだれもそんな芝居だなんて気づいてないからさあ、なんだろうみたいになって。許可も取らずに勝手にやってますから(笑)。

神長 ノックとかやってますから。

ぺぺ 寺山修司の路上演劇で『ノック』っていうのがあって、知らない人の家に行ってトントンってドアをノックするんだけど、そっちのノックも面白いけど野球のノックもいいかなって、ダジャレなんだけど。野球のシーンを入れて実際に路上でノックしたんだよね(笑)。

神長 してました。

ぺぺ プラスチックバットとゴムボールで。

神長 熱血性を押し出そうって。それで砂押監督とか。

ぺぺ そう! 立教大学砂押監督。長嶋茂雄を鍛えたという野球界の伝説があるんですよ。なぜかそういう設定で。

ペペ　「飛びつけ！　飛びつけー！」ってね。

神長　ハッハッハッハハハ(爆笑)。意味がわかんない。中野でやったときは、たまたま近くを歩いてた知らない人が入ってきてね。おれも厳しくノックして。「腰が高ーい！」「ハイ！」なんて。アッハッハハハハ(爆笑)。

ペペ　芝居のストーリー的には、ニヒったやつは問題外、熱く闘って社会変革、人間解放していこうみたいなストーリーが多かったかな。

神長　アジプロ演劇。

会議を「クラシック」(当時、中野駅前にあった喫茶店)でやってたんだよね。すごい古い喫茶店。会議に来てた女の子に「どういう演劇がやりたいですか、観たいですか」って聞いたら、「私は人が逮捕されるところを見たいです」なんて言ってて(笑)。

ペペ　そんなこと言ってた？　そういうことを期待して来てたんだねえ(笑)。まだまだ甘かったか！

ボディセラピー〈にくだんご〉と〈ママちゃんごっこ〉

神長　次は、映画の話をしようと思うんだけど、九〇年代は自主映画が流行ってて、好きでよく自主上映会とかに行ってたんだよね。

中野武蔵野ホールでの「レイトレイトショー」とか、赤坂のラ・カメラってとこでやってた上映会とか。ほかにも小規模な上映会がしょっちゅうあった。すごいアヴァンギャルドな映画とか、一分くらいの作品とか、個人映画や実験映画とか、商業映画じゃありえないようないろんな作品があったり。いったいどんな映画がはじまるんだろうってワクワクしながら観てた。自主映画の自主上映会って、なんか独特の面白みがあったんだよね。

その頃、安めのビデオカメラが出てきて、素人が自分で自由に撮るみたいなのが流行りだしてたんですよね。それまでは、映画って作るのにお金がかかるもんだったけど、わりと安く作れるようになった。それでおれも映画撮りたいと思って。友だちからビデオカメラを借りて、撮ったのが『にくだんご』って作品。撮影日数一日半。総製作費一万円以内という。

どういう映画かっていうと、もともと〈にくだんご〉っていう遊びをしてたっていうか。だめ連初期の頃なんだけど、よくぺぺとつるんでイベントとかデモとか行くようになって、イベントの後、飲み会に行く。で、その後、自分ん家に帰らないんだよね、ぺぺはね。必ず人ん家を泊まり歩く。それに一緒に行くじゃん。で、その人のアパートでまた適当に飲んで遊んで。で、最後、寝ることになるじゃないですか。「じゃあ、そろそろ寝ますか」とか言って、だいたい友だちを真ん中にして、その両サイドにおれとぺぺで川の字に横になってさ。そうするとぺぺが「人肌が恋しい」とかっつって、抱きついたりしてるうちに、なんか「肉って、肉って」つって、男三人で横になって抱きしめあったりとかしてたんだよね。

それが妙に楽しくて盛り上がったりして。肌と肌のふれあいみたいなね。いつしか交流、イベント行って遊んだ後によくやるようになって。意外とウケたりして、それがいつ頃からか〈にくだんご〉っていうふうになんとなく命名されるようになった。

ペペ　〈ママちゃんごっこ〉とかやってたじゃん。

神長　ああ、〈ママちゃんごっこ〉もやってた！

ペペ　ボディセラピーみたいなものに関心があったんだよ。

神長　そう、関心があったの。けっこうボディセラピー重要なんじゃないかと思ってて、やっぱり肌と肌のふれあいっていうのはね。

インドに行ったとき、現地のインドの人とちょっと仲良くなったら、一緒に歩くとき手をつないできたりして。子どもみたいに。日本の男ってさ、そういう肌と肌のふれあいって少ないんじゃないかなって。おれなんか、ふれあいを求めてる気持ちがあって、学童保育で保育をはじめたときなんか、最初もう小さな子を背負ってばっかだったもん。まわりの人もみんなびっくりしてたんじゃないかな。自分もびっくりだったけど。ふれあいを求めてたんだね。そういうのあったんだろうね。

編集部　ちょっと待ってください！　〈ママちゃんごっこ〉とは？

神長　だめ連の初期の頃にやってたんだけど、なるべく裸になって（裸じゃなくてもいいんだけど）、童心に帰ろうということで、うん。おれがママ役をやるわけですよ。で、例えばペペが赤ちゃん。赤ちゃんを抱き寄せて、「ああ、よしよし」って背中なでて、「「ママ！　ママー！」って叫べ」って。アッハッハッハー（爆笑）。

ペペ　あれは自分で考えたの？

神長　あれは自分で考えたね。解放、ワークショップっていうイメージがあって。おれがペペを抱いて、ペペがおれにしがみついて、なんか猿股ひとつくらいで。で、ペペが「ママ！　ママ！」って叫ぶんだけど、まだてらいがあったりするわけです。

ペペ　あるよぉ。

神長　アッハッハッハーッ（爆笑）。

編集部　言ったら終わっちゃうっていうかんじがありますよね。

神長　ある。いや、それがはじまりでもあるんですよ（爆笑）。それでおれが、「うーん、よしよし。甘い、甘い」とかつってね、「もっと！　もっと！　もっと絶叫～!!」とかって（爆笑）。「もっと心の底から奥底から、ママって叫んで～！」みたいなかんじでね。で、ペペが「ママー！　ママー！」ってね。「まだまだ恥じらいがある！」みたいなかんじでね。

編集部　それはどこでやってたんでしょうか？

ペペ　四畳半です。さっきの母ちゃんの歌もそうだけど、あの頃まではそんなになあ、音で迷惑とかあんま考えてなかったな。時代の雰囲気っていうか。

神長　そういう細かいことを考えずに、心の奥底からの叫びだからね。こっちは魂の解放をめざしてるから。そんな、声が大きいから気にするとかっていう次元じゃない。

ペペ　次元じゃない。

神長　「童心に帰って～、赤ちゃんのときに戻って～」みたいな、そういうワークショップだから。

ペペ　ボディ的なアプローチをいろいろ考えてたんだよね(笑)。

神長　でもこれはね、重要なんだよ。〈にくだんご〉は三人だね。ボディセラピーみたいな解放っていうかね。真ん中の人もまんざらでもなくてね。けっこう照れながらも笑ったりとかして。

ペペ　ウキャキャキャキャキャってね。

神長　独特の笑いが出るんだけど、ああいう笑い声というのもなかなか出ない声ですよ。面白いこと言ってワーッと笑えるっていうのも重要なんだけど、あの笑いは……。

ペペ　そうね、くすぐりのときに出るような笑いが出るんですよ。

神長　遊び色があるんですよね。

映画の話の前に〈にくだんご〉そのものの話になっちゃってるけど、九〇年代当時、映画『にくだんご』がたまたま賞をとって［一九九七年イメージ・フォーラム・フィルムフェスティバル特選］、それで何年か前にイメージフォーラム三十周年記念イベントっていうのに選ばれてまた上映させてもらったの。そしたらそこに来てた観客さんから「最近、〈にくだんご〉やっているんですか?」って聞かれて。

その頃ってやってなかったんだよ。ああ、でも重要だよなって思って。イカさんがけっこう〈にくだんご〉的なの好きなんだよね。それからまたやるようになったんだよね。

けっこうイカさん、酔っぱらって盛り上がってくると「手をつなごう」とか言いだして、野外が多かったけどみんなで手をつないで輪になってまわったりとか、おしくらまんじゅうして、「にくだんご、にくだんご」って言ってみんなで盛り上がって遊んでた。そんなかんじでニューバージョンで〈にくだんご〉が復活してみんなでよくやってたね（笑）。コロナの前までは。

飛び出す交流映画『にくだんご』

神長　映画の『にくだんご』は、ドキュメント実験映画、「飛び出すという映画」、二次元の映画が三次元になるっていうコンセプトで。

もともとおれもぺぺも、自主映画の上映会とかアングラ演劇とかよく観に行ってて、二人とも映画や芝居も好きだけどその後の交流のほうが楽しみで（笑）。だから『にくだんご』も交流映画っていうふうに位置づけてて、映画の最後にスクリーンの中でアップのぺぺが「交流してください」って言って映画が終わるの。で、映画が終わって映画館の暗闇が明るくなると、本物のぺぺがそこに立っている。それで現実のぺぺが「交流しましょう」って呼びかけて、それから交流するっていう（笑）。

「映画館を出会いの場に」ってコンセプトで。映画ってただ来て観て、それでみんなそれぞれ帰っちゃうから、それがなんかもったいないなと思って、「飛び出す映画、交流映画」という位置づけでね。

ぺぺ　おれも思い出したけど、学生時代とか運動系の文化っていうか、何かやると必ず交流会をやるという。そこがある種のオルグの場であったりするわけなんだけど、交流会がメインという体質があの頃からついていてて（笑）。

左ページ：上は劇的 !?Big 座（ビッグ座）旗揚げ公演『スタア誕生』のチラシ。見物料として 100 円となっている。左下は〈あかね〉でやった〈ポエトリー・リーディング美は乱調にあり〉のチラシ。右下は〈さらば戦争法案　平和コンサート〉のチラシ。

右ページ：上は劇団 Big 座『とびだせ！　熱血大統領根性編』青山劇場前での上演場面。
下は映画『にくだんごより』。

練習をしない、いきなりやってみる……。そうすると表現がぐっといきいきしたものになる、かもしれない。

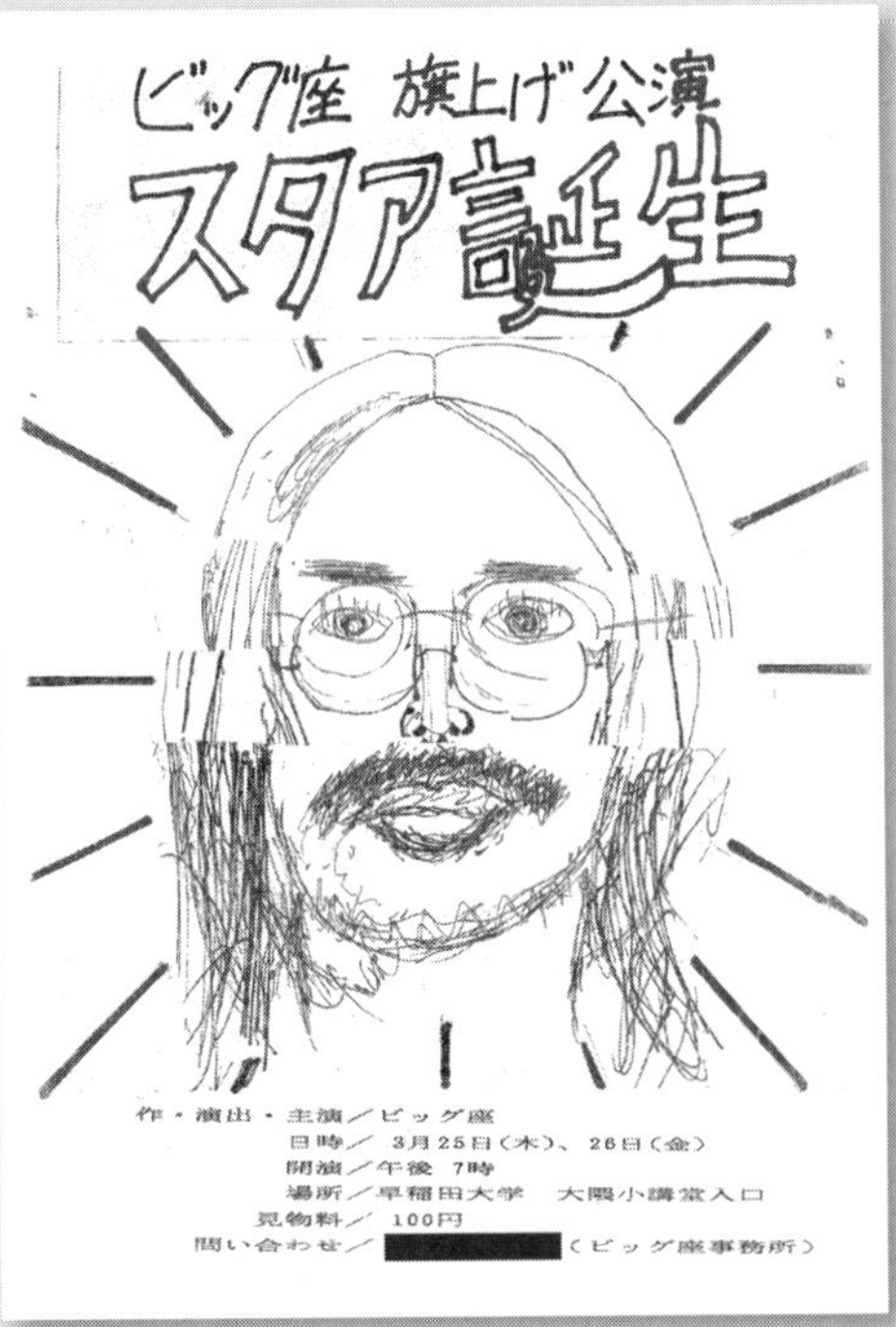
ビッグ座 旗上げ公演
スタア誕生
作・演出・主演／ビッグ座
日時／ 3月25日(木)、26日(金)
開演／午後 7時
場所／早稲田大学 大隈小講堂入口
見物料／ 100円
問い合わせ／[redacted]（ビッグ座事務所）

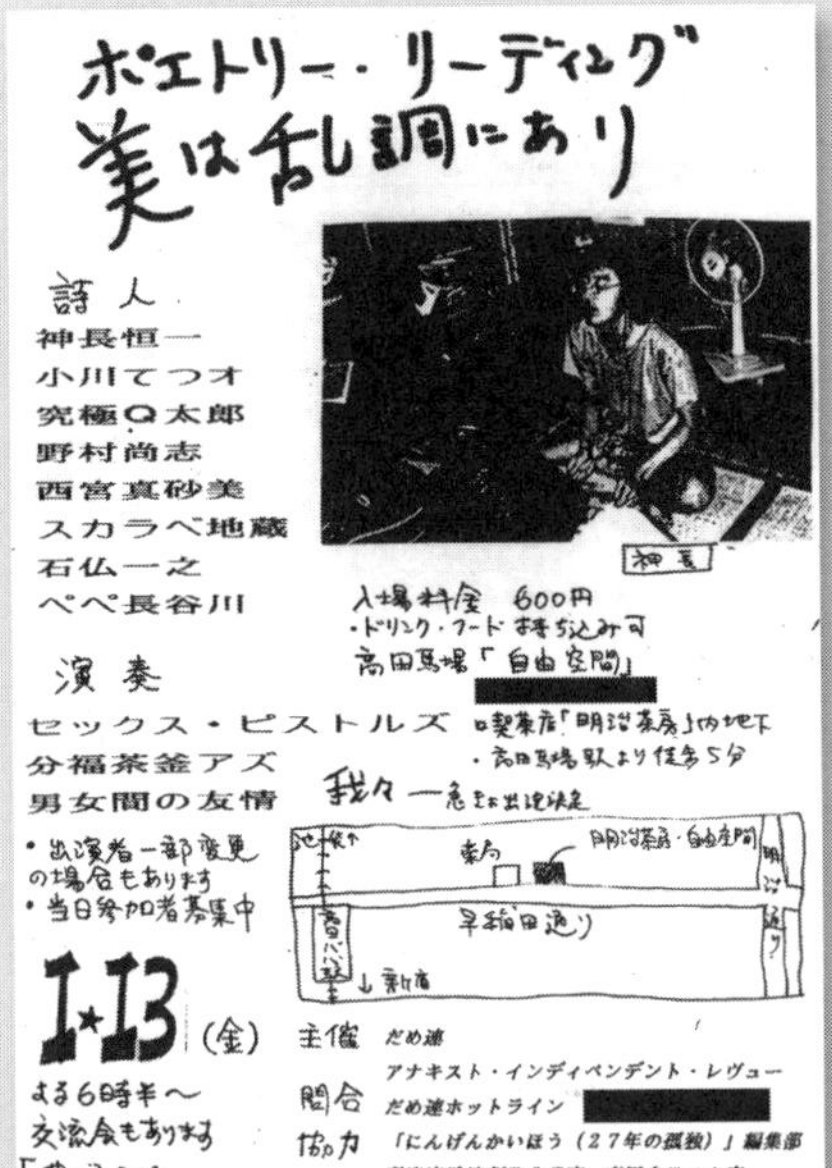
ポエトリー・リーディング
美は乱調にあり
詩人
神長恒一
小川てつオ
究極Q太郎
野村尚志
西宮真砂美
スカラベ地蔵
石仏一之
ペペ長谷川
神長
入場料金 600円
・ドリンク・フード お持ち込み可
高田馬場「自由空間」
[redacted]
喫茶店「明治茶房」内地下
・高田馬場駅より徒歩5分
演奏
セックス・ピストルズ
分福茶釜アズ
男女間の友情
我々一急きょ出場決定
・出演者一部変更の場合もあります
・当日参加者募集中
1★13（金）
よる6時半～
交流会もあります
「やってこい、やってこい」
主催 だめ連
アナキスト・インディペンデント・レヴュー
問合 だめ連ホットライン [redacted]
協力 「にんげんかいほう（27年の孤独）」編集部
現実実験演劇BIG座 高円寺ラスタ庵
怠け共産党脱力派

さらば戦争法案
平和のコンサート
カミヒロ企画
2015.8.15 INOKASHIRA PARK
井の頭公園ステージ 13時→

でもアート系とかに行くと、意外とあっさり解散とか多くて、そういうのは寂しいしもったいねえなあって、そういうふうに思ってたんだよね。

神長 その頃のアート界隈って、何やらかっこよさげでそれぞれが閉じてるって雰囲気がけっこうあったんだけど、みんなもっと出会って交流したほうが時代も面白くなるんじゃないかって思ってて。おれなんかそういうところへ行ったとき、やたらと話しかけて交流していた(笑)。作品も面白いけど、実際の人間はもっと面白いという。

その頃、まわりの友だちでも面白い自主映画を作ってる人が何人もいて、そういう友だちと一緒に何作品か上映する自主上映会をやったりしたよね。

ペペ 〈バーチャルあみだくじ映像フェスティバル〉とか(笑)。

神長 わけのわからない適当なタイトルなんだけど(笑)。なかのZEROのホールとか安く借りられるスクリーンがあるところで。

ペペ あれ、いくらぐらいだったの? よく借りられたなあって思って。

神長 あれ安いよ。公共の施設とか探すとあるんだよ。

ペペ 二百人くらい入るところだったよね。

神長 楽しかったよね。

『にくだんご』は出会いのある映画って言って、いろんなところで上映したらきっかけにもなってね。新たな人との出会いが実際に生まれて良かったですよ。

〈沈没家族〉の加納さんと出会ったのも『にくだんご』だったんですよ。ペペが住んでいた〈ラス夕庵〉で『にくだんご』の撮影したときに、その後飲み会をすることになってて、そんときに来たんだよね〔〈沈没家族〉〈ラスタ庵〉については、本書「住む、暮らす」を参照〕。赤ちゃんだった土君《つち》も連れてきてて、映画にもワンシーン「共同保育の保育人を募集してます」ってシーンが入ってる。加納さんと『にくだんご』の撮影してくれたこじまさんも、その前日に東中野の銭湯でたまたま会ってて、そのとき知りあいじゃなかったんだけど、翌日〈ラスタ庵〉で会って「あれーっ」って。土君はその二十年後に映画監督になって『沈没家族』（二〇一九年）って映画を撮ったけど、そこに映画『にくだんご』のシーンも入ってる。

だから、思い立ったら表現でもなんでもいろいろやってみると面白い。偶然の出会いが生まれるということはあるよね。これも寺山修司のことばだけど、「別れは必然的だが、出会いは偶然である」ってね。

詩を書く、朗読する

神長　詩が好きでヘタクソな詩を書いていたときもあったなあ。

ぺぺ　詩集も作ってます。

神長　また詩を書いてみたいなって思うことがあるけど、書いてないとなかなか書けるもんじゃないね、詩ってね。

ぺぺ　まあそうだろうねえ。大変なことだと思うよ。

神長　でも詩なんて、書いたら何やら面白いし、カネがかかるもんでもない（笑）。まわりでも詩を書いてる人は多かったね。究極Q太郎さんなんか詩人で、若い頃に『現代詩手帖』で新人賞［一九八六年］とったりしてる人なんだけど、昔はよく手作りの詩集を何冊も作ったり、『ペエペエ教団』っていう詩と俳句の同人誌を廃人餓号さんていう友人と作ってた。おれもたまに投稿させてもらったり。いまは福島の友人と『甦 rebirth　福島文芸復興〜詩と小説と絵』という同人誌を出してる。

あと詩の朗読会もやったね。〈美は乱調にあり〉ってタイトルのイベントで。その頃、面白い詩人の友だちがたくさんいたから出演してもらって。

『巨匠小川てつオ　今月の詩』って、詩のフリーペーパーを毎月出してた小川てつオ君とか。小川君は詩もアヴァンギャルドだったけど、朗読も前衛的で、詩の朗読ってことなんだけどほとんどアート・パフォーマンスのようだった。あと、早稲田大学のキャンパスで大きな立て看で詩を発表してた野村尚志さんにも出演してもらったね。

〈あかね〉でも詩の朗読会はよくやっていて。詩の朗読って、自分が朗読するのも楽しいけど、いろんな人が自作の詩や自分の好きな詩を朗読するのを聞くのも、なんとも味わい深くてぜいたくな時間。それで面白い詩や詩人を知ったり。読む人の一面を知ったり。

詩の朗読会はポエトリー・リーディングとか言ったりして流行ってて、よく聞きに行ったり参加したりしてた。詩のミニコミ、同人誌もいろいろ出てたなあ。

ぺぺ　『にんげんかいほう』も、詩の投稿はけっこう多かったよね。

神長　多かったねえ。
また詩の朗読会やりたいんだよね、路上で。自作の詩とか好きな詩とか。「街にことばを響かせよう」って。いいでしょ（笑）。

アートで遊びの可能性を探る

神長　子どもの頃、絵を描くのが好きだったんだけど、アートもいろいろやったね。上野の西洋美術館のところで、「反美術展」っていうのをやった。
ペペ　タイトルが〈変態交流コレデイイノカ？ 美術展〉。
神長　西洋美術館前の路上で。いろんな人が参加して、絵を展示したり、踊りを踊った人もいる。そのときにおれはストリーキングやった。黒ヘルかぶって裸で旗を持って走ってね。そしたら警察に捕まりそうになってね。いまだとあれ、逮捕だね（笑）。
ペペ　おれは逮捕もありえるかなと思ってヒヤヒヤして見てたけどね。
神長　向こうも面倒臭かったんだろうね。
ペペ　意外とゆるかったね。
神長　あの頃は「人間解放」がテーマっていうのもあって、裸で表現、決起したかった。
ペペ　実際ストリーキングはおれが小学生の頃はよくあって、報道もされてた。「またストリーキング！」みたいな（笑）。

神長　あったあった。新聞に小さく出たりして。なんか印象に残ってた。

ぺぺ　その後あまり聞かなくなった。新鮮だなと思って見てましたね。

神長　アートと言えば、〈平和路上アート展〉というのを駅前の路上でやったね。

戦争法案［二〇一五年、安倍晋三内閣のもと閣議決定された安全保障関連法案］の頃で、平和をテーマにいろんな人に絵を描いてもらって、棒を二本立てて網状のネットを空に広げて、そこにバーッと絵を何枚も貼りつけて空に展示するかんじで。空や街に絵がたくさんあったらいいなというイメージで。仲のいい子どもたちにも描いてもらって。イカさんがダンボールで作った面白い作品とかを展示したり。あれ、楽しかったですね。ミュージシャンの友だちが歌を歌ったり、クイズ大会もあって、子どもたちも盛り上がった。走りまわってる子もいて楽しそうだった。あと、昔、これも路上なんだけど(笑)、個展をやったんですよね。〈黒色戦線〉ってタイトルで。個展っつってもアクション・ペインティングみたいなね。その場で描いたり、黒いスプレーで……。

ぺぺ　スプレーやってたね、一時期。ホコ天［歩行者天国］でやってたよね。

当時はやっぱ大胆な行動主義だったから。ヒヤヒヤしてましたけど。

神長　デモも無許可デモみたいなのが好きだったんですよね。アナキストの仲間と飲んでいると、酔っ払うと必ず四、五人で「ピッ、ピーッ」とかってそのへんの道でデモがはじまって、ああいうの好きだったから(笑)。

ぺぺ　よく「ジグザグデモごっこ」をやってたんです。

神長　路上とかで絵を描いたりパフォーマンスとかやったら面白いから、そういうこともやりたいんだけどね。六〇年代の前衛芸術とか好きで。

ぺぺ　アートっていうことばが難しいなって。どこからどこまでがアートかよくわからなくなっちゃう。

神長　〈岡画郎《おかがろう》〉にもよく行ってたよね、九〇年代に。

仲良しだった高円寺にあった変わった画廊。いま、「蟻鱒鳶ル《アリマストンビル》」っていう建物をセルフビルドで十年以上かけて作っている岡啓輔さんが、当時高円寺のマンションの三階に住んでて。そこの窓が道に面してたので、その窓にアート作品を展示して、それを道の向かいの街路樹に吊してある双眼鏡で見るという、変わった画廊だった。

ぺぺ　ヘンタイアート系とか言ってたね。あれは大きな出会いというかね。こういう人たちがいるんだなって思って、いまにいたるまで続くつきあいになってる。

まったくわけのわかんないことをやっている人たちがいるんだなと思いましたね。新鮮でしたね。あと、どう思われようとかを考えずにやってる人もいるんだなっていうのはいい。

神長　そうそう。アート界でのし上がるとかそういう雰囲気がないからね。岡画郎の人たちって、純粋に遊びとか面白味とかを追求してたっていうか。

毎月展示が変わるんだけど、「お見合い展」という展示の月もあって、いろんな人が日替わりで展示物になって、観る人が向かいの公衆電話から電話をかけてその日の人と話をするというのもあった。そういうアート作品(笑)。おれやぺぺの日もあったね。

毎週土曜の夜は自由参加で定例会ってやってて、どんな展示をやるかとかみんなでまじめに話しあってた。

ペペ　やってたね。

神長　アートとか絵っていうのは上手い下手じゃない。上手けりゃいいってもんでもない。味わいっていうか。それがいいじゃん。それが重要っていうか。

ペペ　岡本太郎が、四、五歳くらいがピークって言ってた。以降は社会化されちゃう。子どもの絵なんていいじゃない。ああいう絵っていうのは大人になると描けなくなっちゃう。

神長　自由じゃなくなっちゃう。

上手くなくていいんだもん。むしろ下手な人の作品が面白かったりもする。アートってそうやって自由に遊べる可能性のある表現だよね。

ペペ　おれの話なんだけど、絵は子どもの心をはっきり表すってのがあって、こっち（埼玉）の幼稚園にいたときに幼稚園でうんこもらしちゃって、それからというもの悲惨な幼稚園時代になっちゃったんだけど、その頃の絵を見ると、同じ絵をずっと描いててね。こういう絵を描かなきゃいけないんじゃないかって。人がいて、木があって、家があって。同じ絵ばかり描いてて。つらかったんだよ。

大阪に一年だけ引っ越して、そんときは楽しかったんだよ。絵を自由に描いてて。なんかに入選したりして。面白かった。「ザリガニつり」って絵なんだけど、笑っててね。適当にバァーっと描いて。それが子どもの心をはっきり表してて。

神長　出るんだよね。

ぺぺ　子どもの頃は絵を描いてても、社会化されてだんだん描かなくなっていくっていう。

神長　遊び自体そうだよね、社会化されてだんだん遊ばなくなっちゃう。遊びがなくなる。社会化されすぎない、規範やプレッシャーが強い社会の中でのびのび生きるということが面白いわけで、遊ぶっていう想像力は重要だよね。
下手でもいい。だめでもいい。正解なんてないんだよ。自由に描いて自由に遊んで、人生も芸術ってことで、自由に生きればええじゃないか！

「だめ」のある空間、それは路上！

神長　いろんな遊び、表現を紹介してきたけど、けっこう路上で遊ぶことが多いなって思って。これはなにゆえか？

ぺぺ　カネがかからず開放的であるということ。

神長　子どもってそうだよね。起きるとだいたい外に遊びに行くでしょう。みんな道で遊んでた。
路上解放も重要というか、道というのも仕事なんかの車が優先になっちゃってるけど、本来はそこで遊んでるほうが面白いんじゃないかっていう。道ばたで立ち話とかよくしてたよね。そうすると街の風景も開放的になって楽しくなってくるでしょう。車ばかり通ってたり、暗い顔して移動のために歩いている人ばっかりだとつまんない。

神長恒一個展〈黒色戦線〉と〈平和路上アート展〉。上手い、下手を超える。路上の風景を変える。

神長恒一個展

黒色戦線

8月7日(日)
午後3時半〜

新宿 東口駅前
ホコ天(新宿通り)
のどこか

雨天 新宿
大ガード

協力
だめ連
アナキスト・ユース・センター
猿でもわかる哲学研究会
現実実験演劇BIG座

オレの芸術には才能がない、技術がない、努力もしない!

「私と交流して下さい」
セックス・ピストルズ
「ビッグマニブルース」より
作詞・作曲・唄
神長恒一

↑変態交流反美術展にて

問合 03 [redacted] 現実実験演劇BIG座事務所

ペペ　昔はいまより車が少なかったからね。道に蠟石で絵を描いたりとかね、道路で遊んでたよね。

神長　土の道もいっぱいあったよ。土の道のほうがおれは好き。土の道に戻してほしい。車がそんなに偉いのか？

ペペ　いや、これねえ。おれが子どもの頃は、車がこんなにいっぱいあっちゃいけないよっていう風潮があった。団地に駐車場がなかったんです。

神長　あー、そうなの。どこに駐めてたんだろうね。

ペペ　どうしてたんだろうね。まず車のある家ってのがね、すげえなって。

神長　少なかったよね。

ペペ　環境問題だってなんだってねえ、それくらいまで戻さなきゃだめなんだよ。道は子どもが遊ぶ場で、たまに車が来ると、それは向こうのほうが申し訳ないってなるようなｏ。そのくらいがいいんだよ。

神長　昔はそんなかんじだったよね。

ペペ　蠟石はけっこう重要だったんですよ。それで「バカ」とか書いて。

神長　書ける石拾って、まる描いてケンパ遊びとかしたな。

ペペ　キャッチボールだって道でやってた。

神長　よくやってたよ。一人のときは壁当てね。

ペペ　自転車の練習っていうのも思い出して。悲惨な特訓だったたんだけど、よく考えたらあれも普通に道路でやったんだよ。いかに車が少なかったかっていう。

神長　あれだろ、補助輪とるやつ。田舎も車中心になりすぎちゃってね。

ペペ　田舎のほうが大変なんだよ。それなしに暮らせない。

神長　バスとか電車の本数が少なくなっちゃって、歳とって車を運転できなくなると困るんじゃないか。

ペペ　おれん家なんて、親父が免許を取るかどうかという問題になって、家族会議の結果、否決された(笑)。

神長　酔っ払い運転して人はねちゃったらまずいだろうとか？

ペペ　そういうのもあるし。思い出した。当時は公害に対する意識があった。

神長　正しいね、それは。

ペペ　社会的にも公害病が問題になってたんだよ。スモッグだヘドロだって。

神長　あったあった。あの頃のドブとか臭かったよね。ザリガニがよく裏返って死んでたり。

ペペ　「公害はいかーん」というのは普通にあった。車は公害だみたいな話になって、結局親父は免許を取らないというのが決定されたっていう(笑)。

神長　すばらしい。うちもなかった。車のない家で育って良かった気がする。

ペペ　古川君(同級生)の親父が日産で働いてて、そういう話もあったから、おれも「車はいかーん」みたいな論陣を張ってて、でも古川家は日産だからね。ぶつかってた。それで古川が「車は便利だ！」とか言って(笑)。

いまとなっては、シェアでいいでしょうという話になってきてるもんね。

神長 ハクつけで買う人とかいるからなあ。高級車乗って喜んでる人とかみっともないよ。車増えすぎ。

ペペ 若い人は買わなくなってきてるからシェアでいい。子どもが道で遊んでなかったらだめだよ。

神長 土の道が増えたら、うつの人も減るよ。道ばたの雑草とか雨上がりの水たまりがまた見たい。温暖化は進むは生きものは減るは、車売ってカネ儲け路線は間違ってたんじゃないか。

こういうこと言うとたまに「じゃあ、車はいっさい乗るな」とか「車使って運んできたものは買うな」とか言う人もいるけど、そういうのは少しずつ減らしていけばいいんだよ。

その2……遊ぶ

自然の中で遊ぶ

資本主義社会の中に閉じ込められちゃっているところから、どうオルタナティブに生きていくか。資本主義的な感覚から抜けていくために非常に重要なのは、自然の中で生きているという感覚。人間というのも生きものであって、基本は、海があって大地があって空気があって水があって植物がいて生きものがいて菌類がいて、その循環の中で生きている。

本来の、自然界で生きているという感覚を取り戻していく、そこに立ち戻っていくと、生きているよろこびを獲得できるし、よりどころにもなる。ちょっと昔の暮らしとかを参考にして基本に戻る。そういうふうにして野生の感覚を少しずつ取り戻していくことが重要。

その感覚を取り戻していくために、山登りや海水浴など、自然の中で遊ぶ体験を増やしていくのは大切なこと。面白いだけじゃなくて、環境問題を考えてもこれからどういう社会にしていったらいいかということのいろんなヒントがつまっている。

ということで、「自然」がこの章のテーマです。

何もない自由

神長　子どものとき（一九七〇年代）自然好きだったんだよね。生きものが好きで、いまに比べてまだ自然が豊かだったから、田んぼとかに行ってザリガニとかいろんな種類のカエルとか捕りまくったり、セミとかトンボ——オニヤンマとかギンヤンマとかアガるじゃないですか——、バッタ、カマキリ、カミキリ、もちろんカブトムシにクワガタ……男の子にありがちな子どもの時代を過ごしてた。

それが若者になって、消費カルチャー、都会のカルチャーのほうに行っちゃったんだけど、二十年くらい前にレイヴ［くわしくは二四二ページ］に行くようになったことなんかがきっかけになって、また自然とふれあう楽しさを思い出したんだよね。山奥とか海辺とかで踊ってたんだけど、自然の中で踊るというのは屋内で踊るのとは圧倒的に違う。踊っていると空や山や星が見えたりするし、自然とのシンクロ率が高まってチャンネルが合うかんじだった。

それからよく散歩をするようになって、山とか川とか自然の多いところに行って自然の中を歩いたり楽しむようになっていった。そうすると、それまで駅とか建物なんかの都市の建造物で土地を意識していたのが、もうちょっと地形で意識すると面白いんじゃないかなっていう感覚になって。例えば東京だったら、大きく見ればどこに多摩川があって荒川があって平野があって山があってとかなんだけど、近所にしても、あそこに大きな木があってとかそういうふうに見方が変わっていく。アスファルトが剝がれた状態の自然を楽しむことができる。そういうようなかんじで山歩きとかをするようになった。単純に自然が心地よくかんじるようになったということも大きいんだけど。

ペペ 近所にはけの道［国分寺崖線に沿った自然に近い道路］とかあるしね。

神長 そうそう。ペペもある時期から山登り行くようになったよね。

ペペ 実は先々週も行ってきたんだよね。

神長 どこに行ったの？

ペペ 藤野だよ。帰りに温泉で友だちと合流して。

神長 山登りが一時期すごく界隈で流行ったよね。二〇〇七〜一〇年くらいにすごい頻繁にやってた。

ペペ 原発でいろいろ変わったからね。

神長 それどころじゃなくなっちゃった。毎週デモになっちゃったし、放射能が気になったり。

ペペ クラブだなんだっていうのもまあいいんだけど、開放感というものを追求していくと、山の中でだれもいないとかの類の開放感というのは相当大きい。監視カメラもなければなんにもないわけだからね。悪い話も含めて一番好きな話ができるもんね。そういう開放感というものに気づいたんだよ。街中にはない開放感だよね。

神長 広告もなければ自動販売機もないし、お店もない。人工物がほとんどないっていう開放感は大きいよね。

ペペ　スマホがつながらないっていう開放感とかね。そういうのも重要なんだよね。一番自由。監視されていないという状態がいまの都市社会ではないわけだからね。そういうのもあって、けっこう頻繁に行ってたね。そういう状態が最も自由な話ができると思いますよ。中央高速沿いに談合坂ってあるじゃないですか。昔の人なんかも、山の中のだれもいないところで談合をしていたんだなって思うよね。たくらみもできる。

神長　監視カメラやSNSのマイナス面って、けっこうあると思う。

ペペ　これは海でも山でもいいわけだけどね。

神長　まさに「人間解放」じゃないけど、たまに全的に解放されたいっていう気持ちになるじゃないですか。やっぱり都市とか町にいると日頃の生活のしがらみもあるし、なかなか解放されないけれど、山とか海に行くとまったく解放されるというかね。

ペペ　爆笑が起こりますね。

神長　「人目」というのは必ずあるんだっていうことに気づく。逆に見えてくるんだよね、日頃の環境が。あと景色が広くて空気がいいというのも大きい。

ペペ　もちろんね。

空気を吸いに自然の中へ

神長　呼吸が浅くなっていると思うんです、空気が悪ければ悪いほど。それはやはり解放されているかどうかとか、身体が縮こまっちゃうとか、そういうことにも全部つながってるんだよね。

ペペ　ナナオサカキ［一九二三―二〇〇八。放浪者、詩人］が言ってたけど、町に行くときは意図的に呼吸を浅くするんだって。なるほどって思った。それは、そこに合わせるっていうことみたい。

神長　それはたぶんね、みんないつの間にかなっちゃってるんだと思うよ。そのことにすら気づかないわけ。山のほうで暮らしていたりする人は山から都会に来るから気づくんだろうけど、都市にずっといる人は気づかなくなっちゃってて。

それはおれもレイヴに行って気づいたことのひとつで、踊ってるうちに感覚がバーンと開いて、その状態で日常に戻ると、まず気づいたのは電車の中の空気ってのは汚いなっていうこと。これはもう呼吸できるようなものじゃない。感覚が開くといろいろなことがつらくなっちゃったりするんだけど。

ペペ　電車のみならず、街中っていうのは消毒液とか化学物質がものすごいから。

神長　排気ガスもね。町を歩いていて、排気ガスがつらいなんていうのもかんじるようになった。

ペペ　化学物質過敏症の人の気持ちがちょっとわかる。

神長　そうそう。要するに、知らず知らずのうちに感覚を鈍くしていくことによって適応しているんだよね。空気が汚いと、いつの間にか適応して呼吸が浅くなっているし、もっと言えば、例えばそこにホームレスの人がいてもなんにも気になんないで歩いていっちゃう。何か大事なものを捨ててる。感覚を鈍くしていくことによって資本主義社会に適応してるということがある。もともとはきれいな空気の自然の中で人は生きていたわけだから、一日でも二日でもそういうところで過ごすことは重要。おれなんかも、友だちと何人かでいろいろな山に登って遊んでるし、ちょっとがんばるときはテントと食べ物、自炊道具を持っていって、山の上でテント泊してメシ食って帰ってくるとかやってた。荷物が重くて大変なんだけど、水はこのぐらいに限って持っていこうって水を大切に使ったりとか、ふだん当たり前にあるものがないわけだから貴重な体験。電気がない状態を体験するとか、昔の人は何千年もそうやって生きていたのを、一日でも二日でもたまに体験するのは面白いし重要なことだと思う。実際に自然の中に身を置いて、少しずつでも野生の生きもののような感覚を取り戻していくという。そうすれば、資本主義によって見えなくされてきたこの世界の豊かさに気づくようになっていけると思う。

山歩きしてサルになる

神長　山の中を歩くだけで楽しい。歩くって楽しいなって気づく。たしかに上り下りがあって大変なんだけど、都市が平坦すぎるということに気づく。平坦で全部舗装されている道ばかりだと、歩きやすいけれど歩きやすすぎるでしょう。これはやっぱり精神的につらくなるよなというのに気づくよね。

ぺぺ　この間も友だちが山中のハードな下り坂で絶叫してたけど、やっぱりビビることが日常にあったほうがいいんじゃねーのっていう。

神長　大変なのが面白かったりするわけで。便利すぎるんだよね。道に木が倒れていたり、いろいろな障害物があって当たり前なわけですから。

ペペ ちょっとビビることで活性化されるということはある。

神長 うんうん。そういうことも含めて、山に行くと生命力が上がっていく。生命の元気を取り戻していくっていうかね。

ペペ うん。やばいとこだと手足全部使って四足歩行みたいになるとか、これは面白いしけっこう重要なことだと思うよ。

神長 おれもそう思ってた。

ペペ おれは部屋の中でも四足歩行だから「荷物が至るところに散乱してるため」。おれはナマケモノかっていう(笑)。

神長 いや、いろんな動きをするっていうのは重要だと思う。日常が便利にできすぎちゃってるから、身体を動かすパターンが一定化しちゃってるんだよね。

ペペ いわゆる機能的だとされる動き。

神長 山に登るといろんな障害物があって、くぐったり四つん這いにならなきゃいけない。そういう、日頃やらない動きとかができるのも気持ちいいんだよな。

ペペ サル時代の記憶が蘇ってくるんじゃないですか。サル時代の遊びっていうと木登りだよね。いまは子どもたちが木登りをしなくなって、手首の腱が退化しているらしいよ。

神長 うちの学童保育の子はよく木登りしてるよ。身軽で羨ましいんだよね。おれもたまにやるけど、ヘボい(笑)。

近くて低い山をのんびり歩く

神長　一時期は暇さえあればイカさんと二人でよく山に行ってた。中央線に乗って山梨のほうとか、あと奥多摩や五日市のほうとか。おれらは朝起きるのが遅いんで(笑)、帰りは必ず暗くなっちゃう。バスもなくなっちゃうから、なんとか駅まで歩いて帰ってこられるくらいのそんなに高くない山とか、やたらと行ってんの。山に限らず、丘陵とかハイキングコースとか。山には店なんてないからカネを使わないし、おにぎり作って持っていけば、電車賃だけで相当楽しめる。まあよく登った後、温泉に入ってるけど。

ペペ　「ラジオ深夜便」でも低山登山専門家の人が出てます。

神長　ああ、おれ、低山登山系(笑)。日帰りで気軽に行けるし。

でも高いところもたまに行く。高い山はやっぱりすごいからねえ。景色に感動するよね。みんなで富士山行ったりもしたな。といっても、これは一回目が一合目から五合目、二回目が五合目から山頂までっていうかんじで二回に分けて行ったんだけどね。

でもタローさん［友だち。三四四ページも参照］なんかすごいんですよ。自分の家から歩いて富士山まで行って、登って帰ってきてるからね。

ペペ　はぁ～(ため息)。

神長　これはほんとにすごい(笑)。これ、本当に地形がわかるだろうな。面白いよね。

タローさんの話で思い出したけど、こないだぺぺが、がんが発覚した後にやった過酷な話(笑)。

ぺぺ 裸足登山ですね。

神長 痛そうだなあ。

ぺぺ 痛いですよ(笑)。

神長 それはがんが治るように願をかけて?

ぺぺ そうそう。ハード路線。でも枯れ葉が積もってふかふかのところは気持ちいいですよ。でも、

東京から日帰りで登れる低めの山

御岳山(青梅線御嶽駅からバス)
大岳山(青梅線奥多摩駅)
御前山(青梅線奥多摩駅からバス)
川苔山(青梅線鳩ノ巣駅)
大塚山(青梅線古里駅)
日の出山、三室山(青梅線二俣尾駅)
高水三山(青梅線軍畑駅〜御嶽駅)
青梅丘陵(青梅線軍畑駅〜青梅駅)
三頭山(五日市線五日市駅からバス)
金比羅尾根(五日市線武蔵五日市駅)
弁天山(五日市線武蔵五日市駅〜武蔵増戸駅)
秋川丘陵(五日市線武蔵増戸駅)
滝山丘陵(青梅線福生駅からバス)
天狗岩(青梅線宮ノ平駅)
旧二ツ塚峠(青梅線加辺駅からバス)
高尾山(京王線高尾山口駅)
草戸山(京王線高尾山口駅)
景信山(中央本線高尾駅からバス)
八王子城山(中央本線高尾駅からタクシー)
石老山(中央本線相模湖駅からバス)
陣馬山(中央本線藤野駅)
八重山(中央本線上野原駅)
能岳(中央本線上野原駅からバス)
倉岳山(中央本線梁川駅)
扇山(中央本線鳥沢駅)
百蔵山(中央本線猿橋駅)
岩殿山(中央本線大月駅)
高川山(中央本線初狩駅)
入笠山(中央本線富士見駅からタクシー)
車山(中央本線茅野駅からバス)
白駒池、高見石(中央本線茅野駅からバス)
大山(小田急線伊勢原駅からバス)
武甲山(秩父線浦山口駅)
宝登山(秩父鉄道長瀞駅)

行く場合はちゃんと調べてから行ってください。

その日連れていかれたコースは……。終わってからタローさんが「いや、今日のコースは比較的ハードでしたね」って(笑)。

神長　いやいやいや、やめてくれよ(爆笑)。相当痛かったでしょ?

ペペ　痛いんだけど、たしかにあれは集中力その他いろいろな感覚が研ぎ澄まされるっていうのはある。すれ違う人が衝撃を受けるからね。「何やってるんですか!?」って(笑)。ハード路線お好みの方にはいいかなと思います。

神長　まあでも、たしかに裸足になるのはいいんだよね。登山ではやんないけど、おれもなるべく裸足になれそうなときはなってる。痛かったり、気持ち良かったり。

　富士山のほかにも高い山だと、木曽駒ヶ岳、中央アルプス。出羽三山なんかにも行った。やっぱり高いところの良さというのはあるよね。別世界というか、圧倒されるからね。ちょっとお金がかかっちゃうけど、安めで行く方法もあるからね。

ペペ　まあね。タローさんなんか歩いて行っちゃうんだからね。

一同　爆笑

神長　ペペとは大菩薩峠に一緒に行ったでしょ。

ペペ　山小屋泊でね。

神長　山小屋のおじさんにいい場所があるって教えてもらって、山小屋で知りあった人とそこへ行って、山の稜線に陽が沈むのをみんなでずーっと眺めたり、夜寝ながら鹿の鳴き声聞いたり。野生の生きものに会えたらうれしいよね。神々しい。野生の生きものにはなんか憧れてしまうよなあ、熊にはビビるけど。でもヒトより強い生きものがいるかもとビビるのも貴重な体験な気がする。本当に出たら困るけど。カネを使って遊ぶより、山とか森に行って過ごしたほうがぜいたくだし面白いね。

くだらないエピソードはいっぱいあって、山奥まで行ってみんなで苔にはまっちゃったりしてね(笑)。

ペペ　ああ、あれはすごいんだよねえ。

神長　いきなりそこで三十分ぐらい見てんだもん、苔を(笑)。「これはすごい！」なんつって。進まない進まない(笑)。面白いところだらけ。なんといっても大御所の木ね。大木とか見つけちゃうと「御神木」とか言って、みんなで輪になって抱きついちゃって(笑)。木の中の音とかに耳をすまして、生命の息吹をかんじちゃったりしてね。何も聞こえないんだけど(笑)。

ペペ　木に抱きつくセラピーは、どこかの国が勧めてるらしいよ、「木、抱きつきセラピー」。おれもやりたいけど公園とかだとヘンタイだと思われるんじゃないかなあって。

神長　山でも明らかにも怪しいよな(笑)。速く歩く楽しみもあるけど、おれらのはだいたいゆっくり登山だからね。ゆっくり自然を堪能すると発見の連続。

ペペ　奥秩父に二泊で行ったことがあって、そのときに見た星空がいままでで一番すごかったなあ。思わず笑ったもんね。

海で遊び、川でも遊ぶ

神長　大人になると、子どもでもいないと海水浴ってあんまり行かなくなっちゃうでしょ。でも海水浴、楽しんだほうがいいですよ。

おれらはここ十年以上、毎年夏に、みんなで海水浴行ってるんですよ。年に一回は海で泳ぎたいなって。地球上の七割が海であんなに広いんだから、たまには海を満喫したい。

広い空の下、海で泳ぐのはやっぱり気持ちがいい。あとね、潜るとすごく元気になる。とにかく頭まで一度全部つかる。それだけですごい元気になる。海水効果ってあるね。それに海の中に潜ると、ぐるっと回転したりとかいろんな動きができるんだよね。山登りと同じで、日頃しない動きをして面白いんだよね。

ぺぺ　ぐるんぐるんまわるもんね、神長さん。

神長　海の中は自由だからさ。

ぺぺは高いとこから海に落ちて入るの好きだよね。

ぺぺ　好きだねえ。

神長　普通の海水浴場にはあんまり行かなくて、どっちかっていうと磯系に行くことが多いよね。磯系だと、起伏に富んでいるし、魚や生きものがいっぱいいるんだよね。狩猟採集じゃないけど、潜って貝とかウニとかナマコとか獲ったり、おれはうまくいったことないけど銛で魚を捕まえたりして、その場で調理して食べたり。

ペペ　子どもだって砂浜より岩場のほうが好きだと思うよ。

神長　イカさんなんかシュノーケルが大好きで深いところも泳いでいっちゃうけど、おれは泳ぎが上手くないんですよ。目も悪いから浮き輪持って行ってるんだよね。苦手なことをやらない人って多いじゃないですか。だめ連的にはこれを言いたいけど、苦手だからってやらないのはもったいない。そんなこと言ったら、おれなんてやることなくなっちゃうからね。何やらせてもほんとだめだから(笑)。下手くそでも恥ずかしがらないで、海遊びなんて一年に一回は行ったほうがいいですよね。泳ぎが下手でも、他人が見ているわけでもないんだから。広大な海のほんの隅っこにちょっとつかるだけでも面白い。

海もいろんな海岸で泳いだよ。それぞれ違ってて面白い。昔は神奈川の真鶴によく行ったよね。

ペペ　うん。

神長　あそこいいんだよね。波荒いから危ないけど、魚多いしパワースポットの三ツ石もあって。

ペペ　花火も見えた。

神長　あと三浦半島の城ヶ島とかね。

ペペ　タローさんが御柱をおっ立てた。

神長　そうそう。でっかい流木があって、それをみんなで運んで焚き火に入れたらすんごい炎が上がって。「御柱祭」って、盛り上がってね。三浦半島のほうにはいろいろ行ってる。

海の中でいろんな魚が泳いでるのを見るのは楽しいね。ダイビングが上手くなくても、おれみたいに近眼でも、水中メガネだったら意外と見られる。

左ページ：上は海水浴に行ったときの写真。左下は山で採った野草（ワラビ、ウルイ、ゼンマイなど）とハナビラニカワダケ。右下は河原でのキャンプ。

右ページ：上の写真は山をただ眺める神長。下の写真は河原にて。だれかが何かをはじめる。

ペペ　子どもの頃の最大の思い出と言えば、やっぱり夏休みに父親の実家のある佐渡の海で遊ぶという、それ以上面白い遊びはなかった。いまも思い出す。

神長　川も楽しいよね。うちの学童保育のキャンプで毎年秋川に行って泳いでいるけど、それ以外でも隙があれば川に入ってますから。海とか川はプールとは違って、生命力をもらって独特の元気が出てくる。また、裸になるというのもいいんだよね。全身で太陽の光を浴びて海や川の中に潜ってってってね。

　桐生の八木節の盆踊り［桐生八木節まつり］に行ったときも楽しかった。河原でテント張って、寝て、渡良瀬川で泳いで、八木節踊って。スーパーでラーメンを買って河原で作って。高いレストランとか海の家の食堂とかで食べなければ、かかるのは交通費くらいだし、相当楽しいです。

ペペ　海の中のきれいなシーンていっぱいあるんだけど、ウルメイワシの群れが一番きれいだったね。

神長　どこで見たっけ？

ペペ　Tさんのところで。

神長　海の達人の友だち。すごいよね、何メートル潜れるんだっけ。

ペペ　十メートルぐらい。もともとシーカヤックをやってた。

神長　野生児でなんでも獲れるんだよね。そのときもハコフグをいっぱい捕まえてくれてね。

ペペ　ハコフグの味噌焼きはやばかったなあ。タコを何匹か獲ってたら、地元の人から二万円分くらいあるって。

神長 タコと言えば、去年イカさん、海のなかでタコに墨吹かれてたなあ（笑）。

星空を見る

神長 自然の中での遊びでは天体観測もあるよね。別に、折にふれ星空を見ればいいんだけど、みんなで星を見るのも楽しくて、金環日食とか皆既月食飲み会とか、うちの近くの公園が夜空が広くてそこでやってたりした。

ぺぺ おれは知らなかったんだけど、「流星群」とかって意外と頻繁にあるんだね。百年に一回くらいしかないと思ってたけど意外と頻繁にある。

神長 ずーっと見てると流れ星が見えて面白いよ。見れるとうれしいし、不思議な気持ちになる。きれいだしね。

ぺぺ 三つのお願いは難しいよね。

神長 難しい。二〇〇九年に日食があって、そのとき各地で日食パーティーが盛り上がったよね。

ぺぺ おれはあのときはアパートで一人で見てたよ。

神長 え⁉　一緒に行かなかったっけ？

ぺぺ 日食はおれ、行ったことないもん。

神長 一緒に三浦半島の油壺に行かなかった？

ぺぺ あ、あれは行ったけど。二〇一二年とかじゃなかった？

神長　そうだったっけ。界隈のアクティビスト系の人たちみんなで油壺に行って見たじゃん。

ぺぺ　見たねえ。

神長　星空を見るのも当然タダだから、おすすめです。夜になって星と月が出ると宇宙が見えるという、それをゆっくりとみんなで楽しむっていうのは最高のぜいたくですよ。

ぺぺ　それで言ったら月見だね。今年はがんばって月見をけっこうやったけど、これはたしかにぜいたくなイベントだなって。

神長　家の近くでやったの？

ぺぺ　そう。中野の芝生でね。雲はあったほうがいいね。これは貴族の遊びだなって思ったよ。

神長　また月とか星の光って独特でしょ。電気とは違ってすごくきれいですよ。瞬いたり。意外と生きてて宇宙をかんじる時間ってそんなに長くはないでしょ。

ぺぺ　なかなかね。

神長　生きているうちに宇宙を体験しておいたほうがいいですよ。

ぺぺ　ここも宇宙なんだけどね。

神長　たしかに。なんか思い出あります？

ぺぺ　子ども時代は星というよりはＵＦＯですよ。

神長　そっちか。そっちはいいだろ、別に(笑)。見たことがあるの？

ぺぺ　あるんです。子どものとき、みんなで「見よう見よう」って言ってたら本当に見えた。でもこれがねえ、三人とも見てるんだけど証言が全部違うんだよ(笑)。

神長　ああ、ありがちな（笑）。
ペペ　何かを見たことは一致してるんだよ。
神長　昔、〈マリファナ・マーチ〉の後、何人かで代々木公園行ったときに、本格派のＵＦＯ好きな人がいて、丘の上でみんなで輪になって呼んだけど来なかったよな。あんときは「来るかなあ」って。けっこうがんばって呼んでみたけど、来なかったね（笑）。

目的のないキャンプと焚き火のぬくもり

神長　キャンプと焚き火ね。これも重要。〈だめ連キャンプ旅〉というのをやったことあったけど、あれは面白かったね。
千葉の銚子の手前あたりの適当な無人駅で降りて、そこから海まで歩いていったんだけど、遠かったね。満天の星空の下の田舎道をひたすら歩いて、坂を下ったりして。途中からなんか馬糞臭くなっちゃってね。
ペペ　馬糞じゃないよ、鶏糞。
神長　やっと海に出て、そこからまた砂浜をひたすら歩いたんだよな。
ペペ　歩いた歩いた。ホンビノスガイをいっぱい獲った。
神長　あれ、良かったよね。
ペペ　夜、潮が引いたときに「ハマグリだ！　ハマグリだ！」ってね。

神長　潮がすーっと引くと、月明かりに白く光ってる。でかかったよね。

ペペ　いまはスーパーでも売ってるよね。

神長　やっぱりさ、スーパーで買っても面白くないけど、ああいうところで獲ると面白いよね。うまかった。それで砂浜の適当なところにテントを張って、二泊三日で延々と海沿いを歩いてさ。

ペペ　踊りながら歩いてたよ。

神長　波打ち際をね。

目的地もない。なんの意味も目的もない(笑)。ほんと行き当たりばったり。なんにも事前に調べてないというのが面白い。こういうのが一番面白かったりするんだよな。

わりと近場では、中央線で青梅方向にある適当な駅で降りて、多摩川の河原をずっと歩いていくのも面白かった。林になっていて獣道があったりして、途中にけっこういいスポットがあって、そこでテントを張って焚き火パーティー。やっぱり焚き火はいいですよ。飽きないし。

ペペ　おれが中学の頃までとか、庭で焚き火をしてたんだよね。友だちから「うちで焚き火して焼き芋あるから来なよ」とかね。いまはちょっと無理っぽくなっちゃってね。

火の管理の問題はあるんだろうけど、ちょっと寂しいよなあってね。

神長　童謡で『たきび』っていう歌があったじゃん。昔、こんなに道路が舗装される前は、枯れ葉を掃いて集めて道ばたでやってたんでしょう。インドに行ったときは道ばたでやってたよ。

焚き火はねえ、鬱々としたときとか何か嫌なことがあったときとかすごくいいよ。木が燃えてるのをじーっと見てると気分が変わるよね。

ペペ　そういうふうに、人の心をあったかくするものだと思うんだよね。ちょっとした意識変容が起きるんだろうね。

神長　ずっと直火の焚き火を見ていたら、救われる人というのは増えると思う。

ペペ　世の中がしょっぱいかんじになっているのは、焚き火ができなくなってるせいもあるなって思う。

神長　それはあるね。

ペペ　子ども時代を思い出す。子どもは火遊びが大好きだからね。

面白い遊びは危ない遊び

ペペ　遊び全般に言えることだけど、面白い遊びっていうのは全部危ない遊びなんだよね。危なくない遊びは遊びじゃないんだよ。これは言っておきたい。子どもたちのためにも考えたいテーマだよね。

神長　「安心・安全」ばっかりじゃだめなんだよね。

ペペ　それがどれだけのものを抑圧してるかってことをね、われわれは重々考えなくちゃいけない。

神長　けっこう重要な問題。なんでもかんでも安心・安全で、あれはだめ、これはだめってなっちゃってるじゃないですか。あれが良くないよね。

ペペ　うつ病になるよ、そんなの。

神長　それでどんどん息苦しい世の中になっちゃって。いのちが大切とか言うけど、安心・安全で監視・管理ばかりしていたら自殺者が増えるばっかりだよ。そっちはいいのかよっていう。

自然とともに生きていく

ペペ　キャンプの話に戻るけど、海や山もいいけど、近いところっていうのもいいよね。

神長　そうそう。

ペペ　おれ、一回朝霞台駅で終電がなくなってさ、和光の家まで歩くのかって思って歩いてたんだけど、武蔵野のあたりってけっこう面白いし、意外と林とかが残っているんだよ。こっそり中でテントも張れるかもしれねえし、身近なところも面白いもんだしカネもかからないし、いいなって思った。

そういう意味でも荒川のキャンプ旅はけっこうやばかった。沼があって池があって、原生林みたいだった。あれに行きたかったんだよね。おれが子どもの頃遊んでたのは沼ですからね。そういう沼も潰されてるわけだよ、いまは。おれの友だちが、自分が子どものときに遊んでた沼に自分の子どもを連れて行ったら、みんななくなっちゃってたんだよね。こんなに悲しいことはない。

神長　それはショックだね。

荒川の沼は歩いてて偶然知りあった人が教えてくれたんだよな。

ペペ そうそう。だからカネをかけなくても、近場が意外とやばいってことは言いたいですね。

神長 荒川はまた川原がめちゃくちゃ広いよね。

ペペ 野球場もゴルフ場もある。ゴルフ場にしゃがってとは思うけど。

神長 多摩川も荒川ほど広くはないけど、中流域が面白いですよ。多摩川キャンプのときもずっと歩いたけど、林もいっぱいあって面白そうなところがいっぱいあったもんね。

ペペ 近場研究も重要です。この間もY君の家に三泊して、平林寺［新座にあるお寺］のまわりを歩いてよかった。

神長 そんなかんじで、自然といろいろふれあうと面白いっていうかね。

ポスト資本主義時代をどう生きていくかっていう意味でも、カネも使わないし、あんまりモノがないような状態でちょっと生きてみるという体験ができるし、訓練にもなる。ほんの短い間でも、ちょっと縄文感覚みたいなものを取り戻す。

家に暮らしていると、スイッチ一つで当たり前に電気がつくし、蛇口をひねれば水が出るけど、それは当たり前じゃないんだっていう状態をたまにでも体験しておくと違う。そっちが本来なわけで。本当はもっとそういう時間を増やしていけばいいんだろうけど、おれもそこまではできていない。でもぜんぜんやらないのと、短い時間でも体験しておくのはぜんぜん違う。頭で考えるだけではわからない気づきがある。不便なことは多いけど、楽しいことも多いという。電気のあかりがまったくないところで、徐々に日が暮れていくのを体験するだけでもなんとも言えない感覚になる。

地球温暖化を考えても、資本主義的じゃない暮らしをしてったほうがいいわけだけど、それは便利さを手放していくこともあるんだろうけど、そこにはより深いよろこびもあるという。この星でほかの野生の生きものたちとともに生きているという感覚とか。昔の人みたいに、なるべくそういう感覚を持ちながら生きてったほうが幸せなんだと思う。

その2……遊ぶ

旅と合宿

大都市って、息が詰まるっていうか、やっぱり独特のワールド。まさにザ・資本主義ワールド。都会に住む人にとって旅の重要なポイントのひとつは、そのバビロン的な大都市から一回抜けること。

旅に出るといろいろな発見があって、自分がいま住んでる場所での暮らしが当たり前じゃないと実感できて、相対化できる。さまざまな気づきが得られる。これからの時代どう生きていったらいいかということのヒントもある。

そして合宿。合宿は交流の華。家に帰る必要のない状態での交流、眠くなったらいつでも寝られる状態での交流のほうがいい話ができる、盛り上がる。

そのほか、睡眠や散歩についてもトークしてます。

貧乏旅行の楽しみ

神長　おれも貧乏旅行なんだけど、日本中や海外もいろんなところに行った。ここ二十年くらいは格安バスをよく使ってて、そうすると数千円であっちこっち行けちゃったりするんだよね。ほんとは電車が好きなんだけど、電車に乗るときは基本的に鈍行とか「青春18きっぷ」。時間はあるけどカネがないっていうときはこれがいい。あと随所随所にヒッチハイクっていう人もいると思う。

ぺぺ　ヒッチハイクは何度もやったことあるんだけど、いまはやりにくくなっているらしい。トラックの運転手が会社から、「拾ってはいけない」と言われたのが大きいって聞いたんだけど。

神長　世知辛くなってきてるんだね。友だちでもヒッチハイク好きの人が多かったけどね。この間知りあった人はヒッチであっちこっちずっと旅してる。旅先で出会った人にカンパもらいながら。あと、徒歩旅行の人とかいたよね。Nさんとか……。

ぺぺ　ああ！　いたねえ。

神長　あの人、徒歩で日本中をまわってた。ほかにも自転車でまわってる人もいる。旅でかかるお金って、要するに移動代と宿代が大きいじゃないですか。移動代はできるだけ安く上げたい。あとは宿代。おれなんかはだいたい野宿が多いですよ。野宿好きな人はテントも使わないでいろいろなところで野宿するけど、おれはテントを持っていくことが多いですね。寝るのはだいたい河原とか公園とか海辺とか。海辺での野宿なんて最高にいい。すばらしいオーシャンビューで、近くには高級ホテルがあったりするけど、そこよりもっと海に近いから。浜辺でずっと波の音を聞きながら、夜中に目が覚めたらテントから外へ出てお茶を一杯飲んで、空を見れば星は見えるし最高ですよ。一番豪華な宿ですね(笑)。お金を出して泊まるんだったら安宿とかゲストハウス。交流できるゲストハウスとかあったりしてね。

そうやってなるべくカネをかけずに旅行する。普通に旅行していたらすごくカネかかるじゃないですか。そうするとなかなか旅行に行けなくなっちゃうから、カネをかけないで旅行する。食事は、地元のスーパーとか安い食堂をよく使ってる。お土産でもそうだけどさ、観光客向けのお店なんかには地元の人はだれも来てないんだよ、高いしさ。そうじゃなくて、地元の人が利用しているスーパーに行けば、その土地の人がふだん食べているものが食えるわけだから、安いしさ。だから食費に関しては東京にいるのとそんなに変わらない。多くの人は旅行に行くとふだんよりぜいたくしちゃうでしょ。おれなんかは逆に東京にいるときより切り詰めようと思っちゃって(笑)。でも、そのほうがその土地の人の暮らしがわかる。

知りあいに頼る

ぺぺ　この間〈あかね〉に来てた人は、オルタナ界にデビューしたきっかけが釜ヶ崎の〈ヴィラ三日月〉[七九ページも参照]だって言ってました。

神長　そのながれで言うと友人宅ね。オルタナ系の友だちが各地にいるから、そういうところに泊まれば宿泊費はカンパ程度で済むこともある。オルタナ的に生きている人たちのネットワークが各地に増えてつながっていくと面白くなっていくよね。

ぺぺ　地元を案内してくれる人がいるのといないのって、まったく違うんだよね。

神長　うん。ただ行くのと違って、そこに住んでる人に案内してもらって交流すると、地元の面白い人に会えるし。

ぺぺ　裏道の裏道とかね。

神長　何年か前にぺぺが大阪のイベントに呼ばれて話をするときに、じゃあ一緒にだめ連大阪ツアーをやろうって言って泊めてもらったのもヴィラ三日月。そのときに釜ヶ崎を案内してもらったり、そこで「だめ連ラジオ」の収録もしたよね。釜ヶ崎の炊き出しや夏祭りも少しだけ手伝わせてもらったこともあった。原発事故以降、東京から移住した関西の仲間に会って交流したりね。

ぺぺ　ライブで郡山に行ったときに泊まったんだけど、そのビルの部屋が空きまくっててね。それは原発事故の影響もあるんだろうけど、同じビルのほかの空き部屋も借りててクラブみたいになってるんだよね。準備室みたいなところに畳を敷いてくれて、そこに寝っ転がったときに「未来はこういう家に住みてえな」って思ったね。

神長　どういうかんじ？

ぺぺ　スクワット（無断占拠）ハウスみたいなイメージ。なるほど、こうやって楽しければスクワットとかしたくなるよなあって。

神長　それは向こうのバンド仲間が呼んでくれたんだよね。

ぺぺ　そうそう。

神長　バンドやってる人たちのコミュニティっていろんなところにあるよね。運動系もそうだし、バンド系とかのオルタナティブなコミュニティがあるというのはやっぱ面白い。そういう人たちとつながって交流しながら一緒に遊んだり活動するのはいいよね。

ぺぺ　ホテルとか旅館に泊まることはまずないからね。逆に行きたいと思うけど(笑)。宿泊費がかからない旅しかしてない(笑)。

おれは一人旅をしたことがないから、一回したいなって思いつつまだしてないという。

神長　だいたいぺぺは自分からあまり旅に行かないもんね。人に誘われてだったり、バンドのみんなで行ったり。

ぺぺ　ポジティブに言えることは、知りあいさえいれば宿泊費ってのはかからないんだっていうこと(笑)。

神長　旅費もあまりかからないしね。いろいろな地域のオルタナネットワークの人とつながれるのがいいよね。地方で面白いことをやっている人はたくさんいるから。

ぺぺ　この本のテーマともかかわってくるんだけど、「カネがかからないものほど面白いんじゃないか説」につながっていく。

神長　この本が出たら、いろんな地方をイベントしながら旅したいね。

みんなでの旅

神長　おれらの旅は「みんなで路線」が多いんですけれども、沖縄に行ったこともあったね。ケンシロウ君という友だちが亡くなって、散骨をしようというのと、「つちっくれ」っていうバンドが沖縄でツアーするっていうんで。

〈かけこみ亭〉界隈の人たち二十人ぐらいかな。入れ代わり立ち代わりなんだけど、那覇で集合してライブに参加して、それぞれ行きたいところに行くスタイル。おれとイカさんは「摩文《まぶ》仁《に》の丘」とか「チビチリガマ」とかに行った。那覇では「柏屋」っていうゲストハウスが当時つながりがあって、そこに泊まったんだよね。

高江《たかえ》の米軍のヘリパッド建設反対の運動をやってる友だちも多かったし、高江に移り住んでいる友だちもいたから、みんなで高江に行って何泊かして、ゲート前で座り込みしたり。久高《くだか》島にもみんなで行った。

ぺぺ　おれは行ってないんだよ。

神長　あと、〈かけこみ亭〉界隈の人たちが毎年「東日本震災復興応援秋祭り」というのをやってたんですよね。被災地の支援で、毎年釜石でやってたんだけど、それにも一回だけ参加させてもらったことがある。沖縄と同じかんじで大人数で行って、ライブしたり、コーヒー出したり、マッサージとかゲームとかいろいろなコーナーを作って地元の人たちと交流して。主催の人たちが、みんなで雑魚寝できるような施設を借りてくれてて、そこに泊まった。毎年行っているから地元の人や地元のバンドとのつながりができていて。

ぺぺ　旅なんだけど合宿的な側面もあるよね、そういうのって。

神長　そうそう。

みんなで行ったシリーズで言うと、瀬戸内海の百島《ももしま》に移住した花ちゃんが企画したライブイベント。地元のバンドと東京から呼ぶバンドでやるライブにみんなで行った。現地集合でね。おれが働いてる学童保育に百島に毎年行っている子たちが偶然いて、向こうで合流して楽しかった。

ぺぺ　旅と言えば、いわゆる双極性障害でいろいろキビしい友だちがいるんですけど、抗うつ効果があるのはなんといってもトップは旅だって言ってた。

神長　それはたしかにあるよね。旅は日常から解放されるしね。首都圏のバビロンの中に何か月もいると息苦しくなる。一度抜けるだけでも気がラクになる。

一緒に大阪に行ったとき、ぺぺもアガりまくってたもんね(笑)。大阪だって同じバビロンなんだけど、東京とずいぶん雰囲気違うもんね。かなり気さくなかんじがする。店員に話しかけても表情がゆるやかで、ホッとするなあ。まあ、東京も家族や友だちがいたり、面白いところがあって住んでいるんだけれどもね。

出会いを積極的に求める旅

神長 八木節まつりに桐生に行ったときなんかは、高崎、前橋、太田で途中下車してイカさんと二人で駅前で安倍政権批判のプラカードを持ってスタンディングをやったね。

ぺぺ がんばったね。

神長 注目度はすごい。

ぺぺ だれもやってる人いないもんね。

神長 高崎はちょうどお祭りだったこともあって、相当な人に見られたから、アピール度は高かったと思うんだよね。ただ遊びにいくよりいいんだよ。各地でちょっとワンアクション。スタンディングって簡単だから。それだけでなんかいい。

旅先で忘れられないのは、やっぱり沖縄、広島、長崎の戦跡。現場というのは何かをやっぱりかんじる。戦争の悲惨さというのはなるべく知ったほうがいいと思う。

戦跡では長野の松代大本営跡にも行った。松代では太平洋戦争末期に地下壕を掘って、天皇が住む部屋も含め、もうひとつ大本営を作って本土決戦に備えていたっていう。資料館なんかに行くと、いろいろ勉強になりますよ、交流もできるし。いろいろ喰い込んで話を聞くんです。

おれもイカさんも旅に行くと——イカさんがとくにそうなんだけど——、チャンスがあれば話しかけるの。話しかけるのいいですよ。おすすめ。

ペペ　荒川のキャンプ旅のときだって、イカさんのおかげでねえ。

神長　うん。あのときも隠れたディープスポットを知ることができた。やっぱり話しかけるのってすごく重要で、また旅だと話しかけやすいでしょ。それで偶然のながれができていったり。どこの土地に行っても味のある人が必ずいて、ちょっとした出会い、交流が面白い。お互い人生のなかの偶然の一期一会でね。いろんな土地でいろんな人生を生きてる人がいたなあって、日常のふとしたときに思い出したり。

ペペ　そうね。旅には社交型の人が一人はいたほうがいいよね。

神長　話が転がっていって、貴重な話や情報が入ってきて。またそれが後でいろいろつながっていったり何やら展開していって、ちょっとしたミラクルが起こったりするんですよ。それが旅の醍醐味のひとつ。

ペペ　旅行ガイドに載ってない話はそういうところからしか入ってこないわけだからねえ。

神長　原発事故の後に地方に移住した友だちも何人かいたから、そういう人のところにも行ったりした。山口県の弥栄《やさか》とか、淡路島とか。

淡路島にはイカさん、みのぶさんと一緒に行って、友だちのところに泊めてもらって。島内のディープスポットを案内してもらった。ついでだから鳴門の渦潮を見て四国に渡って、その後お寺行って阿波おどりを踊って、というような……。

ペペ　「旅は道連れ世は情け」。

おれはこの一年は、「旅に病んで夢は枯野をかけ廻る」。

神長　まあ、おれは死ぬんだと思いながらね。「芭蕉さん、なるほどぉ」って(笑)。

ペペ　どういうこと?

神長　死を意識する。

ペペ　ああ。しゃれになってねえなあ。

神長　いろいろな意味が入っている句なんだなあということをしみじみと。

ペペ　死を直前にした複雑で独特なかんじなんだろうね。

神長　うん。「いろいろな夢が湧いてくるのが旅である」という意味あいもあるのかな、とかね。

ペペ　いろんなことを掛けてるんだろうけどね。自分は死んじゃうけど、そういうときでもなんかわくわくするようなことも浮かんじゃう、浮かんでそれは楽しみでもあるけど、でもそれにもかかわらず自分は死んじゃうのかなあ、残念だなあ、みたいな?

神長　そういうことだよね。

ペペ　うーん、辞世の句かあ。

神長　辞世かどうかはよくわからないんだけどね。

交流を求めて海外へ

神長　国内旅行でも言ったようなオルタナティブ的なながれ、つまり人のつながりで行く海外旅行っていうのがある。

二〇一七年に韓国で〈No Limit ソウル〉っていうソウルのアクティビストたちなどがやったイベントがあって、アジアの各地からアナキストや面白い人たちが集まった。高円寺界隈を中心に東京の仲間たちと一緒に行って、デモとかいろんなイベントに参加して交流してきた。何十人かで一緒に行ったたね。せっかくソウルまで来たからって、イカさんや友だちと「ナヌムの家」に行ったり、慰安婦少女像のある日本大使館前でやっている「水曜行動」〔一九九二年一月から在韓国日本大使館前で行われている従軍慰安婦問題における日本政府の公式謝罪等を求める集会〕にも参加してきた。

あと、数年前に、「エクペリ」が釜山のアクティビスト仲間が主催するイベントでライブするというのがあって、〈かけこみ亭〉の常連で旅の交流界の達人マリオさんも行くというので、これは面白くなりそうだな、じゃあ行こうって。

神長 トップバッター、マリオさんですね。イヒヒヒ(笑)。

ペペ そうそう。釜山のオルタナティブ・スペースに泊まらせてもらって、日本から来た仲間や釜山のアクティビストたち、インドネシアとかアジアのアーティストたちとも交流しながら。

あと、おれは行ってないけれど、台湾で「ハイホー」っていうオルタナティブなお祭りがあって、一時は毎年のようにマリオさんやげんきいいぞうさんなんかが参加してた。

ペペ これねえ、燃《ねん》君が言ってたけど「げんきいいぞうがあれほどウケてるライブを見たことがない」って。グッヒヒヒヒ(爆笑)。

神長 げんきいいぞう、台湾で大人気らしい。

ペペ 「なんでこんなにウケてるんだ。意味わからない」って(笑)。

台湾は面白いっていうか、おれは〈No Limit〉で海外は行っていないけど、国内でもイベントとか行くと、ある程度いろいろな国の人に会うことはあって、台湾の人たちってみんな元気なんだなあってびっくりしたんだよ。

神長　そう。イカさんも「ハイホー」のお祭りに行ってたんだけど、台湾は人柄がいい人が多くて、解放されてて、すぐ仲良くなるって。日本人だとちょっと様子見ちゃうとかあるじゃん。壁があるというか。そういうのがないんだって。

ぺぺ　だから全員元気なんだよ。

神長　げんきいいぞうにハマるっていう(笑)。

ぺぺ　日本人は元気がないのでげんきいいぞうの意味がわからない。グッ、ヒャヒャヒャヒャ(爆笑)。

神長　「ハイホー」っていうお祭りはすごく面白いみたいで、日本からミュージシャンやアクティビスト界隈の人なんかが行って毎年盛り上がってた。さらにイカさんは、切り開くマリオと一緒に蘭嶼《らんゆう》という先住民が住んでいる小さな島に行って。蘭嶼って台湾でも行ったことがない人が多いようなところらしいんだけど、マリオさん、もう有名人ね(笑)。何回か行ってるから。「オー、マリオー!」って(笑)。ほんとすごいという。

ぺぺ　外務官僚二、三人分ぐらいの仕事をしてます。ウッヒャヒャヒャヒャ(爆笑)。

神長　公務員にはできない仕事だよ(笑)。前の夏も北海道の「アイヌモシリ一万年祭」や「べてるの家」に行って切り開いて交流してるから。マリオさんが行くなら行こうかなって思わされるね。

ぺぺ　ヘンタイ界のイチローと言われてますからね。

神長　それこそ話しかける。世界のマリオ、世界の〈かけこみ亭〉になってますからね（笑）。

界隈での海外アナキストとの交流

神長　三十年近く、海外交流はいろいろあった。かつては究極Q太郎さんがヨーロッパに行ってスクワット運動とか見てきたけど……。

ぺぺ　〈あかね〉の原点だよね。ドイツのアウトノミア運動。

神長　うん。オーストラリアのアレックスさんは東京に何度も住んでて仲良くなったし、昔はドイツのストリート・ミュージシャンのクラウスさんが〈ラスタ庵〉に泊まったり、韓国の〈白い手（あんまり働かない人たち）〉の人が沈没ハウスに泊まったり。香港の民主化運動の「黒鳥」というバンドの人とも交流したよな。

ぺぺ　アナキストにかたよっているんだよな。ヨーロッパでもアジアでもなあ。

神長　まあ、自分たちがアナキストなわけだから。それと、アナキスト自体が海外交流を重視する思想性というのはあるでしょ。イタリアに帰っちゃった、〈あかね〉でスタッフやってたフィリッポさんとか。だめ連ラジオのイベントでマラテスタ［イタリアのアナキスト］の話をしてもらった。スイスの人も仲良くなった人がいたな、やっぱりアナキストだけど。

ぺぺ　オーロラさんね。オーロラさんはおれの部屋にも泊まったよ。日本人とスイス人とのハーフで。反G8［くわしくは二八一ページ］で来ていて、一緒に昭和軒っていうラーメン屋に行った。オーロラさんは「スイス人と日本人は似ている」って言ってて、それはひとつには労働規範が高いこと、もうひとつは自殺率が高いことだって。そういうのは非常に似ているって。

神長　反G8は二〇〇八年で、あのときは海外のアクティビストやパンクスがいっぱい来て、交流が深まったよね。あと、〈素人の乱〉の松本君とかが高円寺で〈マヌケゲストハウス〉をやってるから、近くの〈なんとかBAR〉でいろいろな海外の面白い人と交流できたり。新宿の〈イレギュラー・リズム・アサイラム（IRA）〉でも海外のアナキストと出会ったよね。インドネシアのギランさんとか。再開発を阻止した話とか。

最近はインドネシアのアナキスト仲間の獄中支援に参加したね。〈かけこみ亭〉でイベントやって、カンパ集めたりしたね。

ぺぺ　〈監獄なき世界を想像する〉ってタイトルで。監獄を廃絶せよ。これは重要な概念なんで。写真でインドネシアの獄中の状況を見たけど、足を曲げて寝ている。足を延ばして寝れません。インドネシアでは獄中暴動が頻発していて、この人自身がそれの研究をしていたっていうね。

神長　アレックスさんとは、「愛について」語りあうイベントをやったね。みんなで車座になってディープに語りあった。

海外旅行の面白み

神長　海外に行くときは、安い航空券で行って安いゲストハウスに泊まる。たまに海外に行くと日本との違いに気づくことってあるからそれはやっぱ面白い。
例えばマレーシアでもコンビニっぽい店があったけど、店員がリラックスしてて自分のペースでやってるんだよね。仕事中に友だちとくっちゃべってるし、スマホも見てるし、椅子に座って休んでいたりする。

ペペ スマイルを強要されてないってことだよ。

神長 日本だと仕事をしているときはちゃんとしていなきゃいけないとか、そういう細かい不文律があるじゃないですか。

ペペ 立ってなきゃだめだとか座ってもいいとか、そういうのは決定的な文化の違いだよね。

神長 おれも百貨店で働いていたときにあったけど、日本だとずっと立ってなきゃいけないでしょ。それに私語はするなでしょ。でも釜山のブティックみたいなところに行ったときも、おばちゃんは座って仕事してるし、隣の店の人とくっちゃべってるの。楽しそうにゲラゲラ笑ってるんだよね。

ペペ 本当にスマイルしている。スマイルとは何か？　スマイルゼロ円のスマイルじゃない。

神長 日本のは強制された感情労働のスマイルね。

ペペ こんなことやってたらうつ病になるに決まってんだろ！っていうね。

神長 日本の社会とか日本の労働者っていうのはそこまで奴隷化されちゃっている。感情まで奪われてる。だけど海外に行くと、仕事中も別に感情まで奪われてるわけじゃないんだなという当たり前のことに気づいたりするんだよね。

釜山でも、電車に乗っていたら、何かのきっかけで知らない人同士でいきなり会話がはじまって交流していたりするのよ。でも、それもほんとだったら当たり前のことなんじゃないか。なのに、なかなか東京ではないでしょう。日本独特の生きづらいキビしい問題。これ、けっこう重要な問題だと思うけど、そういうのがなんとなく見えてくる。

ぺぺ　なんでうつになるかを、こうやって考えていくとよくわかるんだよ。

神長　日常のそういうところが決定的だと思う。それはすごく重要な問題だと思います。いろいろな政治的な問題も重要だけれども、それと同時に日常の空気に飲み込まれてしまうという問題。

ぺぺ　いや、労働のあり方っていうのは一番決定的な政治的な問題といってもいいのでは、っていう気がする。

神長　労働のあり方に顕著になるけど、労働だけじゃなくて日常もそうなんだよ。駅とかそのへんを歩いていても、親切に道を教えてくれたり話しかけられたりするわけ。ゆったりしてて素朴で気さくなんだよね。そういうことに地方を旅しても気づくし、海外に行っても気づく。東京を相対化できる重要なポイントです。

だいたいアジアとかの海外に行ってよく思うんだけど、みんないきいきのびのびしてるよね。表情も動きも。よく言われることだけど、日本人より貧しそうだけど楽しそうという。

ぺぺ　おれは海外はインドに一回だけしか行ったことないんだけど、よくわかったのはね、他人が何を言ってるのかわからないっていうのが一番重要で、これは自分が赤ん坊のときもそうなんだよ。これは赤ん坊のときの経験をしているんだなと思って……。これは一番重要な気がした。

神長　どういうことなの？

ぺぺ　自分が赤ん坊になるわけだよ。

おれはいま、日常的にも子どものときのことを考えてるし、思い出すこともけっこう多いんだよね。

神長　ああ。がんが発覚したからね。

ぺぺ　子どものときのみならず、高校時代の感覚になって目が覚めて、非常に良かったこととかね。

神長　貴重な体験だね。

ぺぺ　この、ことばがわからないという点がいかに新鮮であり……。

神長　どういう感覚なの？

ぺぺ　それは……脅威でありよろこびであるということなんだよね。孤独感もあり、かつそこには好奇心もあるので。わかんねえけど、赤ちゃんのときとかこういう感覚だったのかなって。ことばがわからないということのすばらしさ。

神長　どういう面白さなの？

ぺぺ　「あー、あー、あーー」って。そうか、ことばを覚える前はこういう感覚だったんだなって。

神長　ことばにハマりすぎちゃっているのかもな。

ぺぺ　それはもう間違いがないのであって、子どもにとって、世界は恐ろしいものであり魅惑的なものなのであって、そういう感覚を呼び覚ますのが、海外に行くことの最大の利点であり意味だと思った。

左ページ：上は、沖縄への旅行。左下は〈**No Limit**〉韓国にて。

右ページ：左上は〈ヴィラ三日月〉での「だめ連ラジオ」収録。右上は高江の座り込みテント。下はぺぺがインド旅行をしたときの写真。虹がかかり、驚嘆の変顔。

神長 不安だからこそねえ。

ペペ 何かが呼び覚まされる。それはことばの意味がわからないということが一番大きいと思う。まあ、インドにも友だちと行ったんですけどね。

神長 だって、唯一の海外旅行が、友だちに誘われて、しかもカネを全部貸すからって言われてだもんね。それでインドに連れて行ってもらって、で、カネ返してないっていうね(笑)。

ペペ そこはまあ、長期的にね。
ちょっとコロナの話になっちゃうけど、コロナウイルス以降、一番死者が増えたのはインドでしょう。四百万人とも言われてますからね。
コロナによって格差問題とかそういうことが全部出てくるんだなと思って。コロナの話をするときに、そういうことを一番最初に話したほうがいいんじゃないかって思ってます。完全に想像力を超えているし、おれらが生きているなかでこれだけの大量死はないよね。戦争があったとしても。

日本での外国人との交流の難しさ

ペペ 海外に旅行することの意味もあると思うけど、これだけ身のまわりに普通に外国の人がいるのにあまり話したりすることはないのであって、そういうことがもうちょっとできればなあとか思うよね。

おれらっちゅうかなんちゅうか、要するにカネはないけどやみくもに文化的なわけじゃないですか。そういうところで接する外国人というのは、やっぱりアナキストだったりさあ。

神長 ある種の「文化エリート」と言えなくもない。

ペペ 日本に来ている人は、中国の人であれ東南アジアの人であれ、日常的には働いているわけでさあ。でも、まったくコミュニケーションがないので、そのことを考えたほうがいいのかなというふうにも思うよね。

神長 たまに話しかけてるよ。居酒屋とかコンビニとかで。「どっから来たんですか」とかね。「ネパール？　おれも行ったことあります」とか。でもだいたいそのくらいで終わっちゃうんだけどね。

ペペ そういう機会を作っていかないとねえ。

神長 最近、介助の職場でバングラデシュの人と知りあって、仕事を譲りあったり、たまに話したりして楽しいよ。

睡眠のススメ

神長 最近、中国の「寝そべり族」が注目されてるけど、おれなんかモノホンの寝そべり族っていうか、本当に眠りまくってる人生だからね。だめ連生活はじめて三十年、目覚まし時計使って朝起きたのって年に数回ずつという。二十年くらいは毎日十三時間は寝てた。三十年寝太郎(笑)。

寝るのが好きなんだよね。朝遅く起きて必ず二度寝する。二度寝して起きたときが最高に気持ちいい。

昔、友だちん家に行ったときに、本棚に『ナポレオン睡眠法』って本があって、頭かかえちゃったもん（笑）。キャッチコピーが「一日三時間睡眠で仲間に差をつけろ」って。今度本作るときは『だめ連睡眠法』って本書こうかな。「一日十三時間睡眠で仲間に差をつけられまくれ」って（笑）。

ペペ　グッヒャヒャヒャヒャヒャ（笑）。

神長　だいたい人間なんてロクなことしないんだから。「地球の歴史」みたいな本があったら、ヒトのやった一番大きなことと言ったら、地球環境汚しまくってほかのたくさんの種の生きものを絶滅させたことって書いてあるんじゃないかっていう。あくせく働いて公害垂れ流したり戦争するくらいだったら、布団で寝てるほうがよっぽどいいよ。

あと、眠ってる時間も重要っていうか。多くの人は、人生の三分の一は寝ている時間なわけで、この時間を気持ちよく過ごせれば、起きてる時間がイマイチだったとしても三分の一は幸せという。イカさんなんかいい夢見られるように、布団は冬でもなるべく軽いのにしたり、眠る前には布団に入りながら楽しいかんじの本を読んでる。

ペペ　それはいい作戦。

神長　寝るのはいいよ。なんのハクもつかないしうだつも上がらないのがいい。眠りたいって気持ちにウソはない。競争にもならないしね。他人よりたくさん寝たからって称賛もされないし。よく「大富豪になったら何がしたい？」なんて話があるけど、おれだったら働かないで毎日昼過ぎまで寝ていたいね。もう、実現してるっていうね（笑）。

最もお金のかからない道楽は散歩

神長　ぺぺ、最近けっこう散歩してるじゃない。

ぺぺ　単純に最近は半分くらい養生生活をしていたのでね。あとコロナもあってイベントもないし。散歩だけをするようにして暮らしてました。できない日もあったけど。

神長　できない日っていうのはどういうこと？

ぺぺ　動けない日。

神長　ああ、調子悪くてね。大変だったね。

ぺぺ　速く歩くのも難しかったからねえ。とにかくゆっくり歩く、なんでもゆっくりやる。でもそれはそれで意外といいんです。速度の問題だけに、ゆっくり歩けば歩くほど新発見が増えるね。

神長　同じ道でも、自転車で走るのと歩くのとではぜんぜん違うもんねえ。

ぺぺ　「速度は暴力である」。いいものですよ。

神長　なんでもスピード社会でね、速いほうがいいって急ぐけど、早く到達点に着くというのはその分マイナスもあるよね。「速くなくても、ええじゃないか！」。これはだめ連的に言っておきたい。

ぺぺ　草花との対話もあるし、ゆっくり歩きをおすすめしたいです。

神長　この間聞いたときは、散歩してて子どもに視点が行くって言ってたよね。

ぺぺ　散歩に限らないかもしれないけどね。散歩中に公園で休むとかね。子ども時代のことをなるべく思い出すということを意識してたんです。子どもを見て自分の子どものときのことを思い出したり、そういうことをやってましたね。

神長　昨日はどこに行ってたの？

ぺぺ　もう定番の中野散歩。中野に行くか高円寺に行くか野方に行くか、この三択でしばらく考えてどこか行く（笑）。まあ、どうってことないです。ヒッヒッヒッ（笑）。でも、犬だって一日散歩しないとノイローゼになるからね。散歩だけはしようと思って暮らしています。

神長　一日一回は外に出るほうがいいよね。陽の光浴びたり。やっぱり、歩くのはいいよ。雲を見たり、風を受けたり、鳥の声を聴いたり。そういうだれでもできるようなことに勝る幸せはなかったりして。

散歩って若い頃はやってなかったけど、海外旅行に行ったときに、偶然大麻吸ってから楽しめるようになった。これは大きな変化。ポスト資本主義の生き方を考えるうえでも重要。

日本の社会って、生産性とか評価とかばかりに意識が行きがちで、生きるのがつらくなってる。のんびりとリラックスして、自然や日常を自分のペースで楽しめたらいい。大麻が解禁になったら、日本の社会はかなり生きやすくなると思う。あくせくと仕事と消費ばかりしてるのがバカらしくなるだろうね。優越感からも解放される。本当に大切なものは何か思いだすと思う。まあ大麻がなくても、いい交流があれば変われるんだけど。

ペペ　散歩、最もお金がかからず、これに勝るものはないんじゃないでしょうかね。

合宿こそ交流の華！

神長　じゃあ、合宿いきますか（笑）。
昔〈だめ連合宿〉っていうのを、何回かやったでしょ。〈あかね合宿〉っていうのもやった。あと、〈沈没家族〉で〈沈没合宿〉っていうのもけっこうやってて、これは毎回やたらと楽しかった。でも二〇〇〇年以降はそんなに多くない。どのへんが印象に残ってる？

ペペ　合宿の定義じゃないけど、キャンプとかも合宿なのかなとかね。

神長　みんなで泊まるってことだよね、要は。

ペペ　そういうふうに考えると、旅行も合宿の範囲に入るんじゃないかと（笑）。みんなで旅行に行くっていうことは、合宿がしたいんじゃないかとかね。そんな気もしてくる。

神長　合宿と旅行はちょっと違うなあ。合宿のほうが部屋で話している時間が長そう。

ペペ　そこが最大のポイントです。

神長　みんなで集まって何かやる。

ペペ　普通は目的があって合宿をするんですけどね。でも〈ザ・合宿〉っていうのは、合宿のための合宿だった……。

神長　ああやったね。あれはひどかった。だめ連の〈ザ・合宿〉。

けっこう人が集まったはいいけど、おれがあのとき、「何もやっちゃいけない」とかやたら言ってて、ねえ(笑)。がらーんって広いところなんだけどさあ、だれかが何かやろうとすると、「ん〜、だめだな、それは」とかって言って(笑)、「だめ！　そんなことやんないほうがいい！」って(笑)。結局、学習会みたいなのを一回ぐらいやったかな。さすがに途中でみんな嫌気がさしてやりだしたっていう、ねえ(笑)。

ぺぺ　だめ連の合宿はだいたいとんでもないことになりがちっていうね(笑)。

「普通の人」って言ったらあれだけど、合宿なんて思いもよらないというか、ありえないと思うんですよ。

神長　「え？　合宿？　なに？」ってねえ。

ぺぺ　学生がちょっとやるぐらいのイメージだと思う。そこはもう、「年齢問わず、みんなもっとやっていい」っていうことを言ったほうがいいわけでしょ。

神長　いやいやいや、それはもう、ぺぺ、すごい合宿好きじゃないですか。かなりこだわってますよね。醍醐味はどのへんなんですか？

ぺぺ　人の家で飲んでてもいいんだけど、眠くなったら横になれるって思って話をするとか、これが一番盛り上がるんですよ。

神長　まあ、天国状態ではあるよねえ。よく人ん家に三連泊とかしてるよね。

ぺぺ　これは言いたいよね。まあ居酒屋もいいんだけど、帰る必要がないほうがいい話ができる。そういうことは言っておきたいじゃん。

でまあ、話っていうのが一番盛り上がるのは、やっぱり夜中の二時三時なんですよ。このへんも強調しておきたい。ヒャッ、ヒャッヒャッヒャッ（爆笑）。

神長　ぺぺの場合、一貫して「三次会の男」と言われているからねえ。だってイベントのとき、出演者だっていうにほとんどしゃべんなかったりして、イベントの後の打ち上げでもたいしてしゃべんなくて、みんな終電で帰って数人になって、三次会のあたりでエンジンがかかりはじめるからね。

ぺぺ　深夜帯に合わせるような、アレになっちゃってるんだよね。

神長　ピークがね。

ぺぺ　そうそうそう。まあ深夜が好きなんですね。

神長　たしかに。遅い時間になればなるほど、話はディープになるし。

ぺぺ　凝縮してくるから。

神長　あと、面子も少なくなるからな。大人数でコアな話っていうのは難しいですよね、やっぱり。

ぺぺ　最後はだいたい二、三人とか四、五人になるから。そのへんの話が一番面白かったりする。

神長　合宿の場合はそれなりの人数でみんなで寝る。日頃の交流とまた違う、合宿ハイみたいなのはあるよね。

ぺぺ　あるある。そういう部分で言うと、おれは人がいたほうがよく眠れるような気がする。

神長　それ、人によって違うんじゃない。

ぺぺ　ぜんぜん違うし、いまは人がいると眠れないという人が多いんだよ、おれはびっくりしたん

左ページ：上は高円寺南口広場にて〈NO ABE PARTY〉。庭の畑には、夏はトマトやきゅうりが実り、自然ととんぼもやってきたり。右下は路上交流会。

右ページ：疲れたら寝る。どこでも寝る。神長は二度寝が大好きなうえ、1日13時間睡眠を求めている。「眠れないときは、おにぎりを一つ食べて横なると眠れるよ」（神長談）。寝ることにはこだわりがあるらしい。

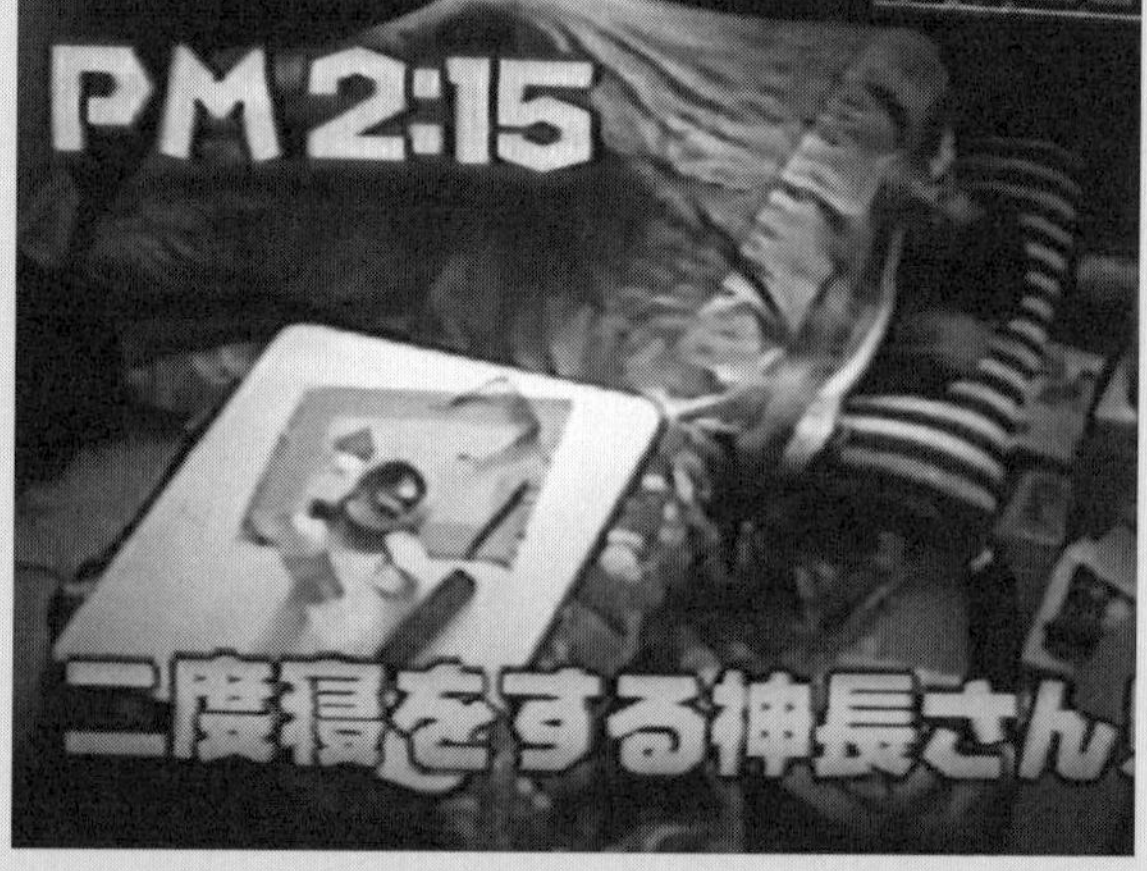

だけど。ただ、さかのぼって考えると、人類の歴史から言っても、一人で寝てるなんていうのはまったくありえなかったことであって、人がいたほうが眠れるのが本当の姿であろうことは間違いない。

神長　おれは人がいるほうが眠れないんだよね。人がいるとハイになっちゃうから。

寝るときにみんなが先に眠っちゃって一人で起きてたらいや。でも寝ながら話をするのは好き。歯も磨いて布団入っちゃって、このまま寝るだけだってなって、そこからのトークがいいね。いつの間にか眠っちゃう。でも、できれば自分が先に眠っちゃいたい（笑）。自分が取り残されるといやだから、人が眠りそうになると果敢に無意味な質問して眠らせないっていう戦法ね（笑）。自分で寝ちゃってるのに、ああ寝ちゃったってなって適当に相槌を打っちゃうことってあるよね。

ペペ　あれ面白い！　よくTAZさんとか、会話に絡んでるけど寝言、っていうね。意識と無意識の間ぐらい。みんながしゃべってるのをなんとなく聞きながら寝るのも気持ちいい。

神長　合宿は何泊くらいがいいのかねえ。

ペペ　これはやっぱり、一泊と二泊の違いは大きい。二泊以上が望ましい。週五日勤務の人でもなんとかなる。金土はいける。

あと、合宿っていうのはすごい腹が減るんだなっていうのがわかった。朝飯を三杯も四杯も食ったりしてね。合宿は食欲増進になるっていうのが持論。

神長　安く泊まれて合宿できる場所が見つかればいいんだけどね。

ペペ　普通の家でも四、五人はいけます、がんばれば(笑)。
神長　昔は東京都に「青年の家」とか使える施設があった。安かったよね。でかい風呂にも入れてメシも腹いっぱいうまいのが食えた。
ペペ　あれを全部、行革で潰されてねえ。合宿文化が壊滅したんだよ。一泊五百円とかだったから。合宿文化というものがかつては確固としてあったと思うよね。それが潰されていったんだけど、「青年の家」の復活を求めたいね。こういうことは言ってったほうがいいよね。
神長　合宿って、寝食をともにするという一時的な共同生活みたいなかんじもある。
ペペ　合宿は交流の華ですよ。
神長　あとやっぱりハイになるってあるよね。だいたい宗教とか合宿で洗脳するじゃん(笑)。
ペペ　合宿が重要なんですよ。恐ろしい合宿もいろいろありますからね。
神長　あったなあ(笑)。いい合宿ばかりとは限らない。
ペペ　注意したほうがいい。
神長　世の中いろんな合宿がありますからね。
ペペ　合宿選びは慎重に！(笑)

合宿から革命へ⁉

ペペ　母ちゃんから聞いた話だけど、村の神社とか寺で、同世代の人たちみんなで泊まるっていう。

「お籠り」って言ったかなあ。男衆みんなで泊まるとか、「若衆宿」みたいな。

神長 そういうの、あっただろうね。

ぺぺ 当時は合宿とは言っていなかっただろうけど、そういうことがよくあって、それはすごい楽しみだったって。

神長 昔だと、庚申《こうしん》の日に寝ずに過ごすとかあったでしょ。その日は朝まで飲み食いするとか。あれなんかも深夜交流会だったのかも、合宿的な。

ぺぺ そう考えていくとなかなか奥深いよね。広場運動とかエジプト革命なんか、人が広場に集まってきて気がついたら革命になっちゃったわけだけど、あれもまあ、合宿っていうかね(笑)。「なんか知らねえけどみんな帰らないぞ」、とかさあ。ニューヨークのオキュパイ[ウォール街占拠]運動もそうだけど。広場運動っていうのも合宿なんじゃねえのか。

神長 なんでも合宿じゃねえか(笑)。

ぺぺ 朝までいて、食事が配られたりして。

神長 配られてってお前、そういうのはだいたい余った食材をどっかから調達してきて調理する人がいるからあるんで、ぺぺの場合そういうとき、人とグヒャグヒャくっちゃべって遊んでるだけのことが多いからなあ。

まあでも、合宿から革命へ。なるべく家に帰らないというのが重要なのかもしれない。遊んでても、おれもぺぺもだいたい最後までいるもんなあ。ヒマだから。

お祭りとレイヴ

祭りといっても、伝統的な祭りもあれば、オルタナティブな祭り、ヒッピー的な祭り、野宿者と支援者の祭り、仲間内でやる小さな祭りといろいろある。

祭りの空間は日常の延長線上にあるようでいて、非日常感で充満している。

人間は昔から祭りを行い、季節を実感し、労働から解放されると同時に自己を解放してきた。

レイヴのように、ひたすら踊りまくることによって自然の中で生きていることを実感できる。と同時に、人間の昔からの営みや自然と調和した暮らしを想像したりもする。

資本主義社会で統合がなされすぎた身体と心を、たとえ一時的にでも解放することは極めて重要。

祭りやレイヴのように、〈忘我〉〈自由〉〈歓喜〉……を表出して、生きてるよろこびをみんなでたのしみあおう。

オルタナティブな祭りで遊ぶ

神長　祭りといっても、ここで話すのはいわゆるオルタナティブな界隈のお祭り。おれなんかそういうお祭り初体験というのはたぶん〈いのちの祭り〉系だったんじゃないかな。それが一九九二年ぐらい。八八年八月八日に八ヶ岳でカウンターカルチャーの伝説的な〈いのちの祭り〉があって。そのお祭りのながれの何回目か。

ペペ　おれはあまりくわしくないけど、たしかチェルノブイリを意識したものだよね。

神長　そうですよ。「No Nukes One Love」ってテーマの反核のお祭り。そのときは〈いのちの祭り〉っていう名前だったかわからないけど、たしか愛知県の元気村ってところだったと思う。

ペペ　ヒッピー祭りだよね。

神長　そうそう。その頃、おれは早稲田のノンセクト運動界隈にいたけど、ヒッピームーブメントにも関心があって。友だちと一緒に行ったんだけど、途中でバイクで事故っちゃったりして。雨が降ってて、小室等さんが「雨が空から降れば」を歌ったのを覚えてる。それがお祭り初体験。あと覚えてるのは〈武蔵野はらっぱ祭り〉。ペペを誘って行ったんだよな。当時はまだそんなに祭りに興味がある人がまわりにいなかったし、ペペだったら行くかなって思って。でも、着いたらもう暗くなってて、そんときも雨が降っててね、会場の公園がすごく広く見えた。ブースが二、三個だけ残ってて交流して。それで帰ってきた。

ペペ　その頃はヒッピーみたいな人たちのテントが林立してたからね。

神長　その後行ったのは、野宿者支援の夏祭り。九五年くらいかな、新宿の西口地下にホームレスの人たちがダンボールハウスにたくさん住んでて。新宿中央公園でやった〈新宿夏まつり〉では高田渡さんが「生活の柄」を歌ったり、次の年だったかな、自分もなぜかライブで出演した。それから当時、多摩川の河原にテントで住んでいた花ちゃんたち界隈の友だちたちみんなでお祭りをやろうって盛り上がって、〈河原で熱くサンタモニカ〉っていうお祭りをやった。九七、八年だったかなあ。あれは面白かったね、みんなで草刈りしたりして、手作りで。

ペペ　巨大な大麻の木が生えてたんだよ。

神長　それはたまたまね。河原を草刈りしてたらいきなり出てきて、みんなびっくり。

ペペ　だれかが育ててたんだよ。

神長　みんなでステージを組んだりして、バンドをやっている友だち、仲間たちがたくさん出演して。おれらもライブで出たりしたよね。司会やったり。あれは手作りですごく面白かったね。あれはベストのお祭りのひとつだった。ペペはどうだった？

ペペ　びっくりした。

神長　楽しかったよね。

ペペ　二泊くらいして。

神長　トイレも穴掘って作ってね。ステージも大きいのと小さいのを作って。準備のときから泊まりこんだりして。二回やりましたね。いまの〈かけこみ亭〉界隈の人たちとか、いろんな人が来てたよね。

二〇〇一年くらいからレイヴにはまるんだけど、数年したらレイヴに行かなくなって。その頃からまた、ヒッピー系の祭りに行くようになった。それから、一時期みんなで毎年行ってたのが〈てのひら祭り〉。あれは秩父だったよね?

ペペ うん。あっちのほう。

神長 ステージでは花ちゃんたち「花&フェノミナン」が出た年もあった。旅人の大御所サワさんと焚き火で交流したり。

あと〈満月祭〉にも行ったね。福島県の獏原人村っていう広大なコミューンで。

ペペ あの頃、脳性麻痺で重度の身体障がい者の和久井君と一緒にお祭りに行くっていうのがひとつのイベントだったよね。

神長 当時、仲良くてよく遊んでた。昔、週末に施設から東京に遊びに来てて。だめ連交流会に来てて、そこで仲良くなった人が施設まで迎えにいって介助して連れてきたり。

ペペ 『すもうチョップ』というミニコミを起点にして知りあった。

神長 交流会に来たのをきっかけに施設を出て東京で自立生活、介助者を入れて一人暮らしをするようになるんだけど、最初、友だちとして介助していた人が正式に介助者になって。後にだけど、おれらも介助に入ることになったり。それでよくお祭りに一緒に行ってたんだよな。

河原とか野外だと、でこぼこだったり坂だったりで、車いすは大変なんだけど、それはそれで盛り上がっちゃったり、なんかみんなで神輿担いでるような気になった。みんなお祭りでハイになって介助してるからわけわかんないだけど、和久井君も盛り上がってくると「ヤバいよ。ヤバいよ」とか連発しててよく爆笑してた。まあ、和久井君も独特のグルーヴがあるんで、「一番ヤバいのは和久井君だよ！」ってみんなにつっこまれてたけど(笑)。

ペペ しかし、普通祭りって言ったら、読んでいる人は近所の盆踊りくらいしか思い浮かばないかもしれない。

神長 ヒッピー系のお祭りって、野外のキャンプ場とかでやってて、だいたいロックバンドのライブが何組もあって、オーガニック系の食べものを売ってたりする手作りのお祭り。テントと寝袋持参で。

ペペ 昔のウッドストックのようなかんじ。

神長 基本はカウンターカルチャー。

ペペ で、何日間かやる。

神長 自然の中でやってて、基本的にキャピタルなものじゃない。まれに業者みたいな人が出店してることもあるけど。

ペペ ヒッピー的な世界観のお店とかボディワークとかだよね、ヨガとか。八八年の〈いのちの祭り〉みたいに、テーマをもって話しあうみたいなこともあるんでしょ？

神長 おれなんかとても不十分な紹介しかできないけど。基本、経済成長とか物質文明なんかに批判的。

〈満月祭〉だと、福島原発事故前にも原発問題を扱ったドキュメンタリー映画の上映とかやっていた。くわしく知らないけど、昔からヒッピー的なお祭りっていくつかあるみたいだよね。地方に移住して暮らしている農業やってる人とかミュージシャンとかがいて。

二〇一二年に〈ちいさないのちの祭り〉にみんなで行ったでしょ。福島原発事故の後で武藤類子さんが来てて、会津のかんしょ踊りを踊ったり。あのとき武藤さんの話聞いたのがきっかけで、おれとイカさんは「福島原発告訴団」の運動を東京で一時期がんばって手伝ってた。

知る人ぞ知るさまざまなお祭り

ペペ　最近は「フェス」ということばになって、あまり「祭り」っていうことばが使われなくなったようにも思うよね。

神長　なんかかんじが違うよね。

ペペ　フェスっていうと、普通に商業的なかんじになっちゃうよね、イメージとして。何千円か払って行く「お客さん」みたいな。

神長　ああ、ぜんぜん違うね。自分の場合は「フェス」って言って思い浮かぶのは、〈なんとかフェス〉。でもこれはまったく商業的じゃない、はちゃめちゃなお祭りだった。

二〇〇九〜一〇年、これは自分たち界隈のお祭りで、当時、「tokyo なんとか」っていう東京のアナキズム系、オルタナ系のスペース（〈素人の乱〉、〈IRA〉、〈ラバンデリア〉、〈気流舎〉、〈模索舎〉、〈かけこみ亭〉、〈あかね〉など）の人たちでフリーペーパーを出してたんだよな。そのつながり、盛り上がりがあって、お祭りをやった。長野県の安茂里《あもり》っていうところで、キャンプ場じゃなくて……。

ペペ　ある人が、「山を使えるから使ってくれ」って。

神長　二泊三日くらいね。ライブやDJがあって、友だちなんかがいっぱい出て、おれらもトークで出たりしたよな。映画の上映もあったり。

ペペ　めちゃくちゃで良かったよね。そんときの界隈の人が東京から百人とか。

神長　あれは画期的だった。当時のアナキズム、マルチチュード的な運動界隈の人たちのお祭り。二年間やったよね。

あの頃は「反G8」(二〇〇八年)の直前にも三里塚でお祭り的なイベントがあった。行ってたよね?

ペペ　もちろん。

神長　三里塚に〈木の根ペンション〉っていう、空港に食い込むように建っているペンションがあって。

ペペ　もともとは団結小屋だよね。それをいまふうに言い換えたんだよね(笑)。

神長　あの頃、反グローバリゼーション運動が世界的に盛り上がってて、洞爺湖《とうやこ》サミットに反対だっていうんで、海外からアナキストとかパンクスの人たちが何人も来て、飛行機の轟音の下でライブをやったりして。最後、雨が降ってきてぬかるみになって壮絶だった。

ペペ　面白かったよね。

神長　あと〈ヌートリアン祭り〉も楽しかったね。これは花ちゃんたちがやったね。二回目しか行ってないけど、奥多摩のキャンプ場だったかな。「花&フェノミナン」とかいろんなバンドが出て。二泊三日くらいやったよね。

ペペ 百人くらいはいたよね。

神長 「ブルースビンボーズ」のライブで伊藤耕さんのパフォーマンスで大盛り上がりだったね。

ペペ おれはちだ原人と、朝、話してたよ。

神長 国立界隈の人たちとかが、多摩川の河原で〈ライブ・アンダー・ザ・ブリッジ〉っていうのもやった。二回やってるんだよね。

ペペ 欧米系アナキストの人たちのバンドも来てね。

神長 あと最近だとなんと言っても〈ノジュロック〉。「野宿野郎」っていう、あっちこっちで野宿をよくやってる人たちが主催のお祭り。相模川の河原で毎年やってて、かなりフリーダム。盆踊りが盛り上がる。あと友だちの歌やＤＪが楽しいね。二〇二二年はだめ連で漫談もやった。

ペペ カルトをテーマにして話した。

神長 あと、こないだ〈橋の下世界音楽祭〉［愛知県豊田市の河川敷にて］に行ったでしょ。

ペペ 冷静に考えて、人生で行ったイベントで一番良かったんじゃないかみたいな気になった。開放感とか。コロナでやれなかったりとかもあったんだろうし、いやあすごいよね、やってること自体が。パンクスみたいな人もヒッピーみたいな人もいるし、普通のかんじの人もいるっていうのが開放感なのかなって。ステージもすごかった。

ああいうのを全国津々浦々でやってれば自殺者は減るな、みたいなのは思いましたけどね。ああいうことをやってけばいいんじゃないか。

神長　あそこまでのものはとても無理だけど、小規模でもできるレベルでやったらいいよね。いいお祭りが増えていけば、世の中良くなっていくよ。

ほかにも、新宿の〈落合公園ピースフェス〉とか藤野の〈ひかり祭り〉とかよく行ってたね。思い出深いお祭りがいっぱいあるなあ。

身内でも祭り

神長　だめ連界隈でもお祭りやったよね。〈ぺぺ祭り〉もやったね。

ぺぺ　あれねえ。

神長　ぺぺが五十歳になるときに「何かやろうよ」って言ったら、「祭りがいい」ってね。遠慮せずにやりたいことやりまくったから、どうしたって盛り上がるよね。みんなやたらと楽しくなっちゃってね（笑）。

ぺぺ　多摩川の河原で一泊二日。好評でしたよ。キャッ、キャキャキャキャ（笑）。四、五十人来た。

神長　身内で小さな祭りもいいねって言って、だめ連主催で〈小さな交流祭り〉。多摩川の河原のキャンプ場でやった。このときは二十人ぐらいで、「幸せとは何か」についてテーマトーク。焚き火を囲んで、幸せとは何かについてみんなで延々と語りあったっていう。

ペペ　あと、たまには人を褒めようっていうのがあった。

神長　〈褒め大会〉(笑)。

ペペ　たこじゅんばっかり褒められて終わっちゃった。

神長　最初に当たったのがたこじゅんで、日頃ありえないことなんだけど、たこじゅんが褒められまくりという(笑)。

ペペ　たこじゅんだけが、「この企画、いいわー!」って(笑)。

神長　天敵のHさんですら褒めてたからね。だって悪いこと言っちゃいけない、褒めなきゃいけないからね。ハッ、ハッハッハー(爆笑)。

ペペ　そのコーナー終わって十分後くらいでHさん、「うるさい、たこじゅん! 黙れー!」ってなってたけど。グッヒャヒャヒャ(笑)。それが面白かった。

神長　あと〈イカ祭り〉。これはイカさんの五十歳の誕生日。バーンと。キャンプ場で焚き火して、みんなでメシ作って。このときは胴上げ大会をやりました。イカさん胴上げ好きだから。

ペペ　危ないんだけどね。

神長　みんなで合唱したりね。

〈はらっぱ祭り〉がコロナでなかったときには、友だち十人くらいで〈かってにゆるくはらっぱまつり〉というのを勝手にやった(笑)。はらっぱにトラメガ一つ持ってって、歌いたい人が歌ったりして、簡単にできる。身内の小規模の祭りならではの良さがある。お祭りもやりたくなったら少人数でも勝手にやればいいよね。

祭りで連帯感と開放感を味わう

神長 あと、寄せ場のお祭りっていうのがある。寄せ場のお祭りは、路上生活の人たちと支援する人たちでやっているお祭り。

渋谷夏祭りとか山谷の夏祭り、あと寿町の夏祭り、大阪だと釜ヶ崎の夏祭り、おれらが毎年ずっと参加してるのは渋谷の宮下公園での夏祭り。

ぺぺ 文字どおりのお祭りで、死者を祀ってるんだよね。死んでしまった仲間の写真をいっぱい掲示して。

神長 お盆だし、仲間の供養っていう意味あいがあるよね。助けあいとか支えあいっていう面が大きい。

横浜の寿町のフリーコンサートなんかは、いろんなバンドが出演して、おっちゃんたちも楽しそうに踊ってて、あの雰囲気はいいよね、開放的。ぺぺはロバートDEピーコで、山谷の夏祭りに出たこともあったでしょ？

ぺぺ うん、二〇一九年か。「赤い疑惑」という友人のバンドとともに。

神長 渋谷の夏祭りはげんきいいぞうさんの司会でカラオケ大会もあって、センパイ［路上生活者］たちの味わい深い歌声が聴けていいんだよな。

左ページ：上の写真は〈BKACKFLAG FESTA（黒旗フェスタ）〉〈河原で熱くサンタモニカ〉のチラシ。下はぺぺ祭り。

右ページ：上は〈ノジュロック〉にて、神長とぺぺの漫才。下は〈小さな交流祭り〉。

BLACKFLAG 2003 FESTA
黒旗フェスタ
★Black Flag Collective★
contact : [redacted]
Festa2002Web Page : http://flag.blackened.net/apf)
Festa2003Web Page : Coming soon
A-side
9.14 (Sun) 18:00~
黒鳥（香港）
ミサイル
ザ・コンビナーツ
カランバ
TOTEM
神長恒一（DJ）
前売：1,500円（予）
当日：1,900円（予）
梅島Yukotopia
Tel.03-
B-side
9.15 (Mon) 17:00~
黒鳥（香港）
Battle of Disarm
Vo^co Protesta
Social Crime
Power of Idea
カランバ
THE HAPPENING
司会：ペペ長谷川
協力：ABC Partizan GiG
前売：1,800円（予）
当日：2,200円（予）
吉祥寺WARP
Tel.0422-
S16
Reclaim The Life
時代閉塞の現状に
宣戦せよ！

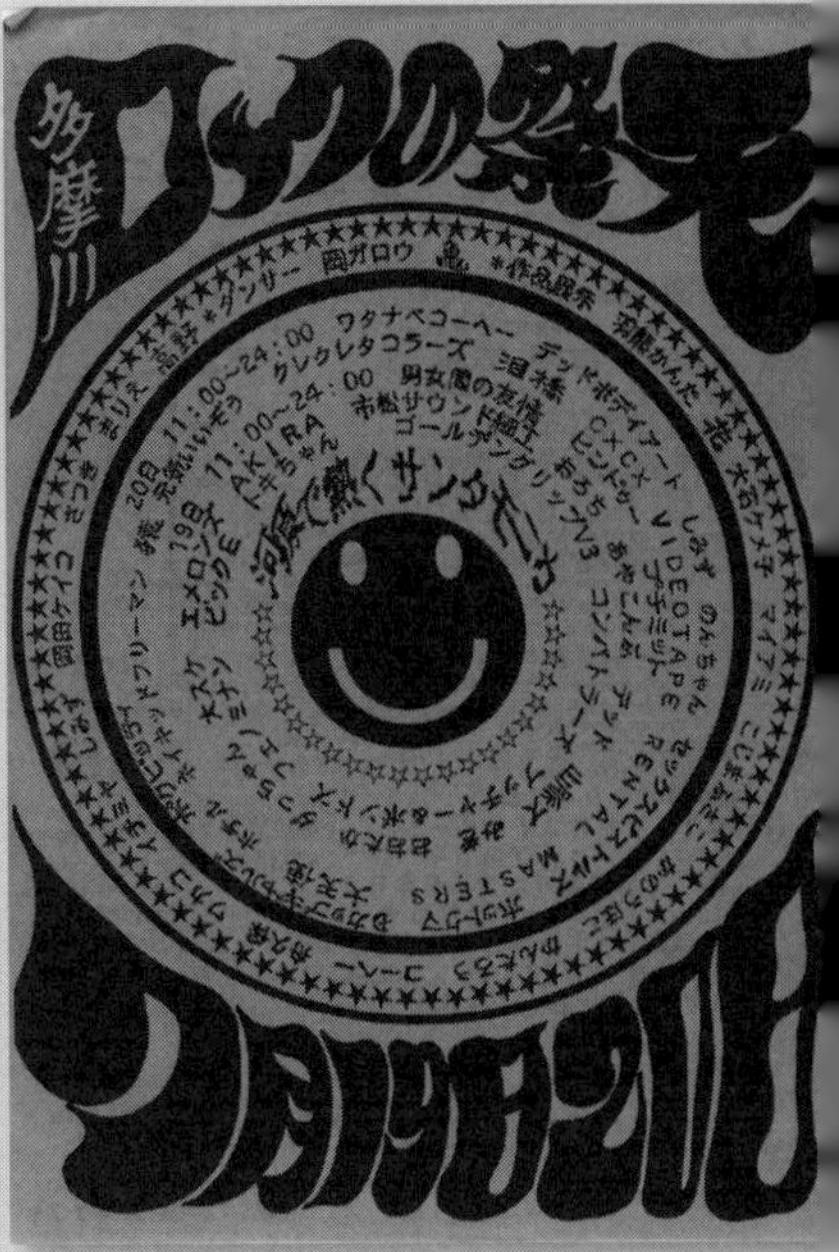
多摩川
11:00~24:00
ワタナベコーヘー
クレクレタコラーズ
11:00~24:00
男女間の友情
市松サウンド細工
AKIRA
VIDEOTAPE
MASTERS

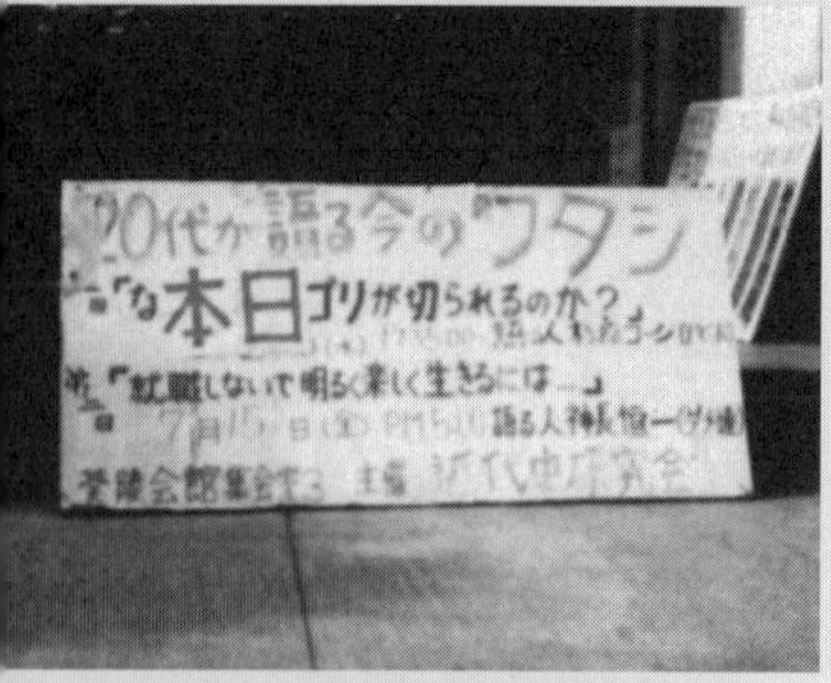

右上は、山田塊也（ポン）さんの命日に合わせて企画した〈PON 祭り〉（2023 年）のチラシ。左上は東京経済大学で行われただめ連のイベント。下の写真は〈なんとかフェス〉。

寄せ場のお祭りはセンパイたちとの交流が醍醐味。野宿者と支援者とともに「生きていくぞー」って連帯感があるのがやっぱりいいね。

学生のお祭りと言えば学園祭(学祭)。われわれも呼んでもらってトークしてたよね。東大の駒場寮祭とか法政大学とか横浜国大とか……。早稲田も早稲田祭がなくなってるとき、自主学園祭みたいなのに出たよな。

ペペ え?! 忘れてるなあ(笑)。

神長 最近はぜんぜん行ってないけどね。いまは学祭でもお酒が飲めないところが増えちゃったでしょ。禁止事項ばっかりで。

ペペ 人間を全員うつ病にするための作戦としか思えないよ!

神長 学祭のシンポジウムとか面白かったけどね。京都大学の農学部のほうに呼ばれて行ったときは面白かったね。だめ連でトークして、すぐ隣で自然農の福岡正信さんの講演会をやってて。

ペペ ああ、やってた。

神長 人がいっぱい来てて、みんなで焚き火したんだよな。京大きのこ部の人とかいたな。朝まで延々と酒飲んだりしてね。

ペペ そんときだったか、せんまつさんという人が鹿を獲ってきて、それをさばいてみんなで食ったよね。

神長 そのときも、鬱屈した若者が怒ったり大声あげてうわーってうなったりして。楽しむばかりでなく苦しみを表現する場も必要じゃんねえ。

ぺぺ　よく知っているやつが、北海道の〈アイヌモシリ一万年祭〉で恐ろしい声あげて絶叫しまくってたっていう話を聞いたけど、叫んでるうちに何日かたったら彼もだんだん疲れてきて、かわいい声に変わってったって。発散してよかったんじゃないかっていう(笑)。

お祭りなくして、なんの人生だ!

神長　中央線沿線ということもあるけど、〈武蔵野はらっぱ祭り〉と〈砂川秋祭り〉は自分の中では毎年の恒例行事。東京の西側多摩地区のオルタナ系の人たちが中心になって。歴史のあるお祭り。

ぺぺ　市民運動っていうイメージもある。

神長　そうだね。あとどっちも季節が秋でしょ。お祭りって、昔だったら田んぼが一段落して祭りだったんだろうね。生活に染み込んでたんだろうね。

ぺぺ　昔は祭りを楽しみにして生きてたから。

神長　労働してお祭りをやってっていう自然の中のサイクルがあった。おれらは自然の中での労働から切り離されちゃってるわけで……。

ぺぺ　神様とかもあんまり信じなくなっちゃったし。「祭り」っていうことばがどう成立するのかってことはあると思う。学園祭、文化祭っていうところでは祭りっていうのは残ってるんだよね。

神長　そうなんだよね。でも、〈はらっぱ祭り〉とか〈砂川秋祭り〉は、自分的には一年のサイクルに組み込まれてる。あのまた秋の独特の空気がいいんだよな。お祭りにあってる。気温が下がってきて空気がすーっときれいになるかんじがあって、お祭りが近づいてきてわくわくするかんじ。夏祭りも大好きなんだけどね。

〈はらっぱ祭り〉なんかでも、模擬店を出してる人と遊びに来た人のコミュニケーションがあるのも面白い。

ぺぺ そう考えると、フリーマーケットも現代のお祭りみたいなかんじがしてくるね。

神長 お祭り的なね。でも、もっとはじけるよね、お祭りって。やっぱり特別な日っていうかんじがする。その日は一日遊びまくっていいよ、みたいなさ、開放感。昼間っから酒飲んでいいよ、ハメを外していいよっていう。

ぺぺ 子どもの頃、佐渡に行ったとき夏祭りがやってて、いとこのお姉ちゃんが「朝まで踊ってきたあ！」って帰ってきてびっくりしたことを覚えてる。「佐渡おけさ」で。七夕祭りだったかなあ。朝まで踊るってどういうことだろうって。

神長 昔の伝統的な祭りってそういうのが多かったみたいだよね。三日三晩とか。ぶっとびだよね、非日常の。最近、盆踊りが流行ってるでしょ。おれも「郡上《ぐじょう》おどり」とか「白鳥《しろとり》おどり」とか行ったけど、あれも徹夜踊り。

ぺぺ 子どもができちゃったりして。それが当たり前だったんだよね。

神長 いまは地域の伝統的な祭りでも、近隣からの苦情問題とかで朝まで踊るとかはできなくなってきてるでしょ。

ぺぺ そこが問題だよ。年に何回か朝まで踊るとかね。

神長　年に何回かは思いっきり踊って、ねえ。ネットの世界も忘れて、自然の中で音楽と酒と交流で解放される、生きてるよろこびをみんなで楽しみあうのは重要だよね。

ペペ　当たり前だよ。怒りが湧いてきたな。禁止事項ばっかりで、世の中も人生もがまん比べみたいになってるから。

神長　それこそ、なんのために生きてるのかっていう話だよ。「お祭りなくして、なんの人生だ！」って、ねえ。

ペペ　人類はそうやってやってきたんだからね。そうやって遊ばないとうつ病になるしかないんですよ。

神長　いろんなことが起きるけど、助けあったりしてみんなで楽しめたら最高だよね。いまはオルタナティブな祭り、手作り的な祭りもいろいろ増えてきているかんじがする。小さいものでも自分たちで勝手に作って、いろんなお祭りが増えてったら、人生も世の中もいまより面白くなっていくんじゃないかな。

レイヴで踊る

神長　いよいよレイヴってことでね。

セカンド・サマー・オブ・ラブのムーブメントというのが、ヨーロッパを中心に起こった、一九八九年以降ということなのかな。

ペペ　要するに冷戦の終焉に対応してるっていうことでしょう。

神長　ベルリンの壁の崩壊あたりだよね。

最初のサマー・オブ・ラブというのは一九六七年のサイケデリック革命、ヒッピー・ムーブメントがあったわけだけど。

ペペ　ファーストはベトナム戦争とそれに対する反戦運動、世界中の若者反乱と対応している、というふうに言われてて、なるほどと思っているんだけどね。

神長　六八年っていうのがパリ五月革命とかいろいろあるわけだけど、日本でも全共闘運動とかね。でも実際に最初のサマー・オブ・ラブと当時の全共闘運動なりいろんな運動とは、どのぐらいリンクしてたのかな。

ペペ　それはあまり……。

神長　直接的にはあんまりなさそうだよね。

ペペ　ないような気がする。ヒッピーの人はいたけど、全体から見ればそれはすごく小さな動き、そうであるようなかんじがする。アメリカと日本はかなり違うんじゃない。

ファースト・サマー・オブ・ラブは、要はウッドストックみたいなイメージね。

神長　おれなんかすごく憧れがあった。西洋物質文明に対するアンチテーゼというか。

それから二十年経って、八九年のセカンド・サマー・オブ・ラブの波が起こって、それが日本にも本格的に入ってきたのが、個人的な印象では九五、六年くらいからかなと思う。そのときにレイヴが野外ダンスパーティーとして行われたっていうかんじ？

ペペ　最初にことばの問題としてやったほうがいいと思うんだけど、レイヴそのものはLIVEとRevolutionが合わさったことばではないかという解釈があって、ヨーロッパでは街中でドカーンとやるわけじゃないですか。

ダンスパーティーというよりも都市反乱とか都市暴動に近いような意味あいが強くて、そういう話を聞いたときになるほどどと思ったんですよね。

だから山の中とか海岸でやったりするのは、おれはそれも好きなんだけど、そういうのはレイヴと呼んでいいのかとか、そんなことを思うときもある。パーティーみたいなもんだからね。レイヴってことばをどこまで使えるのかなってことを時々考える。

神長　「レイヴ＝荒れ狂う」という意味があるという説もたしかあった。ヨーロッパのレイヴの研究というのは重要なんだろうけど、実はおれらもあまりしてなくて、どういうふうにヨーロッパでやっていたのかというのは実際のところそんなにくわしく知らない。

ペペ　イギリスとかで弾圧されるようになるまでは、直前にフワッと情報を流すだけでいきなり千人単位で集まってドカン！　相当破壊的なことをやってた。それで法的に取り締まられることになった。

神長　それにもまた対抗していろいろやったみたいだね。あと、有名なのは〈ラブ・パレード〉。ベルリンで毎年やってて、百万人とかものすごい数の人たちが集まって路上で踊ってた。

まあ、テクノミュージックに合わせてひたすら踊るっていうようなことなんだけど、おれなんか出遭ったのは遅くて、二〇〇〇年とか二〇〇一年だったたね。おれのことから話していったほうがいいですかね。

ぺぺ　うん。おれはわけもわからず連れていかれたんだからね。

神長　最初はね、最初は(笑)。

自分は二〇〇一年にとくにすごいハマって、その後何年間かいろいろなレイヴパーティーにやたらと行ったし、自分たちでも〈だめトランス〉とかいって、小さなパーティーを企画してやったりしてたんですね。どのパーティーもすごい良かったんだけど、自分にとって特別だったのは最初の頃の三回。

二〇〇一年の春に、あるフリーパーティーに行って。数百人規模のDIY形式のパーティーを浜辺でやってて。五月に茅ヶ崎、七月に小田原でやったのに行った。その後は別の〈武尊祭〉っていう巨大なレイヴパーティーが山ん中であって。その三つが特別。

だいたい当時の日本のレイヴパーティーって、山奥のキャンプ場を借り切って、DJがトランスミュージックかけて夜通しひたすら踊る、そういうものだった。

茅ヶ崎に行ったとき夜で真っ暗でね。まわりは海で、音楽がかかってて砂浜で踊り出すわけだけど、なんだろうな、まあまず、なんというか楽しくてしょうがない(笑)。もともと踊るのは好きは好きだったけど、もうひたすら踊ってるのが楽しくてしょうがない。

ぺぺ　若者時代にディスコとか行ってたもんね。あとロックンローラー族(笑)。

神長　そう。踊るのは好きだった。レイヴは、「タン・タン・タン・タン」の四つ打ちに合わせてずっとひたすら踊るんだけれど、体が飛び跳ねるかんじというか。無重力状態のような、いくらでも踊れちゃう。

ペペ　不思議ですね。

神長　歌詞はない曲が多いんだよね。延々と踊っているうちにどんどんトランスしていくっていうかね。アガっていくわけですよ。すごく幸せな気持ちにもなるんだけど、解放されていくんですよね。自分なんか、日頃から解放されてるほうだと思うんだけど、それでもさらに解放されていくというかね、うん。なかなかあそこまで解放されるってのもないっていうかね（笑）。人との距離感、壁みたいなものがなくなっていくのもあるよね。

ペペ　まあ、日頃は知らず知らず役割をやってるわけだよね。だからそれぞれ距離もできるし、解放もされない。

神長　一時的な熱狂だよね。昔の部族社会の人の意識とかって、こんなふうに解放されていたのかな、みたいなね。すごく自由なかんじになっていって、いろいろな気持ちも芽生えてきて……。

ペペ　踊りながらあれこれ考えたりもしてたんですか？

神長　してたんだろうね。でも何も考えてなかったような気もするんだよね（笑）。

ペペ　スゲーいいことを考えてたのに忘れるとかね。

神長　そう。これはすごい重要なこと気づいた、とかね。その後必ず忘れてんのね（笑）。

　おれなんかは目の前にいる人に無性に話しかけたくなったりとかね。でもよく考えてみれば、話しかけたいと思えば知らない人でも話しかけたって本当はいいはずなんだけど、そういうことを日頃いまいちしないわけでしょう。そういうのに逆に気づかされたり。人のことが愛おしくなったり、抱きしめたくなったりとかするわけだけど、そう考えるとけっこうだめ連とも似ているな、というかね。交流とか、〈にくだんご〉とか。愛だよね。

ペペ　ボディセラピー的な側面もある。

神長　みんなすごい音に集中して音の一つひとつに入って踊っているから、知らない人もたくさんいるんだけど一体感がある。

あと、自然の中で踊るっていうのは、自分としてはすごく良かった。やっぱり景色がすごく広い。空がすごく広くて高い。自然へと意識がいくようになるっていうかね。夜通しずっと踊っていて、太陽が少しずつ昇ってくるというのが、またすごく感動的だったりして。みんなで夜明けを喜んで、それでまた踊りまくるという。

みんなと自然の中に生きているというかんじ、ただの生きものになってるような、余計なものは何もないし、何もいらないシンプルな状態になるよね。それこそ、だめ連的にいうとハクとかうだつとか肩書きは関係ない。大地があって空があって海があって風があって、みんなでいまここで生きているんだなっていう、圧倒的な感動があったんですけどね。

どうだったんですか、ペペさんは。

ペペ　いやあ、まあ、そういうかんじですよね（笑）。いろいろ思い出しちゃったよね。ただびっくりしたよね。

神長　何がびっくりだったのかね。

ペペ　おれはねえ、踊るということを差別してたんだよね。歌って踊って、そんなことばっかやってるやつらのせいで世の中は悪くなっているんじゃないか、というような考えはあった。

神長 踊っている場合かよ、みたいなね。世の中いろいろ問題あるんだからちゃんと取り組まなくっちゃだめだろ、みたいな。

ペペ そういう頭はあったと思う。まあいまもゼロではない（笑）。

神長 おれもありますよ。

ペペ ところが行ってみて、踊るというのは自分で踊るんじゃないんだ、勝手にからだが動き出すっていうね。それでびっくりして。ハァーッと。それが最大の発見。気がついたら踊っちゃう。びっくり。

それで、なんだかよくわかんないけど幸せだ、っていうね。

神長 ハッハハハハ（笑）。悪くはねえぞと。

ペペ 天にも昇る心地よさっていうのは、ことばとしてはあるなと思っていたんだけど、本当にあるじゃん！って（笑）。「えっ⁉ 概念じゃないの⁉ 信じられない！」、みたいな。そういうかんじを最初の頃おぼえた。びっくりした。

神長 たしかに。おれもショックだった。こんなにいい気持ち、いい状態になれるのかみたいなね（笑）。こんなに幸せなんだ。人はこういう状態で生きられるんだなって。

一時的に解放されてるんだけど、日常でそういう状態に近づくことも可能なはずで、やっぱり違う社会、近代以前とかもっと大昔の人とか、これに近いかんじで生きてたのかなって気もした。

あと、ぺぺが前に言ってたのが、TAZさんの踊りを見て、この踊りでいいんだみたいに思ったって。

ぺぺ 揺れてるだけだからね(笑)。貧乏ゆすりと変わんねえなって思って。それまでは、踊るというのはスタイルがあると思ってて、なんでみんなで同じことやんなきゃいけねえんだとか思ってたわけなんですけどね。「あ！　これでいいのか」って。それはそれで感動があった。いまも一人で部屋の中で踊ったりするわけですけど。

神長 踊っているときの感覚としては、「やっぱそうか！　これが本当なんだ。これが本来の状態なのか」みたいなかんじがあるんだよね。やっぱりいつもは資本主義的な社会の中で生きているんだよね。

ぺぺ 役割と評価の世界っていうかね。

神長 余計なものがいろいろあるんだろうね。日常の資本主義の世の中というのが虚構、というのは強くかんじたね。もともとそういう考えを持ってたからかもだけど、それを取っ払って踊っているときに、この体感、空間が本当なんだな、みたいなね。ある種再確認できたっていうかね。

ぺぺ 日常というか、世間にいるのとは違う自分をかんじるっていうことですよね。

神長 そっちが元々の本来の良いかんじだなみたいな世界。それを体験しちゃったという。そうすると、いつもの世界がますます嘘くさいというか、やっぱりやってらんないよなあみたいな。

ぺぺ 「もうムリムリムリ」とかね。「もう戻れない」とかね。終わったら東京に帰らなきゃいけないとか、その繰り返しなんですけどね。

神長　おれもレイヴである種すごく飛んだわけだけど、着地するのに何年もかかったというか……。

ぺぺ　それはそれで大きなテーマとも言われてますね。

神長　なかなか日常との折りあいがつかないし。この社会で生きてくには、ある程度適応することが求められるんだけど、やっぱりいろんなことに気づかないようにしてる、いろんな感覚とか心を鈍感にしてるってことだなって。

ぺぺ　社会に合わせるというのは大変なことなんだな、実はと。そういうことに気づくということでもあるよね。

当たり前のようだけど、ずっとちょっとずつ無理してるんじゃねえのかなってことに気づいちゃうんで、かえってキツくなることもあるということですかね。気づかなければよかったと思う人もいるかもしれないですね。

神長　でも気づいたほうが絶対いいよ。たまたま生まれついたカルトなこの社会に適応だけして死んでったら、本当にもったいない。

感覚がやっぱり鋭くなる。逆に言うと、それくらい感覚や心を鈍くしないと都市で生活するのは難しい。

ぺぺ　そういうながれがあって、都市から離れて住んでいる人もいるようにも思います。

神長　そうそう。

九〇年代後半ぐらいからマジック・マシュルームなんかの流通、流行ってのもあった。あの頃、合法だったからね。

ペペ　そうですね。変わった、不思議な経験をする人は多かったでしょうね。無難なことばで言えば、意識や感覚の変容ですよね。

神長　うん。そういうものをいいかんじで体験した人たちは、企業に入って競争して出世して金持ちになるのが夢みたいな生き方と、ぜんぜん違うような生き方を選んで暮らしているように思う。畑や田んぼをはじめてのんびり心豊かに生きるとか。そしてそういう感覚は、そういうものを直接体験してない人にも少しずつ伝播しているような気がする。

レイヴとは

神長　ちょっとムーブメントの話をしておくと、あの頃(二〇〇〇年代前半)、〈春風〉とか大きなイベントもあったけど、代々木公園とかでミニDIYレイヴパーティー、週末に公園の林の中で勝手にいっぱいブースが出てて、みんな踊ってたんだよね。二子玉川の河原とかでもよくやっていて、いろんな人が自由に踊ってた。

おれらも〈ロフトプラスワン〉でだめ連のイベントやってて、夜中に〈クラブだめトランス〉とかってDJイベントやってた。二子玉川とか野川公園とか野外でもミニレイヴ(〈だめトランス〉)をよくやってた。手作りスピーカー持ってって。自分たちでDJやって。だめ連に来る生きづらい系、こころ系の人たちなんかでひたすら踊ってた。もう、踊るしかないってね。それが二〇〇四、五年ぐらいまで。

その後、おれはあんまりレイヴ行かなくなっちゃったんだけど、踊るっていうのはそれ以降もずっとやってたな。デモとレイヴの融合というかんじのサウンドデモでも踊ってたし、その後はお祭り好きになってヒッピーっぽいお祭りとかでライブで踊ったり。最近だと盆踊り。まるで覚えられなくて下手くそだけど(笑)。踊るって、けっこう重要なんじゃないかな。

ぺぺ　おれはいま、暇で暇でしょうがない。部屋で座って考えていると、だいたいろくなことにならない。だからなるべく動くようにしてる(笑)。

皿洗いめんどくせえなあって思うんだけど、ちょっとずつ動きながら、皿洗いも踊りってことにして。グッ、ヒッヒッヒッ(爆笑)。

神長　体を動かしたり、揺れたりするといろいろ気持ちも変わるでしょ。

ぺぺ　変わる。やっぱり部屋で座って考えることと、歩きながら考えることってちがうよね。

神長　踊るようになってから自然というものに意識が行くようになって、山登りとか旅によく行くようになった。田んぼ行ったり、畑やるようになったり。レイヴ体験がなくても行っていたのかもしれないけれど、でもなんとなくつながっている。山登りもちょっとレイヴに似てるっていうかね、自然の中をひたすら歩くわけだから解放されていく。レイヴ体験から畑とか山登りとか、そういうふうにながれていった人ってけっこういたと思う。

いろいろ変化があったわけだけど、ぺぺはレイヴに行ってどういう変化があった?

ぺぺ　なんだろうね。意識とかからだに以前よりも関心が向かうようになったことは大きい。あと、意識とか自分の心ってなんだろうとかね。自分の心の世界……むずかしいな(笑)。

しかしやっぱり、街中でいきなりドカンとやるのがレイヴなんだとおれは思う。そういうことって日本では起きてないですよね。それに近いものをめざしていた人たちはいたのかもしれないけど。明確に社会を敵にまわすみたいなところまでいったことは日本ではないです。だから反乱とか暴動には至っていない。『エクスタシー完全使用マニュアル』っていう本があるんですけど、その中のインタビューで「一番最高のパーティは、取締りに来た警察を取り囲んで車の上で踊った」ものだってあった。

神長　サウンドデモはあったけど、日本のレイヴって基本そういうかんじじゃなかったと思うんだよね。それでも踊っててかんじたのは、これはある種の暴動に近いな、ある種の反乱でもあるんだなということだったんだよね。だってヘンじゃん。街で遊んでた人たちがわざわざ山奥に入ってガンガンガンガン踊っててさ。

ペペ　身体の反乱とも言われるよねえ。

神長　やっぱり日頃、何かしら生きづらさ、生きにくさ、息苦しさみたいなのを抱えているんだよね。

ペペ　何がしかの壁を壊すことだと思いますよ。自分の中の壁とかね、人と人との間にある壁とか。そういう非常にポジティブな機能もあると思います。「性格の鎧」ということばがありますが、それを崩す。完全に壊れるまでは行かないんだけど、ヒビが入るっていうか。

神長　解放というのがひとつのテーマ。人間解放、そういうテーマでだめ連もやってたわけで、それはやっぱり重要なポイントなんだなっていうのも再確認できた。非常に抑圧されてる、もっと解放されうるしもっと交感できる、そうやって生きられる。その状態はすごくいい状態なんだな、と。

あと、感動というのがあった。ものすごく感動したりするわけ。逆に日頃感動することの少ない社会なんだなあとか、みんなが求めているのは感動なんだなというのは思った。いい体験をすると、ニヒルになりようがない。

でも、日常でそういう状態になるためには、やっぱり社会を少しずつでも良く変えていくのが必要だなと思ったよね。踊れば踊るほど、社会を変えたくなる。

サード・サマー・オブ・ラブは愛そのもの

ペペ　おれはこのながれでサード・サマー・オブ・ラブの話をしたほうがいいと思う。で、さっきファーストとセカンドの話をしたわけだよね。それぞれそのときの世界の大きな変動と対応しながら、最初はＬＳＤ、二回目はＭＤＭＡという向精神作用を持つ物質をともなう文化現象としてとらえることができる。じゃあ、サードはあるのかないのか。

神長　昔から何かと話題になりがちなテーマ(笑)。

ペペ　このままないのかなあ、ショボい世の中で終わってくんすかねえと、こんな話をしたりですね、いろいろしてたんですけど。この神長さんはいいことを言ってたんですよね。

神長　なんだっけ？

ペペ　例によって本人は忘れてるという(笑)。だれかが「サードって、コロナってことなんですかね」って、これもひとつの解釈なんだけど。いま、自分たちが生きているこの状況を、まだ名指すことができないよね。コロナであり、このまま恐慌に突入するのではないかとかも言われるし、まだ危機の入口かもしれないし。
神長さんが言っていたのは、「サード・サマー・オブ・ラブは〈愛そのもの〉なんだよ」って。

神長　そんなこと言ってた？

ペペ　この話は入れておいたほうがいいと思ってるんだよ。おれはちょっと感心したんだよ。たしかにこれはいろんな人が言っている現段階、人類の巨大な転換点というかね、あるいは転換しなければいけないという意識と重なっている気がする。

神長　ドラッグは必ずしもなくてもいいでしょと。やっぱり愛する気持ちが重要という。そういう意識変容が一番大きな変化なんじゃないかと。そういうふうに少しずつ日常で気づいていくっていうか、そういう意味あいで言ったんだろうね。

ペペ　おれは感心してね。この人はバカかもしれないけど、時々すげえいいこと言うなって。

神長　でも、セカンド・サマー・オブ・ラブも、言ってみればあれも愛なんだよね。

ペペ　まあ、サマー・オブ・ラブだからねえ(笑)。

神長　そのときの気持ちっていろんなのがあるけど、やっぱり愛の感情だと思う。それはすごくあった。

ペペ　そうだし、歴史の変動とかに対する感覚だと思う。おれらは社会主義の崩壊、冷戦の終焉ということを、やっぱりヨーロッパの人たちより強くかんじてないですから。やっぱり激烈な変化なわけだよ、社会主義が終わるっていうのは。それに対応した動きだった。日本人はそこまで考えられてないというかね。

ここのところは日本では想像するしかないかもね。

本当に文字どおり抱きあわなきゃいけないと思ってやってたんだと思うんだよね。東西の壁を壊した後、人間の心の壁も壊さなきゃいけないという意識でやってたのかなあとかね。そこに物質としてMDMAが非常にマッチしていた。

神長　そういうことで言ったら、サード・サマー・オブ・ラブの歴史的なことと言ったら、資本主義の崩壊ということだろうね。

いま、資本主義の終わりがはじまっているという。それは資本主義の社会で幸せに生きられない人が増えてきているということ。うつになっちゃう人や希望を持てない人、経済的に生活が苦しい人が増えていってる。そして気候変動も起こっている。

サード・サマー・オブ・ラブということで言えば、それは資本主義とは違ったオルタナティブな生き方を模索していくムーブメントだろうね。

ヒューマン・ストライキ、愛の闘争

ぺぺ　これはTAZさんが言っていたんだけど、踊っていると考えることが楽しくなる。これはけっこう重要な発言で、やっぱりふだんはいやなことを考えてるわけだよね。しなきゃいけないこととかお金のことかとか。それが変わるから考えることが楽しくなる。自分でどうこうしようとしてるんじゃない状態になる。近代労働者としてのアイデンティティは統合だから、そこで抑圧されているものが出てくる。

神長 それこそ金儲けっていう目的に支配されているからね。おれは踊ってて、一万年前の人とつながるような感覚になったね。よくわかんないけど、一万年前とか何千年前の人とかってこういう状態だったのかな、みたいなね。

ペペ そうらしいよ、実際。

神長 ぶっとんでるじゃないですか、昔の人って。そんなに統合されてない。現在のおれらはかなり特殊というか、かなりしんどいかんじで生きてる。変に合理的すぎるというか、何か根底的に無理がある。

ペペ それはそれでやっぱり意味がわかんなくなるんだよ。「えっ、金のためだけに?」ってね。からだの底からよろこびが湧いてくるような経験というのは、なかなか得難いことで、近代社会はこれを抑えつけてきたのかなとも思う。

神長 だれのために、なんのためにというねえ。意味がわからないね、本当に。経済とか将来とか優越感とか、そんなことばっか考えてますますひどいことになっちゃう。歓喜の爆発みたいなことがなくなっちゃってるわけだよね。そういうことのほうが重要なんじゃないかっていう、ねえ。

ペペ　根底的に重要だよ。

神長　レイヴを通じてそういう体験を一時的にでもできた。日常的に、継続的に、少しでもそういうような状態にみんながなれるような社会に変わっていくのが課題なんじゃないかな。遠大な目標としては。

ペペ　賛成です。グッ、ヒャヒャヒャヒャ（爆笑）。

神長　統合失調症になっちゃうのも、何かのシグナルというか……。

ペペ　当然なんだよ。統合しすぎてるんだから。分裂を失調している社会だという言い方をした人がいて、なるほどと思ったよ。「統合失調症をキチガイとして差別している世界であるが、お前らこそ分裂を失調してるんだ」っていう意見を聞いて、なるほどって思ったよ。

神長　全部が経済的に生産性があるかどうかというところで測られちゃって、役に立たないやつはだめ人間だみたいになってきちゃって。とてもじゃないけど、やってらんない。

ペペ　ひたすらそれをやってきたわけです。

神長　そもそもなんのために生きているのかね。忘我とか、自由とか、歓喜とか、遊びとか、そういうのが重要なんだよね。生産性ばっかりで生きていてもしょうがねえじゃねえかって。だったら、だめ人間でけっこう。

ペペ　だから生きる意味がわからなくなるのは当たり前なんだよね。このくらい働けばこのぐらい幸せになれる、ということもかなり崩れているから、ますます意味がわかんなくなる人が増える、増えていることは間違いないだろうと。

神長　苦労して働いても金は入らないし、たいして幸せにもならないみたいな。

ぺぺ　というかんじになってるでしょ、もうかなり。

神長　だから中国の「寝そべり族」やおれたち(だめ連)みたいな人たちも出てくる。

ぺぺ　もちろん、もちろん。資本主義のほうもそこまで意味をもたせることができなくなっている。

神長　格差が拡大してきて、資本主義をちゃんとやっていれば幸せになりますよ、というのも崩壊してきている。資本主義の当然の帰結だろうね。そしていま、ポスト資本主義というのが社会のテーマになっている。

ぺぺ　というところでこの本を作っているということになる。

神長　普通に働くっていったって、すごくハードル高い。普通に社会に適応するにはいろんなことを我慢して統合しまくって、なんのために生きてるのかわかんないくらい。そもそも金銭的にだけじゃなく、生きるよろこびそのものが搾取されているわけですよね。そうやって生きている。

ぺぺ　もう無理だっていう人とか、ついていけないっていう人がたくさん出てくるということでもあるんですよね。文句を言うというのが運動ということになってくる。

神長　文句を言って闘っていくというのがすごく重要でしょ。ふざけんな、と。それと同時に降りるということだよね。資本主義的な生き方を降りる。どっちも重要。日本の場合とくに、文句を言って闘うというのが少ない。

ぺぺ　同じ問題を抱えている人はいるけど、知らない人と手を組むのが苦手ということもありますよね。

神長　そこまで資本主義にやられちゃったというか、分断されたというか。

ぺぺ　ファースト・サマー・オブ・ラブまでは、わりと世界的に闘ってて、日本人もそれなりにがんばっていたんですが、日本の運動状況の壊滅っぷりというのは諸外国に比べてもひどいって言われていて。これもいろんな説明があるんだけど、連合赤軍が悪いとか、妙に経済的な成長が続いちゃったとかね。

資本主義社会に合わせていけばいいというより、ほかの選択肢がほぼなくなったということも確認しながら話を進めていかなきゃいけないですね。

ただ、ひきこもりとか自傷とかね、そういうヒューマン・ストライキ的な観点の動きは日本は非常に発達していますね、自殺も含めてね。それをも運動ととらえるなら、そういう発展もあるんだよね。

神長　不登校とか労働の拒否とかも。生きてる人たちのある種の反乱というか、表出ですよ、統合失調症もレイヴも。

とてもじゃないけど、もう、やってらんない。アウト・オブ・コントロール。そういった状況のなかでオルタナティブに生きていくという道を作っていく。

だめ連も基本的にはオルタナティブ・ライフというか、「降りる系」というのが一九九〇年代には珍しくて注目されたわけだけど、二〇〇〇年頃からは降りる系の人たちも各所で増えてきている。降りて新しい生き方を作ってきている。でも、それと同時に闘うという路線が重要だよね。

ぺぺ　自分を責める以外なくなってしまっているので、これをなんとかしないと、というのを基本的な思いとして持ちたいと思いますね。

神長　無力感というか、強い悪い権力とかに抗う、逆らうというのが、やられちゃってできなくなってる。そこは大きなポイントっていうかね。そういう状態だとやっぱりなかなか心底幸せな状態になれないじゃないですか。でもレイヴの感動や歓喜は、希望を垣間見せてくれたわけだから。

だからやっぱりいまの状況で、とくに怒りをもって闘うということにこそ、納得できるよろこびにつながる全身が打ちふるえるほどの生の、愛の爆発があると思うんです。

だめ連結成 30 年記念〈だめでええじゃないか！人間解放デモ〉（吉祥寺にて）。

アクティビズム

資本主義よりたのしく生きる　その3

その3……アクティビズム

デモ

いま、世の中どんづまっちゃっていて、なかなか希望や出口が見いだせない。こういうときには、社会運動をやるというのが突破口になると思う。

みんなが資本主義社会に適応しようと生きていれば競争が強まって煮詰まっていくのは当たり前で、いまの社会のあり方自体が問題なんだと、変えていこうといろいろ動いてみる。

実際この社会は問題大アリなわけで、いい加減にしろよと怒らざるをえない。社会運動という生き方——何か運動しながら生きていく——というのが今後の重要なポイント。またそういう生き方は本質的に肯定的なこと、たのしいことでもある。

さまざまなやり方で声を上げていって、資本主義とは違うオルタナティブな社会をつくっていく時代がやってきている！

生き方運動としてのだめ連

神長　だれにでもエゴイズムというのはあって、金持ちになったりすることで幸せになっていこうという気持ちが芽生えたりすることはあるわけだけど、でも、そうやって一人だけ幸せになっていっても、それって面白いのかなという気持ちもまた、だれにでもあったりする。言うは易し行うは難しであるけれど、みんなで幸せになる方法を模索していかないことには面白くもなんともない。ただ楽しいだけではつまらない。「なんでもありますよ」っていうの世の中で、社会運動という選択肢だけが極端にないなというか、むしろそれは「やっちゃいけないこと」みたいな雰囲気、やりにくいふうにされちゃっている現状がある。でも、広い意味での社会運動こそが答えな気がする。これからの困難な時代をどう生きていけばいいのかというなかで、一番重要なことだなと思う。

じゃあどんな運動やったらいいのかって、自分が気になったことをやっていけばいいと思う。どの問題もつながってるし、どの問題も重要。もっと広い意味で、生活の中でのいろんなふるまいが運動とも言えるし。

ぺぺ　「運動」ということばを、おれらなんかは自明に使うんだけれども、多くの人はあまり意味がわからないだろう、ということをいつも考えるんですけどね。イメージも浮かばないというか。とりわけ日本社会で、という説もあるんだけど、「イメージすらできない」というようなところから話をはじめたほうがいいのかなという、そういう気持ちもあるんですよね。これは「遊ぶ」のところでもそうだけど、「遊ぶこともできない」というようなこととかかわっているとも思うんだけどね。

話が超大雑把になっちゃうんだけど、一方ではエジプト革命(二〇一一年一月)あたりからという話もあるけど、世界中で民衆蜂起も驚くべき規模で続発しているということもあり、この波が日本社会に及ぶのか及ばないのか、みたいなことを思うこともよくある。変化を予測できない現在にあって、意外と急に変わっていくようなこともあるんじゃないかなというような気もしたりして。そんなことをベーシックには思うんだよね。

外国ではエジプト革命があって、ニューヨークのオキュパイ運動があって。日本では原発のことがあって、それから街頭ということでいったら反レイシズム運動があった。あとは、安倍政権の打ち出す諸々の政策に対する対抗運動。これはこれで、小さいものではなかったと思う。これは、そこに参加した人も含めて、どれだけやってもなんかイマイチだなというような感覚を持ったかもしれないけど、でもそれは無ではなかったし、何かしらのことにはなっているんだろうなというふうに思う。

「革命」運動、「抵抗」運動、「反体制」運動……いろいろ頭につけることができる。自分個人で言ったら、おれらがやっているところ、いる場所は、従来的な意味での運動と自分たちがいま、ただ生きていることも含めて、なんというか、生き方というか日常を含めて運動になっている。これは「運動」ということばの掘り下げみたいなことが必要かもしれない。

神長　人生生きてきていろいろ思うことっていうか、自分の中でテーマ、ぶちあたる壁ってあると思うんだけど、だれでもさ。おれなんかだと、資本主義の社会に従って生きてたわけだけど、会社入ってみたらすごくつまんなかった。そこに適応してただ生きて、より快適な暮らしを送るという生き方が、人生としてもなんかつまんないし、サラリーマン文化みたいなものも退屈だった。なんか違う気がした。

もっと人生面白く生きられるんじゃないか、うん、それこそ資本主義より楽しく豊かにみんなが生きられる道があるんじゃないか、本当はもっと世界は豊かなんじゃないかっていう、そういう気持ちでだめ連をはじめたんだよね。自分が生きてきたなかでぶちあたった、「これが問題だな」とか「これがテーマだな」って、人それぞれあると思うんだよね。そういうことを社会問題化してみんなと考えたり、じゃあこんなことしてみようかってかんじでいろいろやっていくと、人生面白くなるんじゃないかと思う。運動的に生きる。

われわれのだめ連的な運動というのは、政治運動の世界では「変わっている運動」と言われたりするけれど、狭い意味での政治運動じゃないんだろうね。ある種の社会運動っていうか生き方運動というか。

ぺぺ　運動というより、態度とかそういう表現のほうがいいのかなと思うときがあるよね。

運動ってこととかかわるんだけど、態度とか意識の変容ということが根本で起こらないと、世界が変わることはないだろうというふうにも思って。

神長　やっぱりおれも自分の意識が変わったということがすごく大きいんだよね。

納得いかない社会のルールには従わずに自由に生きていこう、というかんじで会社を辞めてだめ連をはじめたところで、自分が革命的に変わっている。別にたいしたことをやってないし、あいかわらず未熟でだめな人間で、失敗や間違いを日々繰り返しまくってるんだけど。

いまの社会にただ適応して競争しながら生きていくんじゃなくて、いまの世の中のあり方自体を問題にすることで一八〇度人生が変わる。実際この社会は問題大アリなわけで、いい加減にしろよと怒らざるをえない。そんな社会からちょっと抜けて、もっと主体的に自由に生きていっていいんだっていう感覚をつかめれば、未来が見えてくると思う。いまより気がラクになって楽しくなると思う。仮に社会がよくなっても、自分が変わらなきゃつまらないわけで、もう資本主義に見切りをつけて、もっと違うオルタナティブな生き方を模索して生きていく、納得いかないことには「ノー」と言っていくというのが革命的なことだと思う。

そして、まだまだもっともっと、いろいろな運動がありえると思う。

デモ

神長　運動するのにいろんなやり方があるわけだけれども、われわれも言ってみれば「デモ派」というかね。一九九〇年代からずっと、いたずらにいろんなデモに行きまくっていた。

ぺぺ　うん。

神長　デモってやっぱりすごく自然で当たり前のことだと思うんだよね。社会で起こっていることに対して、これはおかしいなとか、そういう思いが湧いたなら、街に出て声を上げるというのは当然のこと。世界中で行われていることだし。デモをやっていくと街の風景も変わるし、自分も変わるよね。高揚感や開放感もある。

二〇一一年の原発事故以降、デモをする人、参加する人が増えたというのはあるわけだけど、もっともっと参加する人が増えていいと思うし、いろんなテーマや形態のデモがたくさん起きていったら、生きやすい世の中に変わっていくんじゃないかな（もちろん、レイシズム的なものなんかは問題外だけど）。参加して声を上げていくことで、抵抗する心やからだが培われていく。違和感を表明していくということでうつになりにくい気もする。

ぺぺ　おれたちの場合は、何かのデモに行くというのが習慣になっちゃっているところがあるんですよね。デモに行くこと自体に特別な思いがなくなっちゃっているから。そこは相当ズレた世界の見方をしてるんだなっていうふうには思うよね。

神長　デモに一回も行ったことないという人は、依然としてこの日本社会で相当多いでしょ？

ぺぺ　圧倒的多数でしょうね。

神長　デモに行ったことのある人より、ディズニーランドで遊んだり高級レストランで食事したことがある人のほうがぜんぜん多いんじゃないかと思うんだけど、でも絶対デモのほうがおすすめ。ディズニーランドや高級レストランに行ったことがない人生でも構わないと思うけど、デモに行ったことのない人生っていうのはもったいない気がするね。

ぺぺ　デモとかに行くのが当たり前の環境にいるというのも大きなことで、自分の場合はまわりの人間関係のなかに運動が組み入れられているから、そのなかで考えるっていうことなんだけど。でも、いまは本当に情報に触れようと思えばすぐ触れられるということでもあるんだろうとも思う。

神長　昔はみんなビラで情報を拡散していて、ビラを受け取れる場面は限られていたけど、いまはインターネットの時代だから。

ぺぺ　知ろうと思えば知ることができる。

神長　ただ、そこに行くかどうかというのはやっぱりいろいろな不安があるからね。どんな人がやってんだろうかとか、警察に捕まっちゃうんじゃないかとか、近所の人に知られたら嫌だなとか。デモに行きにくい世の中にされちゃっている。

ぺぺ　あと、「何が面白いんだろうか?」とか思うんじゃない(笑)。

それなりに多くのデモに参加してきたなかで、これは本当のデモだなと思ったのはただ一度で、それは高円寺でやった〈素人の乱〉の反原発のデモの最初のやつだよ。人が湧いてくるかんじ。ああいうのが本当のデモなんだなと思った。首相官邸前でウワーッとなったときもそうだったけどね。そうでないときは、やっぱり専門家たちがやっているということになってしまっているんですね。香港でもミャンマーでもそうだったけど、世界を見てみると、おれらの想像をはるかに超えたような動員がいっぱいあるんだよね。

神長　もちろん二〇一一年四月十日の高円寺の〈原発やめろデモ!!!〉というのはすごいものであったし特別なことだったけど、おれはこれまでたくさんのデモに行ってきたけど、どのデモも良かった。そのデモなりの良さがあった。「専門の人が」と言うけど、逆に言えば別に専門の人なんてだれもいないとも思うんですよ。

ぺぺ　もちろん、もちろん。

神長　少人数のデモとかも、やろうという人たちの思いがこもったある種の蜂起のようなもので、一つひとつのデモがどれも感動的。アツイものがある。もちろん大人数のデモには特別な高揚感があるし、日頃デモに来ないような人も来たりして特別な感動があるけど。おれはけっこう小さなデモもグッときてしまうんだよね。

デモを振り返る

神長　自分たちの活動というか交流の中心に、デモというのが一貫してあったと思う。昔からやたらとデモに行っていた。

せっかくなので、自分たちが行っていたデモをざっと駆け足で振り返ってみますか。ちょっと時系列的にやってみます。九〇年代ぐらいからでいいかな。

当時、いろいろなデモに行っていたわけだけど、最初にだめ連を名乗って街頭に出たみたいなのは一九九二年のPKO法案反対のデモ。道に落ちていたスポーツ新聞にマジックで「だめ連」って書いて、それを旗にして参加したっていうのが、だめ連的には最初のデモだったかな、と。

ぺぺ　そうですね。

神長　九〇年代は本当にいろんなデモに行ってたんだけど、毎週のように週末、渋谷の宮下公園に行ってそこからデモに参加してた。
　とても全部は話してられないので印象に残っているデモだけ挙げていくと、九三年に〈場を取り返せ　原宿行動&デモ〉っていうのがあって。当時、イランの人たちが、日曜日に原宿の駅前の神宮橋のところでコミュニティを作っていて、シシカバブみたいなのをやってたんだよな。

ぺぺ　すごかったよね、あれね。

神長　いっぱい人が集まってて、情報交換とか交流する広場になってた。自然発生的にできあがっていたそういう場を、警察が取り締まって解散させようとして。パスポートを見せろとかって。

ぺぺ　大弾圧の段階に入るんだよね。

神長　それをやめさせようというので、〈いのけん（渋谷・原宿いのちと権利をかちとる会）〉の人とかアナキストとか一部の活動家の人たちが集まって阻止してたんだけど、それにわれわれだめ連の面子もちょくちょく参加していた。
　デモも何回かあって盛り上がったよね。原宿をぐるっとまわって、神宮橋のところでは大勢のイランの人たちと一緒に「Down with facsist!（ファシストを打ち負かせ！）」ってシュプレヒコールを上げて騒然となって。感動的なデモだったよね。

ぺぺ　うん。九〇年代かあ。

神長　新宿の西口地下のダンボール村もあったよね。ホームレスの人たちが大勢暮らしていた。

ペペ　これはデモということではなく、行動であり攻防だよね。

神長　九三年には東京サミット反対で、たしかジグザグデモをやった。山谷の〈わっしょいデモ〉も激しかった。野宿者の人たちのやるデモ。みんなでスクラムを組んで。警察の妨害がものすごかった。こっちが跳ね返してたけど。

あと九〇年代といえば、〈レズビアン／ゲイ・パレード〉がはじまって、それにも何回か行ったりしてた。あの頃〈メンズリブ東京〉やだめ連界隈にトランスジェンダーの人とかがいたこともあって、〈メンズリブ東京〉の人たちと一緒に行ったこともあった。ほかのデモとは違う雰囲気だったよね。

ペペ　九〇年代のあの頃、いま思えば地球環境問題とかもあったわけだよね？

神長　いや、その頃はまだそんなになかったんじゃないかな。たぶん九〇年代というのは、セクトを除けばデモをやっている人ってノンセクト左翼がほとんどだったと思う。だいたいがオーソドックスな、いわゆる左翼デモみたいなスタイルだったと思うんだよね。ヘルメットはもうかぶってなかったけど、ゲバ文字だったりとか。激しかったし、なんか妙に楽しかった。

で、二〇〇〇年代になると二〇〇一年に九・一一同時多発テロがあって、その後にアメリカとイギリスがアフガニスタンを空爆しだして、それに対してデモが起こるんだよね。そのときにたしか、〈CHANCE!（平和を創る人々のネットワーク）〉っていうグループが「ピースウォーク」っていうのをはじめて。それが、戦争反対とかでそれまでのデモをやってた人たちと雰囲気が違うかんじのデモのはじまりかなあ、おれの印象では。

ペペ　うん。

神長　ペペがさっき言った環境問題的な、ちょっとピース系の人っていうかスローライフ系の人っていうか、そういうかんじの人もいたんじゃないかな。大雑把な印象だけど。

ペペ　〈アースデイ〉っぽいかんじの人たちだよね。

神長　そうそう。〈アースデイ〉的なものも出てきたんじゃないかな。あの頃そういうイベントとかにも行ってた。

ペペ　そういうながれもあるんだろうね。

神長　たぶん。それまでのデモだと女性や子どもが行けないんじゃないか、みたいなね、そういうのがあったと思うんだよね。

ペペ　それまでの左翼運動とはっきりと明確な距離をとって、別のものを作っていこうとするもの、ということなんだろうね。

神長　警察とやり合わないである程度仲良くやる、みたいなかんじのノリがあって、それまでデモに来なかったような人が参加したりというのはあったけど、後退感を抱いた人もいたと思う。だめ連主催の反戦イベントに出演してもらったり、〈CHANCE!〉の人とは交流もあった。

サウンドデモ

神長　その後の大きなポイントは二〇〇三年のイラク戦争。それに対してのデモや反戦運動の盛り上がりが出てくる。

最初、〈WORLD PEACE NOW〉というのがあった。たしか〈CHANCE!〉とかいくつかのグループが主催だったかなと思うんだけど、わりとピースなかんじのデモだった。すごく人が集まって、その年の三月八日に、たしか四万人集まってるんです、日比谷で。

ちょうどその頃おれはレイヴにハマってたから、サウンドデモみたいなことをやりたいなっていう気持ちもあって、ラジカセを持って参加して。ラジカセでガンガン、トランス・ミュージックをかけて、一人で延々と踊りながらデモに参加してたんだよね。

で、次の三月二十一日、五万人集まった芝公園での〈WORLD PEACE NOW〉のデモでは、自分がよく行ってた〈バレアリック・サンライズ〉ってレイヴパーティーの人とかが、〈プロテスト・サンライズ〉っていうグループを立ち上げて、車を出してダンスミュージックとかロックをスピーカーから流して、デモの中でサウンドデモの隊列ができていく動きがあった。

その次に、これが画期的だったと思うんだけど、二〇〇三年五月十日の渋谷でのイラク反戦デモ。ここでサウンドデモがバーンと大々的にはじまった。その前にもサウンドデモっていくつかピース系なかんじのがあったんだけど、この〈ストリート・レイヴデモ〉がサウンドデモの大きな盛り上がりのはじまりだったと思う。

ぺぺ　よく記憶してるねえ。

神長　ＤＪとかライター、ダンスカルチャーの人、アクティビスト、アーティストの人たちとかが主催で。これは画期的だったね。デモに音楽とダンスが入ってきたことで祝祭性も帯びてくるわけだけど、踊りながらデモをするっていうね。
最後に、ジョン・レノンの「イマジン」がかかって、その後トランスがかかって踊ったのは忘れられない。
この〈ストリート・レイヴデモ〉って何回か行われたけど、デモ前に、宮下公園で集会というか、DJとかバンドのライブやトークイベントをやったことがあったでしょ。そのとき、ぺぺもトークで出演してたよね。

ぺぺ　あ、あの宮下でやったやつね。ECD［ヒップホップミュージシャン］とだよ。

神長　ECDさんとか何人かで話してたよね。おれらの友だちもライブをやったりとかしてたよね。

ぺぺ　うん。

神長　レイヴにハマってたから、サウンドデモっていうのはうれしかった。みんなで路上で踊りながら戦争反対をアピールしてた。

フリーター、プレカリアートのデモ

神長　二〇〇〇年代の半ばになるけど、やっぱ重要なのは〈自由と生存のメーデー〉ね。
これは主にフリーター労組［フリーター全般労働組合］の人たちが中心になって、メーデーといってもそれまでのメーデーと違っていてね。その前のサウンドデモもそうだけど、このへんからマルチチュードっていうか……。

ぺぺ　プレカリアートだよね。

神長　まさに非正規労働者や不安定労働者の闘争。

ぺぺ　人格的には雨宮処凛さんなんだけど、不安定雇用や生きづらさということが社会的にもだんだん前面に出てくる過程っていうことなんだろうね。

神長　まさにだめ連的ながれで、フリーターや生きづらい系の若者たちが増えてきて声を上げたというところで盛り上がった。これもサウンドデモで、有象無象、雑民のデモというかんじ。デモの後は公園や街頭でＤＪパーティーやって、またみんなで踊ったり。〈自由と生存のメーデー〉の集会で、ぺぺも雨宮さんと司会やったときあったよね。

ぺぺ　うん。

神長　あと、〈反戦と抵抗のフェスタ〉っていうのもやってたでしょ。毎年秋頃にやってたけど、これもサウンドデモだったよね。

ぺぺ　うん。

神長　これがあの頃の二大デモだよね。だいたい自分たちの友だちや仲間たちがやってるかんじだったけど。

ぺぺ　何がしが広がってきているなというかんじがあったよねえ。

〈素人の乱〉のデモ、インディーズ・メーデー

神長　それと同じ頃に〈素人の乱〉の面白いデモがあった。おれが最初に行ったのはたぶん、二〇〇六年の〈家賃タダにしろデモ〉。あれ、高円寺でやったでしょ。

ぺぺ　うん。

神長　行ったでしょ？

ぺぺ　〈家賃タダにしろデモ〉と〈おれの自転車を返せデモ〉があって、どっちがどっちだかよくわからなくなってる(笑)。

神長　おれは〈自転車を返せデモ〉は行ってないかもしれないんだよなあ。ぺぺはどうせどっちも行ってるんでしょ、ヒマだし。面白そうなんだからさ。

ぺぺ　知らないで歩いてたらたまたまデモ隊にぶつかったときがあって、「うわっ！」ってなったこともあったな。「教えてくれないのか、おれには」って(笑)。

神長　だんだんネット社会になってきちゃったから、ネットやらない人は逆に情報弱者になっちゃうんだよね。

ぺぺ　それまでは、ビラと電話とクチコミのみだから。

神長　だって、デモやる人なんてほとんど界隈にしかいなかったんだから(笑)。飲み会で誘われるし。一個デモか集会に行けば、いっぱいビラを受け取るからね。

どうでしたか？　〈素人の乱〉のデモは。

ペペ　まあ面白いなあって思いましたけど。これはこれでいいんじゃないかと。グッ、ヒャヒャヒャ（爆笑）。

神長　なんといっても、ふざけきってるところだよね。爽やかだなと思えばいい。勢いもあって、盛り上がってた。面白かったよね。参加者も二百人くらいで、ちょうどいい規模だったよね。

その頃、ほかにも小さな面白いサウンドデモみたいなのもけっこうあったね。たしか〈阿佐ヶ谷メーデー〉とか〈高円寺メーデー〉とか。

和久井君と一緒に行ったんだよな。夜で三百人くらいだったかな。音楽ガンガン鳴ってて大騒ぎのデモで。和久井君の車椅子を押してたんだけど、二人で大騒ぎしてさ。ろくなもんじゃない（笑）。

ペペ　メーデーで思い出したんだけど、派手なのではなく、「ダメーデー」とか言って〈立ち上がれない人たちのメーデー〉っていうのが熊本であった。

神長　行ったの？　それ。

ペペ　行ったんだよ。

神長　何年くらい？

ペペ　あれ、何年だったかなあ、ちょっと忘れちゃったなあ。

神長　どういうことやるの？

ペペ　「いやあ、生きててつらいですねえ」って。
神長　デモはやるの？
ペペ　いや、やってないんだよね。ブツブツ言ってるかんじ。
神長　画期的だね(笑)。
ペペ　あの頃、地方でいろいろインディーズ・メーデーってあったよね。
神長　そうそう。仙台だなんだと各地方でやってた。松本でやってる人たちもいた。面白い人たちだった。
ペペ　いまどうしてるんだろう。交流してみたい。

〈マリファナ・マーチ〉

神長　二〇〇〇年代後半の話で言うと、あと〈マリファナ・マーチ〉ね。
おれらが行くようになったのは二〇〇七年ぐらいからかな。カンナビストという団体が主催で、「大麻の非犯罪化」って言ってたね。
毎年春にだいたい青山公園でデモの前に集会をやるんだよね。楽しいかんじでいろんな出店があって、レゲエ・ミュージシャンのランキン・タクシーさんとかのライブがあってトークもあって。
ペペ　何回か行っているけど、原発直後のやつを思い出したね。

神長　あのとき、われわれも集会でスピーチした。デモはサウンドデモなんだよね。レゲエとかトランスとかかかってて、面白かったよね。なぜかおれがエアＤＪしたときもあった(笑)。参加者が、ほかのデモに来る人と違うかんじだしね。

ぺぺ　そりゃ違うわなあ。ヒャッヒャッヒャッヒャッ(爆笑)。

神長　表参道とか青山とか渋谷に向けてデモするんだけど。もちろん、真剣にスピーチもして。イカさんが拾ったもみじを、踊りながら配って盛り上がってた。

ぺぺ　おしゃれ街だよね。

神長　参加者、若者ばっかりで。警察の対応もゆるい。政治的な、いわゆる左翼のデモに対するのとはぜんぜん違うんだよね。

「大麻は麻薬じゃなーい」って、みんなニコニコしてて明るいデモでね。開放的。

反グローバリゼーション運動

神長　二〇〇〇年代の後半はそうやってデモや運動が多様化した時期だったね。フリーター、生きづらさをかかえた人、介助者、アーティスト、ミュージシャン、映像の人、研究者……いろんな人が運動に参加するようになってきた。交流が広がってきた。

で、二〇〇八年に洞爺湖《とうやこ》サミットが開催されるということで、反Ｇ８運動が盛り上がった。それ以前に反グローバリゼーション運動の盛り上がりというのは世界的にあったじゃないですか。

ペペ　シアトル以降といわれる。

神長　一九九九年だね。シアトルの反乱。反ＷＴＯ。その後、世界各地で反グローバリゼーションの運動が盛り上がっていくんだよね。

おれは洞爺湖に行ってないけど、ペペは北海道に行って、反Ｇ８のキャンプに参加したよね。デモもあったでしょ。

ペペ　うん。やっぱりあれは、外国のアナキズム運動に学ぶ機会でもあったっていうかね。海外からアナキストの活動家がいっぱい来てね。すごいものだと思いましたよ。

神長　あんだけ来るというのはなかなかないもんね。

ペペ　デモにしても闘い方がちがうからね、本場の人は(笑)。走っている車をすぐ止めようとするとか、隙を見て何かしようとしている。

神長　過激なんだね。

ペペ　それはもう、こっちの水準から見れば。だからそれは向こうも、「日本でどうしたらいいもんなのか」と思いながら参加してたんだろうけどね。

神長　どこまでやっていいのかわからないからね。

ペペ　外国人がどう動くかを楽しみに見てた。旗をわざわざバスにぶつけて目隠しして(笑)。デモ文化というか、根本的な態度が違う。「メジャーリーガー、すごかばい！」みたいなね(笑)。革命の伝統といってもいいかもしれませんね。

神長　反G8のときは、東京でも北海道に行かなかった組で集まって、渋谷の路上でみんなで話したりしてたんだけど、じゃあこれからデモをやりましょうってなって。たしか無許可デモだったんじゃないかな。手作りサウンドデモ。みんなで路上のゴミを適当に拾って音を鳴らして、ざっくばらんに練り歩くという。

ぺぺ　そんなことやってたんだ。

神長　ゴミを拾って楽器にして、あれはまさに反資本主義だと思ったね（笑）。ああいうのもおれは好きなんだよな、自由なかんじでね。原始的だし。

ぺぺ　反G8は、簡単に言うと、海外のアナキズム運動から学ぼうみたいなものが大きかったと思う。合意形成の仕方とかね。

みんな、しゃべらないでサインとかで会議してる。より良い合意形成にいたるための会議のやり方とかあるんだよ。

神長　作法があるんだよね。人の話は途中で遮らないとか、一回の発言の時間を限るとかだっけ？

ぺぺ　かといって、不同意は不同意でなんらかの形で表すとか。それをみんなでやってて、これはもうすごいもんだと思ったよね。

神長　いまだに自分らのなかでも課題だと思うんだけど、アナキズム的に直接民主制みたいなものをと言ったときに、何人かの人で合意形成をするというのが難しいときがある。

ぺぺ　限られた時間のなかでどれだけやれるかということも研究しているんだよね。

神長　自治っていうことで言ったら一番ポイントになってくる。意見が分かれてケンカになっちゃったりとか、結論が出ないとかあるわけで。

おれも、〈あかね〉のスタッフ会議とかでもそういうことにぶちあたったわけだけれども、共同で何かやるといったときに非常に難しい。

ぺぺ 声が大きい人が勝つというようなのではない形で、どれだけの合意に到達できるかというようなことをたぶんやっているんだと思う。

神長 〈あかね〉でもそういうイベントをやってたな、当時。〈合意形成ワークショップ〉。そういう人が来て話をしてたと思う。

あの頃は非常にアナキズムや反グローバリゼーションが、世界的にも東京的にも盛り上がってたね。資本主義が生活のすみずみまで世界中を覆いつくすようになってきて、さすがに人々の怒りが爆発したという。

宮下公園〈ナイキ化反対手作りサウンドデモ〉、〈新宿ど真ん中デモ〉

神長 反G8以降では、二〇〇九年には宮下公園のナイキ化反対闘争、あと〈新宿ど真ん中デモ〉ね。

ぺぺ 〈新宿ど真ん中デモ〉ってなんだっけ？　あ！　沖縄だよ。

神長 沖縄の基地問題、辺野古《へのこ》と高江《たかえ》。

ぺぺ 〈ゆんたく高江〉は、最初に中野でやったのはもっと前だよね？

神長 あれは……。二〇〇七、八年くらいなんじゃないの？　なにげに盛り上がってるんですよ、あの頃って。

ペペ うん。

神長 〈自由と生存のメーデー〉や〈反戦と抵抗のフェスタ〉もやってるし、〈素人の乱〉もデモやってるし。おれらもいまより若かったけど、一世代下の若い人たちが出てきた。

ペペ まあ、世代なんだよね。

神長 で、テーマ的にもまさに非正規問題、フリーター的なものが出てきたっていうのがねえ。

ペペ まあ、われらの時代っていうかねえ。

神長 デモにも音楽とかアートとか文化的な要素がいろいろ入ってきた。

二〇〇九年に〈ナイキ化反対手作りサウンドデモ〉というのがあったよね。

渋谷区が区立宮下公園の命名権をナイキに売却して「宮下NIKEパーク」ってなることが決まって、それまでそこで暮らしていたホームレスの人たちの追い出しとか、フェンス作って有料のスポーツ施設に作り変えるとか、問題が続出したんだよね。おれらにとってはデモや野宿者支援の越冬闘争でよく行ってた馴染みの深い公園だけれども、そういうところに資本主義の波が押し寄せてきた。

ペペ おれらが学生の頃から、宮下公園で集会やってデモに出発というのがわりと定番だったよね。

神長 そこがナイキの宣伝の場に使われるっていう。いろんな人がのんびりと休憩したり、ボールとできるような素朴な公園だったのを作り変えて、企業化というか、夜は施錠される有料のスポーツ施設にされちゃう。そこで暮らしてる人もいたんで、野宿者と支援やってる仲間たちやアーティスト、アクティビストが中心になって、抵抗運動はかなり盛り上がった。デモも何回もやったでしょ。

ペペ うん。不当な弾圧もあった。

神長 このときの「手作りサウンドデモ」っていうのは、それまでのDJとかのサウンドデモと違ってて、みんなでそれぞれ鳴りものを持ち寄って練り歩くスタイル。ドラム叩く人もたくさんいたし、おれなんかは鍋を叩いてたけど。

ペペ 巨大な人形を作ってたよね。ナントカさんって名前をつけて。

神長 あれ、「ミヤシタさん」っていうんだよ。そういうのも面白かったな。アーティストの人も多かったからね。ミヤシタさんって、でっかい、昔ドリフであった「ジャンボマックス」みたいな(笑)。喩えが古すぎて、読む人、だれもわかんないな(笑)。とにかく、でっかい人形作って、デモ行進を一緒に歩くみたいなかんじ。

宮下公園はその後さらにひどく作り変えられて、いまではビルになって、一部はホテルになってたり、居酒屋とかグッチやプラダのブランドショップが入ってたりするという。ふざけるな！　どこが公園なんだ！と。そんなの、渋谷の街歩けばいくらでもありまくるわけで。「もとの宮下公園を返せ！」と言いたい。

で、二〇一〇年に、さっき話した〈新宿ど真ん中デモ〉。沖縄を踏みにじるなっていうことで、これは何回かあったよね。

ペペ 沖縄のデモは、繰り返し繰り返しやってるよね。

神長　沖縄の高江の森の中に、オスプレイが離発着できるようなヘリパッドを造るっていう米軍の計画があって。

ペペ　その前から高江に住んでいる友だちがいて、そこにKさんが遊びに行って、これは何かやらなきゃだめだなっていうことで。

それでちょっと〈ゆんたく高江〉を手伝うことになった。おれが住んでたアパートで会議をやってたんだよ。

神長　〈新宿ど真ん中デモ〉で覚えてるのは、ヨーロッパのアクティビストで「クラウン・アーミー」っていう、ピエロみたいな恰好した人たちが登場したときがあったよね。普通の参加の仕方じゃなくて独特のアクション。

ペペ　これは反G8のながれから接点があったんじゃないかな。デモの現場で警察を撹乱したりとかおちょくったりとか。

神長　過激なんですよ。デモの中を、あっちこっちすごいスピードで動きまわったり、警察をおちょくりまくったりとかするんだけど、その本場の人が四人くらいかな、参加したときがあった。おれらじゃありえないような動き方して、あっち行ってこっち行って走りまわったりして。

ペペ　警察も対応できなくなるんだよ。

神長　警察もそんなやつ見たことないし、白人だし、どう対応していいのかわからないかんじだった。

ペペ　警察も撹乱するけど、デモ隊も撹乱するからねえ。

あと、警察が白人には手を出さないっていうのをどう考えたものか、っていうのはあるよね。

左ページ：上は〈くにたちデモンストレーション〉。左は宮下公園のアーティスト・イン・レジデンス。右下は〈アジア永久平和デモ〉。

右ページ：上は〈マリファナ・マーチ〉でエア DJ をやる神長。下はデモで警察をおちょくるペペの真剣な顔。

お預かり
6時

宮下公園
アーティスト

戦争いやだー
アジア永久平和デモ
아시아 영구평화 데모
亞洲永遠和平遊行

これがアジア人だったら全員ひっぱられるんじゃないか、っていうのもねえ。これは入管とかのあり方にもはっきりあらわれてるよね。入管もそうだけど、警察ってのは日本の歴史そのものであり、国のありようとか日本人の根性とかがあらわれてるんだよ。

高円寺〈原発やめろデモ!!!〉

神長　そして、二〇一一年。三月十一日に大きな地震があって、十二日に福島第一原発が爆発した。デモということで言ったら、やっぱり二〇一一年四月十日の〈素人の乱〉が呼びかけた〈原発やめろデモ!!!〉。これが高円寺で行われたという。

ペペ　この間、「ラジオ深夜便」を聞いてたら、ミュージシャンの大友良英さんが出演してて、高円寺のデモについて話してた。あそこで自分も変わったって。

神長　演奏はしてなかったよね。

ペペ　いち参加者で来てたみたい。そこから気持ちが変わって、ってなったみたい。

神長　ペペ的にはこのデモはどうでした?

ペペ　まあ驚いたよね。正確な人数は不明だけど、一万人とも一万五千人とも言われてるよね。参加してて、「デモというのは本来こういうものなのか」とも思ったよね。

神長　総武線に乗ってて高円寺に近づくにつれて、これはみんなデモに行くかんじかなと思ってたら、実際だいたいみんな高円寺で降りていったんだよ。

この日はやっぱりサウンドデモで、あれ、トラック何台もあったよね。その荷台でバンドが演奏したりＤＪやったり。あのとき、原発事故でみんなが暗くなってたわけだけど、みんな思い思いのプラカードを作って持ってきてて、あれは印象的だったな。みんなの気持ちがすごく出てたっていうかね。

それまでは、デモといったらいつもデモに来るような人が来てるわけだけど、そうじゃないような人がブワーって立ち上がったというね。これが初めてのデモという人も多かったと思う。ドラムの隊列があって、おれはイカさんとトラメガ持ってドラム隊のところでコールしてましたね。

ペペ　〈原発やめろデモ!!!〉はその後も何回かやったよね。

神長　月イチくらいでやってたかな。

ペペ　毎回大勢の人が来てね。その頃から、原発に反対するデモがいっぱい出てきてね。

神長　思い出した。四月のデモの前に、長いことまじめに原発問題に取り組んでる人たちの呼びかけたデモに行ったんだけど、そのときはすげえ人が少なくて衝撃を受けたんだよね。

ペペ　この頃にデモの拡大というのがあったでしょう。いろんな人がデモをやるようになって、いろんなデモが出てきたじゃないですか。ＳＮＳで情報が拡散できるようになったのも大きい。ここからデモの季節がはじまったというかね。

神長　毎週末、毎週末、デモだったよね。みんなの怒りが爆発して。ドラム叩いてコールして、おれも鍋叩いて叫んでた。

ペペ　あれ？　だけど東京を離れてたじゃん。あれはどのくらいの期間？

神長　あれは〈原発やめろデモ!!!〉の前ですよ。爆発してヤベーなってなって、ちょっとして逃げたんだよね。

ペペ　二回ぐらい失敗してたよね。

神長　一回は夜行バスの時間に遅刻しちゃって。二回目は夜行バスに乗って、やれやれ今日は遅刻しないで行けるぞと思ったら、静岡のほうで地震があって運行中止になっちゃったんですよね。あのときは関西のほうに逃げる人も多かった。大阪、奈良に十日ぐらいいたかな。でも、引っ越すんだったらいいけどさ、仕事もあるし、結局戻ってこざるをえないじゃないですか。

ペペ　わずかな間だったたんだね。

神長　うん。それでもよかったんだよ。後でわかるんだけど、放射能拡散してたから。被曝は抑えられたと思うんだよね。

ペペ　そうなんだよな。ピークだったからなあ。ヘリコプターで上空から原発に水かけてるのを見てさ、「うわっ！　終わったー」って思ったよね。

神長　九月に、〈原発やめろデモ!!!〉が大弾圧を受けるということがあった。新宿のデモで十二人が不当逮捕されるっていう。

ペペ　これは重要なことで、これからのことという意味でも大事ですね。戦争がはじまったいまデモをやらずにいつやるんだっていう話でもあるけど、どこかで弾圧局面が来るっていうことか［対談を収録したのは二〇二二年三月八日で、二月二十四日にロシアがウクライナへの軍事侵攻を行った］。日本の政治がどう動くかということと関連すると思うんですよね。

神長　十二人が一挙に不当逮捕されるっていうのは、さすがにあんまりないよね。

ペペ　ハードコアの隊列から潰すという。警察、わかってんなあって。

神長　大弾圧だよね。〈原発やめろデモ!!!〉が盛り上がっていたことをすごく恐れたんだろうね。

ペペ　警察レベルなのか政治レベルなのか、どのレベルで意思決定がされているのかわからない。これは向こうだって明かさないけどさ。今度はもう絶対にやるという構えになってた。

神長　決めてやってる。潰しにきてる。国家権力というのは、反乱や暴動が起こるのを、つねにすごく警戒しているね。使ってくる手は必ず不当逮捕。

ペペ　振り返ると、六月の段階で、デモに国旗を持ってくる日の丸問題とかで運動論の分岐が生じてきてたということは言っておいたほうがいいでしょうね。こういうことはつねに出てくる。例えば反戦運動でも、ウクライナの旗をどう評価するかということと重なってくる話だよね。

首相官邸前での抗議運動

神長　原発がすべて停まった後に大飯《おおい》原発再稼働っていう動きが出てきて、原発再稼働を許すなということで、またみんなの怒りが爆発した。

それで二〇一二年の六月に首相官邸前抗議。それが毎週金曜日の夜に行われるようになって、徐々に多くの人が集まるようになって、とくに覚えてるのが六月二十九日、バーンと何万人も集まったという。

国会議事堂前駅とかも迂回しないと出られないようにさせられてて ね。最初は歩道に押し込められてたのが、抗議の人がどんどんどんどん増えていって、ついに警察の封鎖が決壊して、みんな大通りにあふれ出てきた。

ペペ ほぼ街頭占拠だよね。

神長 官邸前の道を。画期的で感動的なシーン。あれだけ多くの人が集まって怒りの街頭占拠するっていうのは見たことがなかったよね。

ペペ 象徴的なシーンがいくつかあるわけなんだけどね。官邸に突入するかの寸前で解散になった。弾圧を回避するためにという意味では、弾圧の問題でもあるわけでさ。大衆運動の高揚局面でどういう意思決定をするかっていう、まさにいま世界中でやってるわけだよね。エネルギーがわっと出てくるときは、もうだれもコントロールできなくなるんだよね。

神長 でもあの日、おれらは一番最後までいたんだよ。占拠だとしたら、別にそこにそのままずっと座り込んだりとか泊まったりとかするやつがいっぱいいてもいいわけだよね。

ペペ 広場運動というのは、そういう形で続けていたら革命になってたっていうケースだよね。主催者もびっくりするほどの人が集まるっていう、そういうことが起こるっていうこと。

神長 それまで見えなかった街頭占拠という風景。高揚感、開放感があったよね。

ペペ ここから国会中心の結集というのがいろいろと続いていく。とくに安倍政権下のね。

神長　そう。二〇一三年だと秘密保護法の問題が出てきて、やっぱり国会に多くの人が集まって抗議する。

その後、安倍の「戦争（安保）法案」が二〇一四、五年に出てきて、これにも国会前に大人数が集まって抗議するっていう。国会前や官邸前に何万人も集まる、そういうながれも出てきたっていうね。

一九七〇年代以降なかったような大きなうねりができてきた。

〈くにたちデモンストレーション〉、〈原発・憲法・TPP・生保がヤバい！ それでも自民に入れちゃうの？・デモ!!〉、〈アジア永久平和デモ〉など

神長　大きなデモのながれとは別で、小、中規模のユニークなデモがいろいろ行われるようになった。知る人ぞ知るというかんじだけど、こういう小さなアクションが実は重要だと思う。
自分らの身近なところで言うと、二〇一二年から数年間、〈かけこみ亭〉界隈を中心に国立で反原発デモ〈くにたちデモンストレーション〉が盛り上がった。節分とかこどもの日とか七夕とか盆踊りとか、季節的なタイミングで、仮装したりして国立の街を原発反対を訴えて練り歩くというデモ。
ぺぺ　ローカルなデモだよねえ。「デモに行きたいけど近所の人に見られると嫌だ」という声があったんで、じゃあ仮装しようと。国会行くのと地元でやるのは違うっていう、そういうことなん

だよね。

神長 その頃から各地で脱原発のローカルデモがはじまったっていう、そういうながれもあったよね。国立も楽しいかんじのサウンドデモで、リヤカーに音響装置を載せて、歩きながらギターを弾いたり歌ったりとかね。「つちっくれ」とか「ジンタらムータ」が演奏したこともあったよね、毎回、仮装がやたらと面白かった。

ぺぺ やっぱり、〈かけこみ亭〉っていう集まって議論ができる場所があるから、ああいうことができたんだなあって思うよね。ツイッターやらなんだってだけでは、ああいうふうにはならなかったかなって。

神長 いいデモだったよね。デカいデモももちろんいいけど、それぞれの街や日常でデモがあるというのはアピール度が高いよね。

ぺぺ うん。

神長 二〇一三年に、仲間たち何人かと企画して〈原発・憲法・TPP・生保がヤバい！それでも自民に入れちゃうの？デモ!!〉っていうデモを新宿でやった。サウンドデモで、リクル・マイさんとか、イカさんたち「ぴんからレディース」、「Nora Brigade」っていうマーチングバンドにも出てもらって。

これは選挙の前にやったんだよね。自民党政権がこのまま続いちゃうとまずいなってことで。なんとか自民党が選挙で負けるようにと思って。

その翌年には、やっぱり友人たちと新宿で〈アベいやね！激おこぷんぷんマーチ!!!〉っていう安倍批判のデモをやって。サウンドデモで「つちっくれ」とか「ロバートDEピーコ」、「Nora Brigade」に演奏してもらって。このときの「クラウン・アーミーTKO」はすごかったですよ、大暴れ。おれなんかヒヤヒヤして見てたよ。

ペペ　このときちょうど、新宿で安倍政権批判の焼身自殺決起があった。

神長　デモも途中からものすごい集中豪雨でどしゃぶりになった。

それと、二〇一五年から何回か行われた〈原発いらない！ズンドコ国分寺デモ〉。これもいいデモだったですよね。ヒゴヒロシさんのDJで国分寺の街を練り歩いた。

あとは〈No Limit〉っていうイベントが二〇一六年にあって、そのときに〈アジア永久平和デモ〉っていうのをやりました。韓国のYAMAGATA Tweakster さんとか台湾の人やげんきいいぞうさんとかが歌って、アジアの各地から来ていたたくさんの人々とアジアの永久平和を宣言するという。

〈カネの奴隷はいちぬけたデモ！〉、〈介助者デモ!!〉など

神長　そしてこれはかなりマニアックなデモになっちゃうけど、〈カネの奴隷はいちぬけたデモ！〉ね。おれが企画した(笑)。

こういうデモがやりたかったの。政治的なテーマのデモは多いじゃないですか。そういうんじゃなくて、「こういうふうに生きていくぞー！」とか。

優生思想反対！
やまゆり園の
虐殺を忘れるな！
あらゆる人は生きている
だけで価値がある。
NO CARE NO LIFE

本主義を
とばせ！

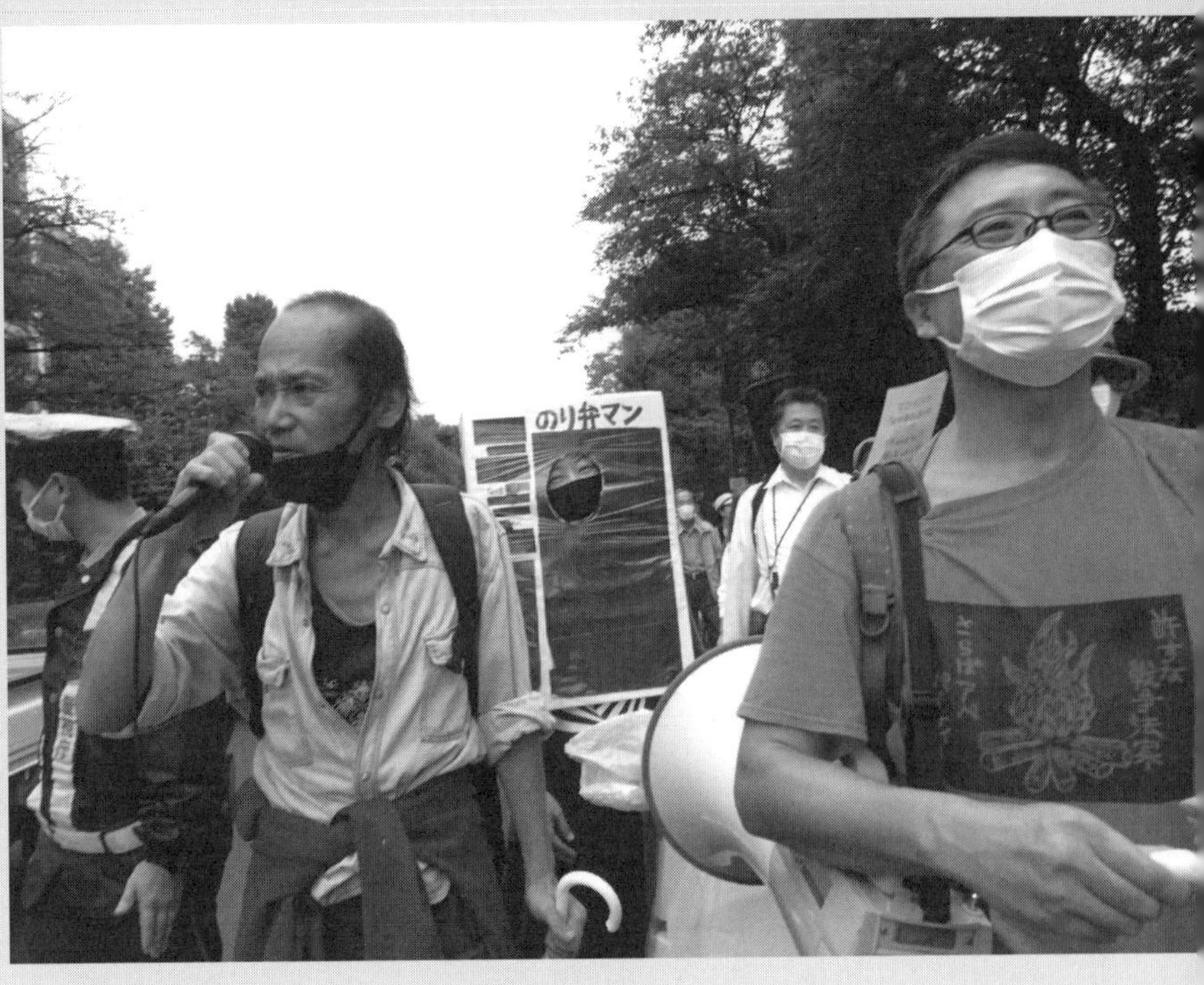

左上から時計回りに。国葬に反対する国立でのデモ。神長が呼びかけたトークデモ〈カネの奴隷はいちぬけたデモ!〉、朗々と資本主義を批判しながら街中を歩いた。〈介助者デモ!!〉のプラカード。高円寺の再開発反対のデモには黒ヘルをかぶって参加。大飯原発が停止し、原発稼働がゼロになったのを祝して行われたデモで歌うペペ。〈アベいやね!激おこぷんぷんマーチ!!!〉。

ペペ　「〜〜反対」じゃないのがやりたかったの？

神長　そうだね。「カネの奴隷はいちぬけた」だから、資本主義に反対と言えば反対なんだけど。資本主義反対っていうより、もうちょっとなんて言うかな……。

ペペ　生きる姿勢を見せる。

神長　みたいな。個人、少人数でも決起と。こういうのは自分的には特別な手応えというか、やった感がある。

吉祥寺でやったんだよね。どういうふうにやろうかなと思って、「トークデモ」っていいんじゃないかって思いついて。

トラメガでマイクを持って、一人でしゃべったり会話したりとかして、ほとんどトークしてるんですよ。みんなでコールするのも大好きなんだけど、意外と聞いてない人は聞いてない。でも、しゃべってると意外と聞かれるんじゃねえかなと。なんで自分は働かなくなったかとか、資本主義は問題多いとか、オルタナティブに生きていこうとかっていうような話を、しゃべりながらデモをしたんですよ。ペペも参加したね。

ペペ　いたねえ(笑)。

神長　あとは、二〇一八年に〈介助者デモ!!〉っていうのをやったね。

〈かりん燈関東〉っていう介助者たちの集まりにずっと参加してるんだけど、その仲間たちで、「相模原事件［相模原障害者施設殺傷事件］」を受けてっていうところがあったね。みんなショックが大きくて、絶対に許せないというのと、「介助は本来は面白い仕事のはずだ、介助の現場から助けあいの社会を作っていきたい」って思いで。なぜかデモで盆踊りしたっていう。この年は個人的に大阪に行ったんですよね。ちょうどメーデーのときで〈釜ヶ崎メーデー〉に参加したり、あと〈有象無象のレッツゴー☆メーデー〉というのにも参加した。大阪のアナキストの人たちの。ちょうど「代替わり」のときだったから天皇制解体を唱えてていいデモだった。あと二〇二〇年には〈自主メーデー・さっさと金よこせ！一揆〉。

ぺぺ　あー！

神長　横浜のほうの人たちが企画したメーデーデモだけど、「さっさと金よこせ」だから、コロナの給付金でしょ。

ぺぺ　そうそう、コロナ状況に入ってるんだねえ。

神長　コロナでずっと家にこもってて、このとき久しぶりにイベントに行ったという。横浜の面白い人たちが集まって。

ぺぺ　さかじさん(友だち)とかいたね。先頭でね(笑)。「うわー！」ってね。勢いがあった。

神長　おれ、こういうのすごい好きなんだよね。小規模でも、若い人たちが自由にやってて、文句言ってね、いいじゃないですか。

ぺぺ　うん。終わって延々とただしゃべってるとかね。ああいうことも重要なんじゃないかって。

神長　そこでいろんな話ができるからね。

ぺぺ　あれがプチ広場っていうかね、いいかんじなんだよねえ。

神長　まさに一時的な自律空間ですよね。

東京オリンピック・パラリンピック反対デモ、武蔵野五輪弾圧

神長　二〇二一年になると、東京オリンピック反対ということで、いろんなデモに参加したけど、自分たちでやったのは〈中止だ中止!・東京オリンピックデモ!!〉。これを新宿でやりましたね。オリンピック開会式の前日には調布で〈オリンピック前日だ!・不要で不急!・オリンピックやめろ!・調布デモ〉。開会式当日は〈ロックダウンだ!・東京五輪開会式抗議デモ〉で、利権と排除の祭典オリンピックに反対の声を上げた。

オリンピック反対のデモに対する警察権力の妨害活動はひどかった。大量の警察官の動員、最新の監視カメラ、どんだけ税金使ってるんだっていう。不当な妨害行為がたくさんあった。法的な根拠がまったくないままに、抗議する人の通行を妨害したり、しつこくつきまとったり。抗議する人を押し倒して負傷させたり……。

ぺぺ　ひどいね。

神長　オリンピックの前に「聖火セレモニー」というのが東京の何か所かで開かれて、武蔵野市であったときに、バクチクを鳴らしてオリンピックに抗議した仲間が不当逮捕された。「威力業務妨害」だと。そのまま勾留なんと一三九日! 救援会を有志で結成して支援。おれも参加。裁判闘争で闘って、地裁で懲役一年、執行猶予三年の不当判決。即日控訴で、いまは高裁で闘っているという。

たかだかバクチクでふざけるな！　バクチク無罪、オリンピック有罪！

〈だめでええじゃないか！人間解放デモ〉

神長　そして、このあいだ［二〇二二年十二月十日］やっただめ連主催のデモ。〈だめでええじゃないか！人間解放デモ〉。だめ連三十周年記念。

「競争社会なんてくだらない、われわれは資本主義のロボットじゃないぞ、心のおもむくままに自由に生きるぞ！」と声を上げたデモ。このデモも「トークデモ」というスタイルで、トラメガでトークしたり、コールしたり、歌を歌って自由に吉祥寺の街を歩いた。

ぺぺ　やったねえ。おれらも歌ったよね。

神長　能力や数字で人生は測れない。競いあいより交流だ。祭りだ。革命だ。優越感も、だめと思われたくないプレッシャーもさようなら。

人間解放。だめでええじゃないか!!

その3……アクティビズム

さまざまなアクション

次はさまざまなアクション。これ重要。デモ以外のいろんなアクション。主に路上アクションなんかについてトーク。

納得いかないことがあったら、なんでも街頭で声を上げるのがいい。というか、そうせざるをえない人はすでにやっている。そういう人がいるのといないとではずいぶん違う。〈スタンディング〉〈座り込み〉〈横断幕アクション〉……こういったアクションが行われるだけでも街の景色が変わっていく。例えば、戦争に反対する人が目に見えているのといないのとでは世界は違うし、そういう声を上げる人が増えていけば、世界は自ずと変わっていく。

いろいろと世の中頭にくることは多いわけだけど、どうやって表現すればいいのか。いままでの自分たちやまわりの人たちの路上アクションの紹介を通じて、こんなやり方があるよとか、こんなことをやってきたよっていうところでヒントにしていただければ。

息苦しい社会に対して声を上げて、街頭に交流空間を作っていきましょう。

スタンディング

神長　スタンディングというのは、街頭に立って、プラカードを掲げて意思表示をするっていうアクション。マイクアピールもしたり、しなかったり。わりと簡単で、いわばだめな人もできるアクション。

ぺぺ　一人からはじめられるしね。

神長　プラカード持って、そこに立てばいいわけだから。まあ、だれでもできるというか。

ぺぺ　許可もいらない。

神長　おれらがはじめたのは二〇一五年の夏頃。「戦争(安保)法案」のときにどうしたらいいかなって考えてて、ふと思いついた。それで最初にイカさんと二人で地元の駅前で「このままじゃ戦争する国に逆戻り」とかって書いたプラカードを持って立ったっていうね。無言で二人っきりで立ってたから逆に目立ってたと思う。みんな見てた。

で、その後いろいろなところでやってます。

沖縄の基地問題、水道の民営化、安倍政権批判……。最初はプラカードだけ出してたけど、最近はトラメガを使って話したりしながらやってますね。地元近辺だけでなく、地方を旅したときにちょっと駅前でやったりもしてる。

東京オリンピックに反対のときは、友だち三人で〈中止だ中止！東京オリンピックアクション〉

ってグループ作って、東京都庁前でよくやってましたね。毎回いろんな人が参加してくれた。

コロナが感染拡大して医療崩壊になったときあったじゃないですか、自宅療養になったとき。あのときさすがに頭にきて官邸前でやりましたね。「オリンピックなんてやってる場合じゃないだろ」「お前ら悪いやつらの利権イベントやめろ」って、首相官邸に向けて大声で文句言いまくりましたよ。あれはよかった。やっぱり総理大臣に向かって直接言うのはいいね。うつになりそうな人とか人生苦しんでる人は、官邸前に行ってトラメガで大声で「ふざけるな！　おれはこんなにつらいんだ、なんとかしろ！」って文句言ってきたらいいですよ。愚痴や悩みなんかも、カウンセラーに話すのもいいけど、総理大臣に言えばいい。だいたいあいつらのせいで、っていうのもあるんだから。

あと、高円寺の駅前で〈現代社会に喰い込むスタンディング〉っていうのをやったよね。それはなんて言うのかな、大きな政治的な話題ばかりじゃなくて、もっと身近な問題とか、考えてることや悩んでることとかを、自由に文句言ったり表現しようってね。例えば、広告が多すぎるんじゃないかとかね。チェーン店ばかりでつまんないとか、どこもかしこも清潔すぎるんじゃないかとか、パワハラで嫌な目に遭っているとか。

ペペ　「会社がつらすぎる問題」は雑誌でも取り上げられるようなテーマでもありますね。

神長　そういうことでいいわけですよ。賃金が安すぎるという話もあったし、あと「自転車置き場がないぞ！　ＪＲは駅前に自転車置き場作れ」とか。なんでもいいんですよ。素朴なことでも自分が疑問に思ってるようなこととか個人的な悩みを表明する、そういうスタンディングもやりましたね。みんなで不平不満を言いまくる空間。

あと、なんといっても、ロシアがウクライナに侵攻して戦争がはじまってしまって。ロシア大使館前に行ってやりましたね。

何をどうしていいのかわかんなかったけど、せめてこのくらいはできるかと思って。日曜日にやったんだけど、けっこうロシア人っぽい家族が何組も歩いてたり、大使館に出入りする車も何台かあって、ロシアの政府関係の何人かの人に直接戦争反対の気持ちを伝えることはできたかなと。

ぺぺ われわれのほかにも数人来ていた。若い子で高校生が来てたよね。大宮から来てるおじさんとかね。

神長 そして、だめ連主催で立川駅前広場で反戦スタンディングやりました。

世界中で戦争反対の声を上げてる人たちにささやかながらも連帯したいという気持ちで。学童保育の子どもたちが書いてくれた「ロシアはせんそうをやめて」って大きなプラカード掲げて。

ぺぺ そのまま駅前広場で車座になって飲んで、あんときもまあいい話ができた。前の日に〈なんとかBAR〉に来てくれた人を誘ったら来てくれて、「まあやっぱ、だめ連でこういうのやるのがいいんじゃないですか」って言ってて、「戦争でキビしくなるのはやっぱ、そういう人なんじゃないか」って。そんな話をしてましたね。

神長 だいたい戦争やりたがってるやつなんか強いやつばっかりだからね。自分じゃ行かないくせに。

ペペ　そりゃそうだ。

神長　そして「安保関連三文書」閣議決定前夜のスタンディングに参加したね。敵基地攻撃能力の保有、防衛費の大幅増、武器輸出の拡大、どれも許しがたい。頭がクラクラする。確実に戦争に参加していってる。

ペペ　かなりヤバい。

神長　スタンディングというのは、自分の気持ちを世の中の人に示すという非常にベーシックな行為。最近いろんな人がやるようになってきてる。歌を歌ったり、シール投票して街の人と交流したり。

簡単なんでおすすめです。黙っててもいいし、一人でもできる。

座り込み、寝込み

神長　アクションってことで言ったら座り込み。これも基本であって重要なアクション。辺野古の座り込みっておれは少ししか行ってないけど、イカさんは沖縄に滞在した一週間ずっと行っててすごい感動したみたい。沖縄のおばあやおじいが雨の日も風の日も毎日、何年も続けている。地面に鉄板を敷かれたり、トラックの排気ガスを浴びせられたり、いやがらせされる状況でもめげずに辺野古の海と生きものを守り、基地を作らせないために座り込んでる。

昔、新宿西口地下のダンボール村で野宿者の強制排除があったときも、みんなで座り込んで抵抗した。山谷や釜ヶ崎とかいろんなところから連帯の応援が来て。おれらも〈ラスタ庵〉から何人かで駆けつけて座り込んだよね。

ぺぺ 行ったねえ。

神長 宮下公園ナイキ化反対闘争のときには、公園と野宿者を守るためにアーティスト・イン・レジデンスっていうかんじで公園でアート的なオブジェを飾ったり、何か月間かいろんなイベントをやったりしてたよね。いくつもテント張って。映像上映したり、トークイベントとかDJイベントとか。資本主義より楽しい空間を作ってた。おれも絵を描いて飾ったり、テント張って泊まった。

原発事故の後の〈経産省前テントひろば〉も長い間続く抗議の座り込みだよね。こないだは介助労働者の厚労省前の座り込み行動に、一日だけだけど参加した。マイクアピールで「介助者の賃金上げろ!」って直接文句言ってきたよ。

イカさんの田舎でほうで、放射能に汚染されたがれきを持ってきて焼却されるってときがあって、急きょおれやイカさんも抗議に駆けつけて。そんときイカさんの親父さん、背中にネギしょって、がれきを積んだでかいトラックの前に座り込んでた。おれらも抗議しまくって、トラック追い返したよ。結局がれきを持ち込むことは中止になって、勝利したっていう。

ぺぺ おおー。

神長 しかし考えてみると、おれなんかも三十年間ぼろアパートでひたすら寝そべりまくってきたわけだよな。ただ怠けてるだけなんだけど、これも考えようによっては資本主義社会に対する抵抗なんじゃないか(笑)。どっちかというとストライキに近いか(笑)。労働と消費をストライキする。やりたくないこと、やってらんねえよって。

横断幕アクション、路上交流会など

神長 あとは、横断幕アクションなんて手もある。
宮下公園ナイキ化反対闘争でアーティスト・イン・レジデンスやってるときに、「みんなの宮下公園を奪うな！」って書いたでっかい横断幕を作って、電車から見えるように線路側のフェンスに張り出した。

ぺぺ あれ、広告代払ったら大変な金額になりますよ、山手線から見えますから。

神長 目立ってたね。数か月は張ってあったから相当多くの人が見たと思う。猫の絵も描いてね。有効なアクション。
「戦争法案」のときには〈憲法アクション〉っていうのをやったよね。「戦争と武力の行使は、永久にこれを放棄する。」っていう九条の文句をばーっとでっかい紙に書いて、それを中央線の線路脇の歩道で持ってね、電車に乗ってる人に見えるようにアピールしたっていう。

ぺぺ 部屋の窓にばーっと出すのもいいよね。ひきこもりでもできるよ。

神長 それはいいかも。ひきこもりが抗議になるという。
オリンピックのときは、ロードレースの競技が公道であるっていうんで、そこで「NO

OLYMPICS!」とか書いた旗を掲げた。テレビ中継でも映って世界中にながれてたみたい。

あと、ハンスト。

少しだけやったことある。〈大飯原発再稼働阻止！集団ハンスト〉っていって、経産省前テント広場でやってたんだけど、これは一週間とかリレー方式のハンストでね。おれは二日弱ぐらいだったかな。テントに泊まり込んで。

憲法記念日には〈紙芝居アクション〉っていうのもやりましたね。

図書館にある戦時中の広島や長崎を描いた紙芝居を借りてきて、西荻窪の駅前で朗読したよね。

ぺぺ　ネトウヨみたいな人にからまれて討論になっちゃったりしてね。一時間くらい話してたよ。

神長　最後ね。おれらはげんなりして先に飲みにいっちゃったんだけど、ぺぺはずっと相手してたね……。
あとはそうだ、路上交流会だよね。路上交流会をアクションとしてやったのが〈さらばアベパーティー!!!〉。
安倍批判の路上交流会。座り込みとはちょっと違うけど、安倍政権に怒っている人たちが集まって、安倍批判のプラカードを持ち寄って路上で交流するっていう。中央線のいろんな駅前で何度もやった。
二〇一六年の〈No Limit〉のときに、台湾・韓国・香港・インドネシアなどから来た有象無象の若者たちと、高円寺の駅前でやった〈NO ABE PARTY〉は盛り上がったね。大勢集まって、一時的な解放区になってた。各国語で書いた横断幕を出してね。

ペペ　イタリアから来た暗黒舞踏研究のカティアさんが、イカさんのスピーチを英訳してくれたよね。

神長　野外交流会っていうことで言ったら、〈やってられるか資本主義！フリーター交流会〉っていうのを浦和の公園でやったりとかね。あと、千葉の谷津《やつ》干潟でもやった。

ペペ　千葉のほうのやつは行ったなあ。

神長　ちょっと遠出してやると、その地方の人が参加してくれるという面白味がある。〈働かなくてもええじゃないかメーデー！〉なんてのもやった。メーデーの日に、中野駅前でマイクで順番に仕事について語りあって。中野の街を、「働かなくてもええじゃないか！」ってコールしながら練り歩いたよね。

ペペ　ネパール人が乱入してきたんだよ。「何！　何やってんの？」ってね(笑)。

神長　外国の人の反応がいいんだよね。まあ、そんなかんじでいろいろと。ここに挙げたのは一例だけど、路上アクションはもっと面白いやり方とかいっぱいあると思う。

マリオさんは「名物もりかけ老舗桜庵」とかいって、自作のもりそばの大きなサンプルを頭に乗っけて、そば屋の恰好して街を練り歩くパフォーマンスしてた。「もりかけ」っていうのは、安倍が便宜を図ってうまいことやった森友学園と加計学園をひっかけてんだけど。「ひと口食べたらやめられない、利権まみれの甘い汁と腐敗の味」って口上言いながら(笑)。自民党政治をおちょくりながら笑い倒すという。道行く人にかなりウケてた。メニューも増えてきて、「岸田のおろしそば」とか「アメリカのいいなりずし」とか(笑)。ユーモアも重要だよね。おれも最近イカさんと社会風刺の素人漫才やってみた。

そんなかんじで面白いアイディアが浮かんだり、反撃したいことあったら、これからの時代は各地でアクション！　閉塞した息苦しい社会に声を上げて、街頭に交流空間を作っていくのがいい。立ち上がって逆襲していくしかないでしょ。

ぺぺ　スタンディングなんて、戦争がはじまったいま現在、世界各地でやってると思うよ。

神長　ロシアの人たちは文字どおり命がけでやってた。

二〇二二年にエジプトでCOP27があったときは、フランスやイギリス、オランダなんかでは気候正義活動家が美術館の絵画にスープかけたりしてたね。絵画を守るのと地球を守るのと、どっちが重要かって問いかけるアクション。

二〇二三年には、フランスで年金受給開始年齢が六十二歳から六十四歳に引き上げられる法案に反対して一斉ストライキと百万人以上のデモ。イギリスでは賃上げ要求の五十万人以上のストライキ。

世界中で人々が立ち上がってる。蜂起の時代がやってきてる！

声を上げる！　立ち上がる！
熱くレヴォリューション！

Нет войны
Stop Putin!

戦争と武力の行使は、永久にこれを放棄する。

NO敵基地攻撃能力!!
防衛費が増えれば、税金が上がる!

許すな憲法改悪!!!

その3……アクティビズム

オルタナティブ・スペース

「資本主義よりたのしく生きる」っていうことで重要なのが、ある種の拠点、人が溜まれる場所。

世の中にはお店はいっぱいあるわけだけど、商売中心じゃないような場所が必要で、そういうスペースがいま、いろいろと各地にできてきている。居場所になったり、金儲け優先じゃないような雰囲気で話ができて、そういう文化を発信できる「オルタナティブ・スペース」。

飲食でトークや交流できるところもあれば、書店やイベントスペースなんかもある。ここではだめ連が行ったり交流してきたスペースの紹介と、いろいろな運営方法や課題などについてトークします。

オルタナティブなスペースがいろんなところにできていって、スペースどうしの交流も増えていけば、世の中もっと面白くなっていく!

オルタナティブ・スペースとは

神長 われわれの身近なところの例で言うと、一九九八年に〈あかね〉っていうのができて、以降二〇〇〇年代中盤くらいからそういうノリのスペースがいくつもできてきたと。

ぺぺ 身のまわりの話だね。

神長 そうね。ある種アナキズム的な、DIY的なノリのスペースがね、盛り上がってきてた。昔からあったのが〈かけこみ亭〉、〈模索舎〉。その後、〈あかね〉、〈IRA〉、〈気流舎〉、〈ポエトリー・イン・ザ・キッチン〉が転じて〈ラバンデリア〉、ほかにも〈なんとかBAR〉、〈素人の乱12号店〉、〈グリゼット〉などなど。「tokyo なんとか」って界隈がなんとなくできて、その頃盛り上がってた。毎月フリーペーパー発行したり、そのあたりでいろんなイベントがあって、それと連なる形でデモやいろんなアクションがあったりしたし、オルタナティブなかんじで生きたい人のムーブメントがあって、〈なんとかフェス〉というお祭りもあった。でも、アナキズム的なものに限らず、やっぱ二〇〇〇年代以降、広い意味でのオルタナティブっぽいようなお店とかスペースとかいろいろできてるでしょう。

ぺぺ もともとあると言えばあるし、増えてるのかどうかは……むしろ知りたい。

神長 明らかに増えてきてるでしょう。だめ連をはじめた頃にはこんなになかった。スローライフ系、エコ系っぽいようなところもできてきてるしね。最近では地方にユニークな本屋さんがあるらしいしね。そういうところがあると、情報交換もできるし、面白い動きが出てくる。お互いのスペースが交流してたりするとより面白くなってくるんじゃないかなっていうかんじがありますけどね。

どうですか、オルタナティブ・スペース全般については。

ペペ　全般っていうと……。

神長　われわれもなんだかんだ言って、ここ二十年くらいの間で行ってるのも、半分以上はそういう場所でのイベントだったり、遊んだりするのもそういうところだったりすることも多いし。そういうスペースとともに生きてきたって言ってもいいくらいだけど。

ペペ　われらの遊び場ですね。

神長　昔だったら大学の地下部室っていうのがね、あったわけですよね、サークルボックスってね。それが例えばノンセクトの学生運動の拠点だったりもしたんだけど、そういうところが軒並み潰されていった。早稲田のノンセクトの部室ってとても面白かったんだけど、おれなんかで言えば、自分がだめ連をはじめたときは、もう学生じゃなかったから。当時はそういう自由な部室のような雰囲気で大人向けの場所っていうのは、ほとんどなかったんだよね。自分はこれからフリーターでずっと生きていこうって思ってたから、大学以外にもそういう自由で面白い場所ができてったらいいなっていうのがあって、〈あかね〉をやりたいと思った。だめ連みたいなオルタナティブな生き方や文化を作っていくっていう意味でも、やっぱそういう拠点というのはすごく重要だった。

ペペ オルタナティブっていうことばがどの程度広まっているのかはわからないんだけど、地下部室っていう話があったけど、アンダーグラウンドとかね、あるいはアジトっぽいとかね。そういうことばでのほうが、自分はしっくりくるというかね。居心地が良さそうなかんじがあるっていうのがあったりして。

神長 それはおれもある。でも、アングラって言うと、やっぱ全共闘とか六〇年代後半とか七〇年代ってかんじがするよね。

ペペ その世代の人にはアングラっぽいって言ったほうがわかりやすいだろうね。

神長 あと、おれはオルタナティブってことばのほうがちょっとポジティブだと思ってるんだよね。より積極性があるというか。アングラって雰囲気とか大好きなんだけど、オルタナティブっていうことばには、「別のものを作っていくんだ」みたいなニュアンスがあってね。

ペペ だけどこれ、われわれの身のまわりにあるオルタナスペースを個々に紹介していくと、たいへんなことになるよ(笑)。

神長 とくに〈あかね〉ね。でもやっぱりこれは自分たちがやってきたことで、知りたいっていう人がいると思うんだよ。

ある程度言える範囲でさ。あんまりディープなところは話せないけど。

ペペ 簡単に押さえるべきことを押さえて話すとか。〈あかね〉の話をすれば、ある程度かぶるところもあるからね。

だめ連の拠点だった〈あかね〉についていま語るべきこと

神長　まず、〈あかね〉について。われわれが一番深くかかわったというか、はじめたオルタナティブ・スペース。

最初に言っとかないといけないのは、いまの〈あかね〉にはわれわれだめ連はかかわってないっていうことね。おれも五年ぐらい前にスタッフ辞めちゃってるし、ぺぺもがんが発覚してからはスタッフやってないし、究極（Q太郎）さんも抜けちゃったでしょ。だからだめ連的なものを求めて〈あかね〉に行っても、われわれはもうそこにいないってことなんですね。そういう状況だよね。おれなんかも、ずっと行ってないし。いまの〈あかね〉はだめ連とは関係がない別のスペースになってる。

だから、これから話すことも、あくまでもかつてのわれわれがやってた頃の〈あかね〉の話。いま現在の〈あかね〉とは別の話です。

じゃあ、はじめた頃の話を簡単に。

ぺぺ　もともとわれわれはわけのわからない人だし、たまり場とか飲み屋みたいなのがあったらいいね、みたいな話はしてたんだけど、究極さんがベルリンに行ってね。当時、冷戦崩壊後のベルリンですね。スクワットハウスっぽいところもたくさんあって、そこにアナキストの人たちが日本から勉強しに行ったんだよね。そこで影響を受けて、東京でもこういうことができたらいいいなと思って作った、そういうながれがある。

できるものはまったく違うものかもしれないけど、そういうインスピレーションを受けてるっていうことはね、たぶん、ほかの界隈のスペースともちょっとかぶるところもあるかな。

神長 九八年ぐらいにはじまってるんだよね。当初はだめ連界隈の人のたまり場的な要素がすごく強かったと思うんだけど、〈あかね〉ができた理由のひとつとしては、だめ連が交流路線で活動していくうちに人が増えて、いろんなイベントに行くとだめ連界隈の人がいっぱい来るみたいなかんじになってて、これは自分たちでスペースを作ったほうがいいんじゃないかという要望っていうか気運があって、それで究極さんが中心になってはじまった。

〈あかね〉は早稲田大学文学部(戸山)キャンパスの向かいにあるんだけど、もともと喫茶店だったところをわれわれに貸してくれた。

ぺぺ ある種の左翼運動的なつながりでそういう話になったというのもあったんですけどね。

神長 うん。基本的に〈あかね〉の形式は自治共同運営で、やりたい人が集まって、最初はスタッフが十人弱かな。おれもオープニングスタッフだった。究極さんとかぺぺとかが中心的で。当時の仲間で集まって、曜日ごとに当番をやって、スタッフ会議を月イチでやってたよね。そこでいろんなこと、今度こんなことやりたいんだけどとか、こんな問題があったとかをみんなで会議して話しあう。

形式としてはバーっていうか飲み屋っていうことでね。料理とお酒とか飲み物を出して、ある程度はその曜日の担当の人が好きにやるっていうかんじでね。開店してる時間は、基本夜。

ぺぺ 終電までっていう人もいれば、朝までっていう人もいたね。昼間にカレー屋をやろうとかいう人もいたけど、まあ長く定着したことはないんだよね。

神長　昼間は昼間でいろんな動きがあって面白かったときもあるよね。で、夜は、究極さんが火・金曜日を中心に週に二、三日ぐらい。ぺぺがずっと木曜日だったんだけど、がんが発覚するまでだね。毎週だいたい朝までやって、それを二十数年間やってたことになるよな。

ぺぺ　まあ、そういうことになるよね。

神長　おれは毎月最終火曜日に「ビッグナイト」っていうのを朝までやってた。

ぺぺ　〈あかね〉の当初の設定は、だめ連色が強かったというのもあって、交流やイベントが軸なんだけど、来る人は社会的に居場所がない人というか、精神的につらいとか友だちがいないっていうかんじの人がけっこう多くて。そういう意味での居場所的な側面もあるっていうかね。

神長　〈あかね〉っていうのは、あんまりちゃんとしたコンセプトやどういう場所だっていう位置づけ、定義づけをしなかったんだよね。スタッフそれぞれ仲良かったからさ、何かあればそのとき話しあえばいいでしょ、というノリだった。

とにかくオープンな雰囲気で、要するにだれでも出入りできる場所みたいなかんじではじまってるんだよね。でも、実際にはじまってみると、だんだん精神的なつらさをかかえた人が多く来る場所というふうに変わっていった。でも、これは最初からそうだったわけではなくて、当初は活動家っぽい人やアート好きな人が多かったと思うんだけどね。やっぱり敷居をすごく下げて低くして、だれでも来られるようにしようってなったときに、ほかに行き場がないような人が来るのが増えていったと。

オルタナティブ・スペース、とくに〈あかね〉を考えるときにひとつ大きなポイントになってくるのは、「出禁(出入り禁止)問題」ね。いろんなトラブルが起こるわけですよね、実際にはじめるとね。だけど、「なるべく出禁をしない」というのが姿勢としてあったよね。そうすると……。

ペペ まあ日常的にトラブルが連続するっていうね。

神長 話しあいになるわけだけどね。

ペペ そればっかりやってるっていう(笑)。

神長 そう(笑)。だからなんて言うのかな。おれも最初の頃はすごく楽しかったんだけど、だんだんそういうことが増えてくるから徐々につらくなってきたっていうのは正直言ってあったよね。〈あかね〉ってある意味、オルタナティブ・スペースのなかのオルタナティブっていうか。スペースでもそうだし、いろんなグループでもそうだけど、それぞれの色(カラー)って必ずできるよね。それぞれにやんわりとだけど、ウエルカムな人とそうでない人みたいな境界があるじゃないですか。

ペペ まあラインっていうかね、文化的なね。はっきり言われてなくても、なんとなくある。

神長 雰囲気でね。〈あかね〉の場合はそういうのをなるべくなくしたいっていうか、そういう方向性がすごくあったと思うんだよ。障がい者運動にかかわってた人も多かったからっていうのもあるかもしれないけど。

ペペ 簡単に言えば、居場所がない人もいられるようにしようっていう、そういうラインがあるわけですよ。

神長　それは明言はされてなかったよね。スタッフ個々人の色彩があったけど、その点では究極さんの色彩が強いわけですよね。

ぺぺ　されてない。

神長　お互い別に確認して明言したわけじゃないけど、ぺぺの中にもおれの中にも、「いろんな場所でウエルカムされない人はその場所に行きにくいって問題があるんじゃないか」っていう現実認識が、なんとなくあったでしょ。そういうことがやっぱり気になっちゃう。で、〈あかね〉はなるべくそういうふうにならないようにしたい、みたいなのがあったと思うけどね。

ぺぺ　まあそうだよね。

神長　で、なおかつぺぺや究極さんは、よりそういう人のほうに気持ちが向かってるみたいなのがあったと思うんだけど。

ぺぺ　うん。

神長　だめ連ということもあって、そういう空間になっていった。そうすると今度は、そういう、ほかの場所ではそんなに歓迎されないような人がいっぱいになっちゃって。そうすると、そうでもないかんじの人が逆に来づらくなってくるような、独特の雰囲気がだんだんできてったっていう、傾向としてはそういうのがあったというのはある程度言えると思いますけどね。

ぺぺ　それはあるんじゃないですか。だって、〈あかね〉は差別されてるなってよく思うからね。

神長　どういうふうに?

ぺぺ　「え！　〈あかね〉っすか？　えっ！」って（笑）。恐れられてるというか、差別されてるっていうかね、そういう側面はある。随所にある。

神長　来ない人はぜんぜん来ないからね。来たことないとか。あるいは一、二回しか行ったことないっていう人はいっぱいいいるでしょ。

ぺぺ　ラインを引かれてるから、〈あかね〉が。

神長　敷居を低くして門戸を広くしたつもりが、逆に狭き門になっちゃってるような。でも――おれもそうだけど――、実際に来ても、楽しいときもあったけど楽しくないときも多かったっていうかね（笑）。微妙なんだけどさ。ある種のオーラがあるっていうかね。

ぺぺ　「居場所」というようなことばは、いま、けっこう使われるようになってきてると思うんだけど、「ほんとにやったら大変なことになるぞ！」っていうことはみんな知っといたほうがいいんじゃないかと、そういう気もするね。

神長　当時は「うつ」とか「メンヘラ」とかっていうのが一般化する前だったんだよね。「生きづらさ」とかっていうことばが出てくる前だった。

ぺぺ　われわれは「こころ系」っていうことばを使っていたよね。

神長　それと、だめ連がテレビや新聞とかマスメディアにやたらと登場するようになって、それまで交流してた人と違うかんじの人たちがだめ連や〈あかね〉に来るようになった。

まあわれわれ、「だめ」とはいっても中産階級出身の大卒なわけで、交流する人もなんだかんだ言ってやたらとインテリな人とか文化的な人たちばかりだったわけだけど、ぜんぜんそうじゃないような人たちとも交流するようになった。これはおれもぺぺも究極さんもなにげに望んでいたことでもあったのでうれしかったという。

仕事も家も所持金もなく友だちもいない人が、雑誌の記事でだめ連を知って〈あかね〉に来て、しばらく〈あかね〉で寝泊まりしながら社会復帰してったということもあったね。

〈あかね〉のイベントなど

神長　初期の頃は、毎年一回ぐらいみんなの描いた絵を展示して、〈あかねグループ展〉とかやってたね。表現する人も多かったから、詩の朗読会とかミニコミを作ったりとかしてた。イベントは無数に行われてたからとても挙げきれないけど、〈ベーシック・インカムを語りあう会〉とか〈サパティスタ・ナイト〉とか、あと、「ヴィパッサナー瞑想」に行った人の報告会とか、ほんといろいろ。

木曜日はどういうかんじでやってたの。

ぺぺ　おれはだいたい十九時か十九時三十分くらいに店を開けて、基本朝までやってた。

神長　ぺぺ・ナイトでも、深夜過ぎると終電で帰る人もいて少人数になるでしょ。だいたいどんな話してたの？

ぺぺ　それはその時々だとしても、まあだいたい性の話とかが多いわけだよ。人生について語りあう。

神長　おれは最初の三年くらいスタッフやって、その後辞めちゃって、またイカさんと一緒に復活して、それでその後四、五年くらい〈カミイカナイト〉ってやってたかな。その頃にたくさんイベントやってた。

あとだめ連のイベントもけっこうやってんだよね。ぺぺのがんが発覚して、生きる意味について語りあったでしょ。

ぺぺ 〈生きる意味〉、やりましたね。

神長 ヴィクトール・E・フランクルの『死と愛』を読んだりして。あと、〈No Limit〉のときは〈アジア変態交流〉。ほかには、〈選挙結果について語り合う〉とかね。三・一一の後には〈3・11世界の激動の中これからいったいどうやって生きていったらいいのか〉とか語りあった。

ぺぺ 重要だねえ。あと、〈あかね〉の規模がだいたい十五人くらいなんだけど、小さいところでそんなに人が多くなくて話しあいをするというのは、それはそれで良さがあると思うんだよね。親密性が高まるというかね。まあ敵対性が高まる根拠でもあるんだけど。

神長 そうそう。どっちも起こりやすいよね。〈あかね〉にもだめ連にもある特徴だと思うけど、距離が近い上での交流だから。仲良くもなりやすいんだけど、ケンカやトラブルがあったときに逃げにくいんだよね。ちょっとあの人と距離をとりたいっていうときに、物理的な距離がとりにくい。あと、ざっくばらんでくだけた交流だとセクハラも起こりやすいということもあったと思う。そもそもあんまり人と交流したことがないという人も少なくなかったし。

セクハラに関しては大きな課題になってみんなでよく話しあってた。

〈あかね〉はいのちの場所

神長　〈あかね〉でもうひとつ特徴的だったのに共同運営というのがあるよね。スペースって、ある程度ヘゲモニーをとる人がいて、その人中心のスペースとしてやっていくと、ルールも決めやすいし何かとスムーズにいきやすいというのもあると思う。その点、共同運営っていうのは大変だなって思ったね。

　とくに〈あかね〉は、ユニークな人っていうか、独特で濃いキャラクターの人がいっぱいスタッフとして入ってくるから、ただでさえ共同運営って大変だと思うんだけど、〈あかね〉を共同で会議してやってくっていうのはすごく難しかった。

ペペ　あとやっぱりね、ほかに居場所がないという人が多いからね。そうなると危ないんですよ。そういう居場所を一か所にしないでくださいって、研究者とかの間ではそういうふうにやっぱ言うらしい。命がけでそこを守るとか、ここを失ったら自分が終わりだってなっちゃうから、すごい大変なことが起きる。いろんな場所があったほうがいいっていうのは、本当に現実的な意味もあるわけだよ。

神長　〈あかね〉で起きたトラブルとかも、けっこうその要素が強いと思う。

ペペ　そうだよ。

神長　ほかに行き場所がない人にとっては、居場所としてすごい重要なわけ。

ペペ　いのちの場所だよ。

これが厳しく転ずると、要するに「ほかに行き場がまったくない人たちがいつもいる場所」になるんです。ほぼそうなるんだよね。やはりこれは、似たようなことをやったら必ず起こることでもあるだろうし、たぶん、精神障がい者の支援とかやってる人たちならみんなすでに知ってることだと思うけどね。

居場所問題とか、パンディットでやったイベント［〈だめ連 語りあいの夜〜絶望とのたたかい「絶望犯罪」の多発からいまを考える〉］みたいな話をやっていくと、〈あかね〉の話になる側面もあるんだよ。

神長 人生煮詰まった人が起こした刺傷事件や放火事件のことを、だめ連では「絶望犯罪」と呼んで、みんなで語りあった。失業、孤独、劣等感……。これらは、だめ連的なテーマだけど。

突きつめると、この社会のなかでの孤独というのが一番のポイントかなと思うけど、まさにだめ連では交流というのがメインの活動なわけで。

でも、われわれもだめな人ならだれとでも交流できるというわけでもない。気があう、あわないというのはどうしてもあったりして。無理に交流するのもつらい。まあわれわれとじゃなくても、ほかの人と仲良くなれればいいわけで、実際だめ連でも〈あかね〉でもそういうことはよくあって、孤独だった人で友だちができた人はたくさんいた。

ぺぺ うん。

神長 それと、いろいろあって人生こじらせちゃってるっていう人はいて、そういう人たちの心が開くようにと交流していたと思う。まあ、おれなんかよりとくに究極さんとぺぺは、かなり粘りづよく交流していたわけで。来る日も、来る日も。それこそ、五年、十年とか……。

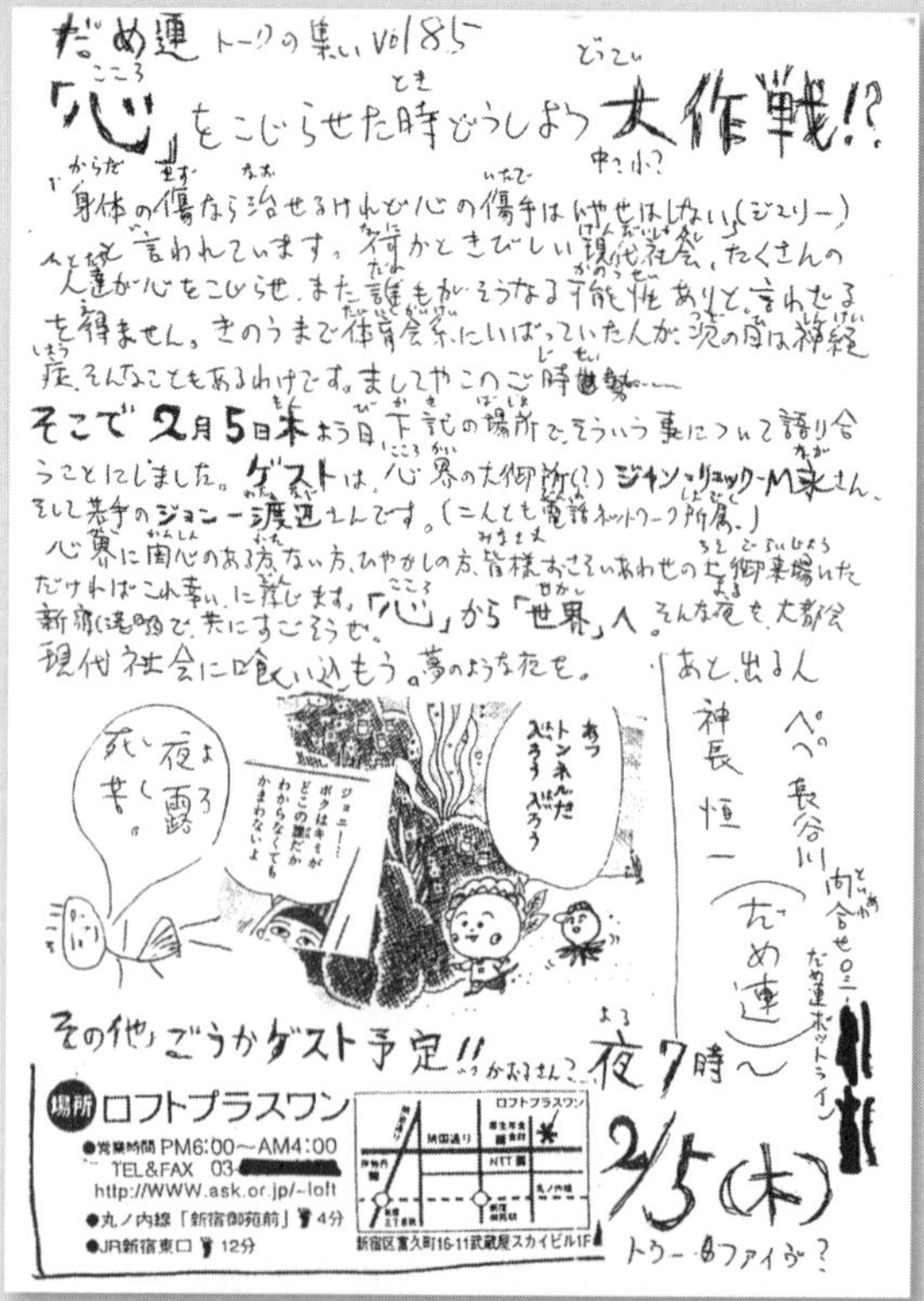

だめ連の周辺には精神的にキビしい人も多く集まった。〈あかね〉の店内とシャッターの降りた〈あかね〉。

あとはやっぱり、精神疾患をかかえてる人の困難さというのはあって、いろいろなことがあった。当時だめ連や〈あかね〉に来てる人には、自殺していってしまう人も何人もいた。どうしたらいいのかよくわからないまま交流していた。自分なんかは、交流しきれないときもあった。ただ、亡くなってった人も、だめ連や〈あかね〉でいい交流、楽しい交流というのもたくさんあったなと思う。もう少し交流すればよかったという後悔はある。

ぺぺ　うん。

〈かけこみ亭〉

神長　〈かけこみ亭〉は古くからあって、二〇二一年で三十年になったんだよね。JR南武線の谷保駅近くの地下にある。店主というか「現場担当者」がぼけまるさんといってフォーク・ミュージシャンの人で、基本は飲み屋なんだけど、ライブとかイベントが多いっていうね。

ぺぺ　やっぱり名前が重要なんじゃないかっていうね、〈かけこみ亭〉って。駆け込む場所っていう考えというか思想というか、ね。

神長　そうそう。これはぼけまるさんがたまに言ってるんだけど、一回お店を閉じようと思ってたことがあったんだって。

その頃に三・一一の大地震があって。地震の影響で電車が止まっちゃったでしょ。そんときに常連の人が駅前に行って、「家に帰れなくなった人どうぞ。泊まれますよ」って声をかけて、〈かけこみ亭〉に何人か泊まったんだって。それがあって、ぼけまるさんは、こういうこともあるんだ、それでまだやろうってなってお店を続けているという。

その後、〈かけこみ亭〉界隈の人たちで「反原発デモ」をやったりとか。なんだかんだ言って、自分がこの十年くらいでよく行ってるオルタナスペースっていうと、やっぱり〈かけこみ亭〉かな。基本、空いているのは夜ね。

ぺぺ　昼は何かしらの活動に貸していることもある。

神長　ぼけまるさんがミュージシャンだっていうこともあって、いろんなミュージシャンのライブをやってるけど、実は豪華っていうか、すごいミュージシャンもたくさん出てる。エクペリとか宮城善光さん、知念良吉さん、朴保さん、李政美さん、パギやん、中川五郎さん、よしだよしこさん、三上寛さん、豊田勇造さん、館野公一さん……。げんきいいぞうさんも毎月やってますよね、〈げんきいいぞう、かけこみ亭から吠える〉。

ぺぺ　あと〈カラオケ新年会〉ね。これは「遊ぶ」のところで話しましたね。

神長　恒例の人気イベントがいろいろあって、常連の古《ふる》さんの〈詩の愛LOVE悠〉っていう詩の朗読会とかね。〈かけこみ亭からアイをこめて!〉っていう企画を月に二回くらいやってて、〈かけこみ亭〉界隈のミュージシャンが一人数曲ずつ歌ったり。

ぺぺ　「つらい時、苦しい時に駆け込める場所です」ってビラに書いてある。

神長　懐が深いというか、「出禁」みたいなことが少ないっていうか。いろんな人が行きやすい。

ペペ　「いろんな人」っていう設定が、もうおれらはおかしくなってるから(笑)。

神長　文字で「いろんな人」って書いても、おれらの頭に浮かんでるような人っていうのがさ、普通浮かばないと思うんだよね。

ペペ　相当かたよってるんじゃないかっていう。グッヒヒヒ(笑)。

神長　例えば、おれはいま、ある人を思い浮かべて話してるんだけど、説明のしようがない。その人が〈かけこみ亭〉でカネを払って何かを注文してるのを見たことないからね(笑)。〈かけこみ亭〉はライブとかでも基本「投げ銭制」でやってる。

ペペ　ある程度歌で生活している人の場合は、二千円とかそれなりの額を取ってやるっていうことじゃないですか。

神長　イベントのときは食べ物もぼけまるさんが作ってくれて、それをみんなでカンパ制で食べたり。

ペペ　これは普通の人はびっくりすると思うんだけど。

神長　ぼけまるさんの〈生前葬大会〉の一回目(二〇二〇年八月九日)をやったときかな、コージ君が語ってたけど、あれはやっぱり〈かけこみ亭〉のひとつの肝なんだよね。ぼけまるさんが料理作って出すでしょ、あれねえ、けっこうお金払ってない人いると思うんだよね。おれも払ってないときあるんだけど、でも試されるわけ、自分が。ぼけまるさんは懐が深いから、そんなのぜんぜんチェックしてないと思うし、払えともまったく言わない。それはもう、こっちの気持ち次第なんだよ。前回払い忘れたなと思って今回いっぱい払うってこともあるし、ちゃんと払うことももちろんあるわけだけど。払ってなさそうな人もいて、そういう人がばかすか食ってたりとか(笑)。あれはすごいよね。

ビールも自分で冷蔵庫から出して自分でお金を缶に入れる。

ぺぺ ああいうやり方って面白くてね、おれも〈あかね〉をやってるときに自己申告制にしたんだよ。伝票つけるのもめんどくさくなって。なんでつけなきゃいけないんだって。嘘つく人ってそんなにいないよ。

神長 面白いんだよね。つまり、お金が基本の社会なんだけど、それに対する態度にはちょっと自律的な領域があって。お金なのか人と人のつながりなのか、「あれ?」ってなるのが面白い。損得っていうのとちょっと違うところはあるんだなっていう感覚が生じるとかね。

ぺぺ ひとつの洗礼っていうか、資本主義的なかんじじゃないっていうかね。

神長 性善説と性悪説でいうと、普通は性悪説で回ってるんですよね、この社会はね。だからああいうのを見ると、「あれ?」ってなるんだけど、「実際どうなの」ってやってみると、そんなに悪くないいんじゃないかっていう。

ぺぺ それがひとつの文化なんだろうな。

神長 なんか雰囲気がいいんだよね。昔のお寺みたいな空気があんのかなって。

ぺぺ だって「駆け込み」なんだから。名前そのものがそうなんであって。

神長 あと、高円寺の〈なんとかBAR〉もそうだけど、「反原発のデモ」はそういう場所があってできたっていうのもあるよね。

神長 みんなでそこに集まって話してね。

あと地方や海外との交流も盛ん。ぼけまるさんが日本中のいろんな人とつながってたり、常連のふみさんとかマリオさんとかがいろんなところを旅してつながっている。台湾の「アクティビスト」が何人も来てたし、ヨーロッパからも「アナキスト」が来てたときもあるし、「世界のかけこみ亭」っていうかね。独自のネットワークがある。

ぺぺ でも、ここもさわやかないいスペースです。

〈なんとかBAR〉

神長 高円寺の〈なんとかBAR〉って、一般的に説明するとどんなかんじなんだろうね。

ぺぺ 〈素人の乱〉の場所のひとつというかんじもするけれども。共同運営だけど〈あかね〉と違うのは、方法論としてはお金のことは自由に一人ひとりの裁量でできるっていうこと。雰囲気その他全部違うけど、なんていうか、比較的さわやかな場所なんですね。アッハッハハ(爆笑)。

神長 日替わりでその日のスタッフがいるのは〈あかね〉と似てるんだけど、〈あかね〉の場合は途中から収益はすべて運営費になってたよね。どこのスペースもそうだろうけど、家賃問題が大きくて。

二〇二〇年には、〈なんとかBAR〉十周年イベントがライブハウスであって、おれらもちょっとトークさせてもらったよね。ぺぺはほぼオープン当初からやっているでしょう。

ぺぺ まあ早々とね。隔週の金曜でやってたんだよね。二〇一〇年からだから、だいたい十年やった。楽しかったよねえ。
神長 だいたい朝までやってたでしょ。
ぺぺ もちろん。
神長 朝までっていうか翌日の昼までやってただろ。
ぺぺ そのまま寝ちゃって夕方になっちゃってね。怒られちゃったね。
神長 盛り上がりすぎちゃってなあ。
ぺぺ 家が近いから、いつでも帰ればいいやと思って寝ちゃう。
神長 おれもよくぺぺの日に行った。ぺぺ寿司［三一ページ写真］食ってね、名物の。客層が〈あかね〉とは違う。イベントはたまにやるかんじかな。
ぺぺ 台湾から来ただれが店番やってるとか、それ自体がイベントみたいなノリだよね。
神長 おれもイカさんと何度か店番やったときは〈カミイカナイト〉って言ってやってた。ほかにも友だちがけっこうスタッフに入ってて、そういうときも遊びに行ったよね。でもイベントもあったね。だめ連忘年会をやったこともあったし、あと都知事選のとき、ぺぺと宇都宮健児さんが話すっていうイベントもあった。
ぺぺ おれが話せなくなっちゃったんだけどね、緊張して。
神長 〈なんとかBAR〉はおれもよく飲みに行ってて、都心でイベントとか抗議活動の後に寄ったり。ふらっと行くと知りあいに会えたりして楽しい場所ですね。
ぺぺ こうやって振り返ると、〈なんとかBAR〉ができた次の年に〈原発やめろデモ!!!〉っていうながれだったんだね。それもあって、あのあたりが人が集まる拠点になって。おれはもうずーっといたからね、〈なんとかBAR〉に。原発事故の頃。一人になりたくないからね。

神長　なんで一人になりたくないの。

ぺぺ　寂しいから。ウキッキッキ(笑)。パニっていたわけだからね。

神長　じゃあ、救われたじゃん。

ぺぺ　いやあ、そうだよ。

神長　一人で家にいるとキビしくなっちゃうみたいな。

ぺぺ　パニる。いまも戦争のことをいろいろ考えるんだけどね。

神長　暗い出来事があって一人で家で考えてると、やっぱりうつうつとしてきちゃうっていうのはあるよね。

ぺぺ　いやあ、頭おかしくなるって。「コロナうつ」みたいなときからそういった話をしてるわけだけど、ますます頭がおかしくなるよなあ。

神長　原発事故のときは連日〈なんとかBAR〉に行ってて救われたと。それを考えるとコロナは厄介だよね。

ぺぺ　そうなんですよ。この違いはすごいことだよ。まあ、さわやかないいスペースです。

〈気流舎〉

神長　〈気流舎〉は二〇〇七年ぐらいにできたと思うんだけど、加藤さんっていう人がはじめた下北沢にある「対抗文化専門古書店」。

基本、カウンターカルチャーの古本屋さん兼カフェ。店内は加藤さんがセルフビルドで造った。初期の頃によく行ってた。最初加藤さんがやってて、原発事故の後、加藤さんが移住して、その後は共同運営でやってる。

〈気流舎〉っていう店名は真木悠介（見田宗介）さんの『気流の鳴る音』っていう本から取ってるんだよね。見田さんが来てトークしたこともありましたよね。

ぺぺ　対抗文化といってもいろいろあるけど、ヒッピーカルチャー気味っていうことですよね。

神長　貴重な本がいろいろある。レイヴで踊ってたとか、旅好きな面白い人が多かった。

われわれもいくつかイベントをやってて、「だめ連ラジオ」で、ぺぺのインド旅行と運営メンバーのハーポ部長がお遍路行ったときの話を公開収録したり。昔「Radio Freedom」っていうネットラジオを、ココペリさんと鶴見済《わたる》さんと一緒にやってたんだけど、〈気流舎〉がオープンする直前に公開収録イベントをやったんですよね。

あとアコースティックなライブもやってたよね。

ぺぺ　子どもが憧れる秘密基地みたいなかんじがあって。そこがメルヘンぽくていいんだよ。

神長　人気のイベントのときは、二十人くらい来て、二階のロフトまでよく満員になってた。

ぺぺ　町の一角の小さなところにあんな場所を作れるっていうのは面白いことだなって。
神長　よくイベントの帰りに、家が同じ方向の人と吉祥寺まで井の頭線に乗って帰って仲良くなったりしたな。
　　　獏原人村の〈満月祭〉に行ったときは、向こうで〈気流舎〉の人たちと合流して一緒に遊んだりして、帰ってきてから〈気流舎〉で打ち上げをやったよな。
　　　日本の昔のヒッピームーブメントのイベントなんかもやってて、今後のオルタナティブな生き方を模索する上でとても参考になるよね。
ぺぺ　さわやかないいスペースです。気流が鳴ってる。

〈イレギュラー・リズム・アサイラム（IRA）〉

神長　〈IRA〉は新宿にあるインフォショップ。アナキズムやフェミニズム系の「zine（ジン）」とか自主制作CDとか、そういうDIY文化のものをたくさん扱っている。
ぺぺ　パンク、アナキズム系。
神長　海外のアナキストとかとつながってたり。
ぺぺ　なんだっけ、アナキスト手帖みたいなのがあって、いろいろと場所が書いてあるんだよね、日本だったらここに行けとか。

神長　あれ、「Slingshot Organizer」って言うんだよ。巻末に世界中のアナキズム系のショップとかスペースが載ってて、東京ではここで取り上げてるようなところが載ってるんですけどね。〈IRA〉もよくイベントをやっている。あと、「A3BC」っていう木版画のグループや「NU☆MAN」という縫い物のグループが集ってたり。〈革命的Tシャツ木版画ワークショップ〉っていうイベントがあったときは、版画彫ってTシャツにプリントして楽しかった。

われわれもイベントやったよね。アナキストの栗原康さんをゲストにトーク〈ダメになって思うぞんぶん生きるアナキズム〉って。

ぺぺ　ユーチューブにありますね。

神長　二〇一四年の十周年記念のときは、ロバートDEピーコで歌ったでしょ。

ぺぺ　やりましたね。

神長　おれがいきなり床にビールこぼしまくっちゃって(笑)。

ぺぺ　この間、久しぶりに行ったけどね。これからの時代、一番重要なスポットのひとつなんじゃないですかね。

いや、普通に世界のことを話せるっていうことは大事かなと。なんだろうね、みんなも求めていると思うけど、本当に意味のある情報って、やっぱり場所のあり方とかそういうものによって最終的には違うんです。スマホやってりゃいい情報が入ってくるってこと、ないじゃないですか。

神長　ないない。ヨーロッパのアナキストから聞いた〈カネを使わない旅の作戦、裏ワザ編〉とかね

(笑)。

ペペ　現実の場所とか、積み重なってきた文化っちゅうもんが重要になってくる。世界規模の動乱期に入ったわけですからね。

神長　そのスペーススペースでの特色、〈IRA〉なら〈IRA〉ならではの積み重なってきた人のつながりっていうのがあるわけで。直接交流すると、その人の息吹をかんじられて刺激になる。海外のアナキストなんて、突き抜けっぷりがすごいからね。反資本主義の確信っぷりとか、ハンパない！

資本主義に抵抗している人、違う生き方を実践している仲間たちは世界中にたくさんいるという当たり前のことがリアルにかんじられる。

ペペ　さわやかないいスペースです。

〈ラバンデリア〉

神長　〈ラバンデリア〉は、アナキズム系、反資本主義系のカフェだよね。サパティスタ・コーヒーとバナナジュースがうまいという。

ペペ　新宿にある……さわやかな(笑)。

神長　以前は〈ポエトリー・イン・ザ・キッチン〉っていう名前で飯田橋にあって、そのながれだよね。基本はカフェで、やっぱりライブとかイベントたくさんやっててね。

デヴィッド・グレーバーの『負債論』が刊行されたときは、訳者の酒井隆史さんのトークイベントがあったね。ちだ原人のライブもよかったな。昔〈働かない哲学カフェ〉っていうのもやってた。

おれらも〈ノー資本主義フリーダムパーティー〉っていうイベントをやって、そのときは映画上映してライブやって、〈素人の乱〉の松本君をゲストに〈ダメとマヌケの反乱作戦会議〉っていうトークしたり。

ぺぺ　なにげにちだ原人やってたよね。

神長　ジャマルさんのお別れ会もあったね。あと、おれはアウトノミアの映画『ラジオアリーチェ』上映会で毛利嘉孝さんとトークしたり。〈かりん燈関東〉で「厚労省交渉意見交換会」したときの報告会もやりましたね。

ぺぺ　大麻のイベントもやったね。

神長　あったなあ。あれ、〈マリファナ・マーチ〉の関連企画じゃなかったっけ。ほかにもいろんなイベントに行ったな。DJイベントで踊ったり。

猫がいた。かわいい猫が何匹か。あと入れ墨のスタジオもあった。

いまは一度閉店してるけど、どこかでまた再開してほしいね。

〈素人の乱12号店〉

神長　じゃあ、次は〈素人の乱12号店〉。高円寺の北中通りにある。
ぺぺ　どこもそうなんだけど、ここもいろんなイベントをやってるよね(笑)。
神長　ここは本当にイベントスペースだからね。
ぺぺ　いろんなイベントが安くできていいんじゃないかっていうねえ。
神長　〈だめ連忘年会〉をやったこともあるし、〈PINCH!〉[「戦争と治安・管理に反対するPINCH!」ぺぺも呼びかけのひとり]のイベントやったでしょ。〈NAFTAから二十年、自由貿易に抗う人々〉。
ぺぺ　あんま覚えてないんだよなあ。
神長　キミ、いちおう主催でしょ(笑)。あと、〈かりん燈関東〉の定例会も一時期ここでやってたよね。
ぺぺ　あ、そうだよね。
神長　ここも本当にいろんなイベントに行ったなあ。

〈お店のようなもの〉

神長　横浜にある〈お店のようなもの〉っていうのは、野宿サークル「野宿野郎」のかとうちあきさんがやっているお店のようなもの(笑)。
安いお酒と料理があって、ざっくばらんに自由に楽しめる。不定期営業でたまにやってる。
ぺぺはまだ行ったことないでしょ?
ぺぺ　気になってるんですけどね。

神長　前に〈多摩&横浜アナーキー　春のつどい〉ってイベントを二日間やって。初日はライブとトークして、夜は近所の公園でみんなで寝袋にくるまって野宿。翌日昼間、寿町を散歩して夜またイベントやったっていう。楽しかった。

近くに横浜橋商店街っていう商店街があって、ここもシブくて雰囲気良くて、散歩すると楽しい。

かとうさんたちは横浜で野宿イベントをよくやってる。レイヴやったり、前は〈横浜一揆〉ってデモもやってた。

〈ときわ座〉

神長　〈ときわ座〉は高田馬場に二〇一九年にできた貸しスペース。広いのね。
ぺぺ　流行の古民家改築系ですよね。ヒッヒッヒッヒッヒヒッ（笑）。古民家はすばらしいですね、居心地がね。古民家まではいかないか。築七十年くらいで部屋がいくつもあって。かつては寿司屋、花屋、雀荘だったという。
神長　三階まである。「スペース界の衝撃」って、ぺぺは言ってたよね。
ぺぺ　住みたくなる。帰りたくなくなる。
神長　だめ連忘年会を二回やらせてもらったけど、延々といたもんな。〈ときわ座〉ができたとき、〈創業祭〉ってやってて、〈ときわ座〉をやってる歌ちゃんとタローさんをみんなで胴上げしたんだよ。大きな台風があった翌日だった。あと、〈平和について考える〉っていうイベントは忘れられないですね。広島で被爆体験したタローさんのお母さんの話をみんなで聞いた。

爆心地の近くを直後に歩いてるんですよね。小学生の女の子二人で、途中大けがした人を二人で助けて家まで送り届けたりしながら。そこで一泊させてもらって、翌日やっとの思いで家があった場所にたどり着いたら、あたり一面焼け野原になってたという。

ペペ　何十年後かに「被爆手帳」をもらいに行ったときに、役人から、「あなた生きてるわけないじゃないですか。そんなところにいたら」って言われてる。

神長　お話のあとにライブやったよね、ロバートDEピーコで。

ペペ　感慨深いですね。「核爆弾はいらねえ」ってことで。

神長　うん。あれは本当に、特別に重要なイベントでしたね。やっぱり戦争体験した人の話を直に聞くと違う。

ペペ　おれはそんなに旅するほうでもないけれど、古い建物を利用してやってるお店みたいなのも増えてるかんじがするんですけどね、地方でも。そういう意味では普通って言えるかもしれないけど、ああいうかんじでやってるんだったら、なんかいいなって。居心地がいい。

神長　たまにタローさんが鍋を作ってくれたりしてね。これがまた絶品なんですよ。

MENU

お店のようなもの 2号
辛口

さまざまなオルタナ・スペース

左ページ：上は〈なんとか BAR〉。中段は〈ときわ座〉での忘年会。〈IRA〉での栗原康さんとのトークイベント。

右ページ：上は高円寺〈パンディット〉でのイベント〈だめ連のメディアアクション〉。中段は〈気流舎〉。左下は〈お店のようなもの 2 号店〉。右下は〈ロフトプラスワン〉。

高円寺〈パンディット〉

神長　〈パンディット〉は高円寺にあって〈素人の乱12号店〉の手前にあるんだけど、〈ロフトプラスワン〉で働いてたテツオさんが店長をやってて、ちょっとロフトに似ててサブカル系のトークライブハウス。
　その日によってイベントの内容がぜんぜん違うんですね。だめ連でも何度かイベントをさせてもらっていて、〈だめ連トークのつどい～自殺といじめを無くすには!!!〉っていうのをやったり、〈だめ連のメディアアクション〉ではだめ連のドキュメンタリー映像と映画『にくだんご』を上映したりとか、〈だめ連 語りあいの夜～「絶望犯罪」の多発からいまを考える〉というのもやりましたね。

ぺぺ　「絶望犯罪」はいいタイトル、重要なテーマだと思います。これはずっと継続してやり続けている意識でいますけどね。

神長　ここは二十人から三十人くらい入れて、みんなで語りあうには適度な広さ。「絶望犯罪」のイベントのときも客席から発言が相次いで盛り上がった。

〈soup（スープ）〉

ぺぺ　〈スープ〉が一番重要なんじゃないかっていう気もしてくる。

普通の人たちがはじめた場所で、別に対抗文化とかっていう看板がないんだよね。場所は新宿の落合で、もともとの友だちとかで、自分たちの遊び場所を作ろうよっていうノリではじめたんだよね。それでずっと続いてるしね。質が高いんだよ。

神長　もともとテクノとか好きな人たちで、イベントも音楽中心だよね。だから音とかもすごい凝ってるし、みんなＤＪをやったりするし。

ぺぺ　普通に人が集まるところができるっていうのは面白いね。おれらとか、ちょっとイデオロギッシュなところがあるから。そういうんじゃないから、普通の人が一番参考になるのはああいうとこなのかもしれないなとか思うときもある。

神長　最初は偶然知りあったんだよな。

ぺぺ　タスマニア島出身のポールさんがたまたま〈あかね〉に来て衝撃受けて、「やばい、やばい。あそこ行ってみな」って言って、それでダイスケ君とかが〈あかね〉に来たんだよ。

神長　〈スープ〉の人は〈あかね〉を意識してたらしいよ。

ぺぺ　これはウケるんだよ。ダイスケ君がいろんな人に、「〈あかね〉をモデルにして〈スープ〉を作った」って言うんだけど、だれも信じないんだよね。

神長　アッハッハッハ（爆笑）。〈スープ〉はおしゃれでぜんぜん違うけどね。

ぺぺ　これはちょっと面白いよね。

神長　それであいうふうになるっていうのは面白いね。いいじゃんね。〈スープ〉も友だちで共同で運営してるんだよね。

ペペ　あまりくわしく知らないけど、うまくまわしてるんだと思うよ。地元出身で遊んでいる人たちが集まると、あのくらいのことができるんだよなって思ってね。

神長　幼なじみなんだよね。テクノのＤＪイベントとかいろんなライブをやってて、「つちっくれ」のライブもあったし「せいかつサーカス」のライブとかもね。ペペ長谷川のイベントもあったよね、〈スーパーフリー〉っていうナゾのイベント(笑)。

ペペ　あれは、めちゃくちゃなイベントだった。グッヒャヒャヒャ(笑)。

〈ロフトプラスワン〉

神長　九〇年代に初めてできたトークライブハウス。サブカル系とかのトークイベントを日替わりでやっている。

かつてはだめ連のイベントを定期的にやらせてもらってましたね。

ペペ　大変お世話になりました。

神長　トークイベントブームみたいなのは、ロフトあたりから出てきたんじゃないかな。映画とかでもトークイベントをやったり、本を出してもトークイベントとかさ、すごくトークイベントっていうのが増えたと思うんだよね。ひとつの大きなきっかけだったんじゃないかな。

だめ連は〈だめ連トークのつどい〉ってイベントをよくやっていた。有名無名のいろんな人をゲストに招いて、仕事、性、生きづらさ、運動など、いろんなテーマで語りあった。毎回だいたい客席でとんでもない発言する人が登場して、爆笑が起こってた。深夜は〈クラブだめトランス〉ってやっててね。おれや友だちが素人ＤＪやってゴアトランスかけて踊ったり。「だめ連愛のボトル」なんつってね、みんなでカンパしてボトルを入れて、カネのない人はそれを飲んで、延々と翌朝まで好きに遊ばせてもらってたっていうね。いろんな人との出会いがあった。ありがたいね。

ペペ　これは難しいところなんだけど。さっきまで挙げてたようなところは、おれらもよく行く遊び場みたいなところで、それはおれたちは行きやすい。けど、〈ロフトプラスワン〉みたいにお金を取って普通にやる場所のほうが、普通の人は行きやすかったりするっていう。だから、そういう場所でイベントをやるのも意味があるなって。やっぱり「いきなりは無理っしょ！」、みたいなね。

神長　オルタナスペースって距離感が近いからね。だめ連交流会も昔は公園とか路上でやったけど、考えてみるとかなりディープだから、初めての人とかはロフトとかのほうが来やすいんだよね。ちゃんと普通にお金払って入場して距離感があるから。

ペペ　帰ろうと思えば帰れるもんね。距離感が近いと、帰ろうと思ってもなかなか自分のタイミングでは帰りづらい。だから行きたくないっていうのもある。

神長　おれなんかは、「〈ロフトプラスワン〉ってお金がかかるからな」と思うけど、ロフトのほうが人がいっぱい来るんだよな。ロフトでイベントやると、だいたい初めての人ばっかりだったからね。逆にだめ連交流会とかってやると、常連しかいないっていう(笑)。カネはあんまりかかんないんだけど、ハードルは高い。

〈模索舎〉

神長 〈模索舎〉ね。新宿にあるミニコミなんかも置いてる本屋さんですね。品揃えがいい。最近は独立系のユニークな書店がいろいろできてるけど、そのハシリなんじゃないかな。ずーっと続いてる。

ぺぺ よく行ってるよ。店員のひょうろくとトークね。ヒッヒヒヒ(笑)。

神長 だめ連でミニコミ『にんげんかいほう』を出してたときはけっこう売れてた。ほかにも究極さんとかがいろんなミニコミ作ってて盛り上がってた。ミニコミ作ったらここで取り扱ってくれるという重要な場所。

だめ連で一日店長やったこともあったね。だめ連界隈のミニコミ並べて「だめ連フェア」をやってくれた。

その3……アクティビズム

イベント

いろいろな問題が世の中にはあるわけだけど、そのテーマのイベントをすることで、周知させることができる。くわしい人に話してもらって、みんなで語りあうと、いろいろな視点に気づくことができる。

それに、「今度こんなイベントがあるよ」ということが張り合いになるし、それが楽しみで日常が過ごせる。イベントに行って、同じ関心を持ってる人と出会うことによって励みになったり、ひとつのよりどころになる。さまざまな抵抗の知恵を得て、そうやって得た知恵を日常に持ち帰って、豊かな人生をつくっていく。

二、三人の鍋会でもいいので、イベントを自分で企画してみるのも面白い。イベントの後の交流会も重要で、むしろこっちが本番なんじゃないかっていうくらい。そうやって、資本主義的じゃない空間を増やしていく。

いま、巷では、オルタナティブなイベントが増えてきていてる。イベント・ムーブメントが起こっている！

独特な空間を楽しむ

神長　イベントですね。これまたわれわれのメインの活動のひとつというかね(笑)。おれらも基本イベント路線ということでやってきたわけで、ある種、イベント中心で生きてきたと。

ペペ　イベント研究家かってね。クックックク(笑)。

神長　と言っても過言ではないですよね。われわれほどオルタナティブなイベントに参加してきた人も少ないと思うんですよ。

ペペ　たしかに。

神長　はっきり言って。もう数え切れないほど多くのイベントに参加してきた。集会やトークイベント、映画の上映会、ライブ、アクション……。

ペペ　うん。

神長　あきれるほどだと思うんだよね(笑)。で、イベントの主催もたくさんしてきた。いったいどのぐらい行ってんのかってね。だって週に二回でも少ないほうでしょ。一日に二本以上行っているときもあるんだから。仮に週に二回だと考えても、年間百本ぐらいは行っているわけね。それを三十年やってきているわけだから。

ペペ　すごいよ、これは。

神長　まあイベントについては相当くわしいわけですよ。

ぺぺ　たしかに。

神長　ここまでくわしくなる必要もないんだけどね。アッハッハハハ(爆笑)。例えばここ何年か〈みんなで語ろう会〉ってやってたじゃないですか。「病気」がテーマだったり、「無職・フリーター・ひきこもり、どう生きていけばいいのか」ってテーマで話しあったこともある。

資本主義っていうのは競争社会で、自分が他人よりイケてる人になることによって問題を解決していく、そういうふうに生きてることが多いと思うんだよ。例えば出世することによって多くの収入を得るようになったり、まわりから一目置かれるみたいになっていくとかで、日常の問題を解決していく。だけどそれは本当の解決じゃないというかね。自分はクリアできたような気になったとしても、本当にその問題が解決されたことにはなってない。だからある問題について、みんなで話しあうことによってどうしたらいいかを模索するというのは基本ですよね。〈みんなで語ろう会〉みたいなのは非常に重要かなって思うんです。

ぺぺ　(ノートを見ながら)いろいろ書いてきたね。

神長　あと、やっぱりおれらが行ってるイベントというのは普通の商業的なイベントとはぜんぜん違うじゃない。参加費も千円とかカンパ制とかで、だいたい安いし。参加者もお客さんじゃないというか、サービスを一方的に受けるようなものじゃなくて、イベントの場自体がオルタナティブな空間。イベントのテーマそのものも重要だけれども、みんながよりいいかんじで豊かになれるような空間を、一時的にみんなで作っている場でもあるじゃないですか。

ぺぺ 参加者によるってところがある。熱気ムンムン。

神長 一期一会の面子で、独特の空間になる、みたいなところがあって、金儲けが目的じゃないわけですよね。楽しい出会いがあってそれで仲良くなるということもあるし、それを繰り返すうちに「シーン」とか「界隈」と呼ばれるようなものができていったりもする。

イベントについて、どうですか？

ぺぺ これは根幹というかね。だめ連は、「交流・トーク・イベント・諸活動路線」でやってきたからね。実際、イベントを楽しみに生きてきた、っていうね。「次はあれがあるのか」って思って生きてきたようなところが実際ある。

神長 支えになるよね。

ぺぺ そうやって生きてきたなと、つくづく思いますね(笑)。

いま思い出したんだけど、昔、神長君が「今週のイベある？　今週の」って聞いてきて、「今週かあ、普通はやっぱり今月だよなあ」とか、そんなかんじだった。キャハハハ(笑)。

神長 「イベ」って言ってたんだよな。その頃はまだこんなに多くなかった。いまでは毎週は当たり前だよね。

ぺぺ イベントってのは、月に一回行けばいいっていうのが普通だからね。

神長 おれらは本当に、毎週どころか一日に三つハシゴしたりしてたよね。

ぺぺ 本当にねえ。イベントに次ぐイベントだよ。「イベント戦国時代」っていうことばも……。

神長　あったよね(笑)。イベントがいっぱいあってね。みんなで、「どれに行くの今週？」みたいなね。

主催者の「ワールド」を味わう

ぺぺ　すごい小規模な集まりをイベントと呼んで笑っているとか、そういうかんじもあるわけだよね。っていうか、読んでる人には「イベント」っていうイメージが湧かないと思うんだよね。「お前らの言うイベントってなんだよ」って(笑)。

イベントっていうと、普通は大きなイメージを持つと思うんだけど、おれらは冗談混じりもあって、二、三人の鍋会も含めてイベントって言っているわけだから。

神長　まあだいたい数十人規模、多くてもだいたい四十〜五十人規模が多いかな。たまに数百人。

ぺぺ　やっぱり普通は「FUJI ROCK」とかを思い浮かべるんじゃないの。数人でもイベントっていうのは、これはわれわれが特殊なことばを使っているわけだから、普通の人からすれば、「これイベントじゃないでしょう」ってなるよ(笑)。「たんなる食事会でしょ」とか(笑)。

神長　でも、そうやって小さなイベントでもいろんな人が主催するというのが面白い。小さいイベントの良さもありますからね。なんといっても主催者の「ワールド」が出るじゃないですか。内容だけじゃなくて雰囲気にもさ。人のイベントに行く楽しみ、また、自分が主催する楽しみというのもあるし。

ぺぺ　よくよく考えると、われわれが飲んで話したりするのは、だいたいイベント批評だったりするしねえ。

神長　そうかもしれないね。「あれ、どうだった?」なんつってねえ。

オルタナティブなイベント・ムーブメントが起こっている

神長　イベント後の交流というのも重要ですよね。イベント中は緊張して質問できなかったこともざっくばらんに聞けるし、イベントのテーマについてだけじゃなく、雑談とか、「最近どうしてた?」とか、そういう身近な話もいろいろできたりして仲良くなっていったりする。

イベントの後の交流会、これはどうですか。

ペペ　だめ連のイベントでは「交流会が本番」と言ってやってたわけですからね。そのためのイベントでもあり……。

神長　結局最初から交流会をはじめちゃったっていうね。いきなり交流会(笑)。

ペペ　面倒くさいからもういいやってね。グッヒヒヒヒ(笑)。

神長　でも、ちゃんとテーマのあるイベントもやってますよ、メリハリで。交流ばっかでもつまんなくなってくる。

ペペ　イベントによって交流の質も変わってくるし。

「交流・トーク・イベント・諸活動路線」っていうのを、「労働中心の人生と別のもの」ということでわれわれはやってきたわけだから。で、意外とそういう人がいっぱいいるということを、徐々に知っていくわけですよね（笑）。

神長　そうなんだよね。オルタナティブなイベントも、そういう場に来る、カネ中心じゃないものを求めている人も増えてきている。当然だよね。それをさらに広げていくということは、資本主義社会の内側からだんだんそういう、資本主義的じゃない領域を増やしていく活動でもある。

ペペ　なるほど。

神長　そこで、資本主義社会で行き詰まってる人が活路を見出したりすることもあるじゃないですか。さまざまなオルタナティブなイベントに行くことで、いまの社会とは違った社会に変えていきたいという人同士が出会えて、ひとつのよりどころになる。重要なテーマについてさまざまな抵抗の知恵を得ることも重要だし、そうやってイベントで楽しみながら得た知恵を日常に持ち帰って、豊かな人生をつくっていく。いまオルタナティブなイベントっていうのは、本当にいろんなところで毎日のように起こっていて、ずいぶん増えてきている。オルタナティブなイベント・ムーブメントが起こってきている。

われわれはそういうことをやってきたのかもしれない。いいんじゃないですか、楽しみながら、小さくてもいいイベントをやっていく、参加していく。イベント革命。いっぱい行ったでしょ？　いいイベント。

ペペ　相当ねえ。ヒャッ、ヒャヒャヒャヒャ（笑）。

神長　やっぱりさ、元気が出るじゃん、いいイベント行くと。「だめをこじらせない」という意味でもさ。やっぱり煮詰まってこじれそうになっているところで、イベントに行って救われることってよくあるよ。イベントに来てる人のいろいろな発言とか、気持ちとか、雰囲気とかに救われて。やっぱりリアルの体験というのはさあ、いろんなことを体験したりかんじたりしているわけだよ。イベントのテーマそのものとは違ったところで、予期せぬ気づきなんかがあったりする。

ペペ たんに、人は集まるというだけでエネルギーが発生するから。それを求めて行くんだろうね、やっぱり。

神長 一つひとつがある種の祭り的なものでもあるんだよね。そこから偶発的に何が生まれるかっていうのは、だれもやってみるまでわかんないっていうか。それがイベントの醍醐味。ささやかなことでもいい。

ペペ 「コロナうつ」っていうのは、これができないからということと直結していることなんですけどもねえ。

いま、みんなそれを確認してるんじゃないですかねえ。「ZOOM飲み」とか、そんなに流行らなかったよねえ。それはやっぱり「いま、ここ」の熱気が出ないわけですからね。

神長 「いま、ここ」の熱気、重要だね。だから、イベントやる人がますます増えてくると面白いね。最初はホームパーティー、アパートで鍋会とかね。二、三人で十分という。

ペペ 小規模のほうが盛り上がったりするんだよ。

その3……アクティビズム

インディーズメディア

マスメディアの情報っていうのは一方的に受け取るばかりで、その情報も資本や政府のバイアスがかかりまくる。日本は報道の自由度は六八位（二〇二三年）と、決して高いとは言えない。テレビなんかそもそもニュース番組が少ないし、その報じ方も疑問にかんじることが多い。

資本主義的じゃない生き方を楽しんでつくっていくには、情報を受け取るばかりじゃなくて、自分たちで独自に発信していく、そういうDIY精神が大切。インディーズメディアには、マスメディアが取り上げない重要な報道、作っている人たちの周囲の貴重な情報などいろいろあって、それぞれがいい情報を自由に発していけば、世の中もよくなっていく。マスメディアのプロパガンダにはリアルで対抗していくのがいいけれど、メディアでも対抗するのもありだ。

いまはSNSなどインターネットがあって、だめ連でもユーチューブで、「だめ連ラジオ　熱くレボリューション！」という番組をやってるけど、ここでは主にアナログな、ミニコミ（ジン）やビラ（チラシ）についてトークしてみます。

味わい深いミニコミの世界

神長　自分たちの界隈ではミニコミを作ったりしてきましたね。最近おれはあんまり作ってないですけど、ぜひまた作りたいなあって。

九〇年代にはだめ連で『にんげんかいほう（27年の孤独）』っていうミニコミを作ってましたね。ほかにもだめ連界隈では究極Q太郎さんが、ミニコミの……。

ぺぺ　「帝王」って、呼ばれてた（笑）。すぐ作る。

神長　うん。彼が友人とやっていた〈怠け共産党脱力派〉というグループで『退廃思想展覧会』というのを機関誌として出していたり、〈詩の会〉というのもやっていて詩と俳句の同人誌で『ぺぺエ教団』というのを出してた。

共同保育の〈沈没家族〉はフリーペーパーを出してて、あれは毎号楽しかった。ほかにもアナキズムのミニコミ『アナキスト・インディペンデント・レビュー』もよく読まれてたし、『パーティーマニア』とか『ＴＯＴＯＴＯ』とか『車掌』とか『グループもぐら通信』とか。一部界隈では人気のユニークなミニコミがたくさんあった。

九〇年代後半以降になるとインターネットが普及していくわけだけど、一方で面白いミニコミはいまにいたるまでいろいろと作られてますね。とても挙げきれないけど。

ぺぺが参加しているグループの〈ＰＩＮＣＨ！〉でも出してたでしょ？

ぺぺ　一瞬出してたね。

神長　ほかには、府中の市民運動界隈の人たちが出してる『府中萬歩記《よろずあるき》』、津久井やまゆり園事件の後に介助者たちや障がい者たちが事件を受けて作ったミニコミ『津久井やまゆり園事件から…』とか。

自分がよく読んでいるのは、釧路の詩人の佐々木美帆さんが出してる詩と評論のミニコミ『暗射』や、アナキズムのミニコミ『アナキズム』と『アナキズム文献センター通信』、立川自衛隊監視テント村が出してる『テント村通信』。あと、オリンピックのバクチク抗議の不当弾圧の救援会で『五輪にPUNCH!』ってフリーペーパーを出してる。自分が働いてる介助の事業所のミニコミもあるし、そこの組合が出してるフリーペーパーも毎号充実している。

挙げだすとキリがないほど、実は面白いミニコミってたくさんある。知らない人はぜんぜん知らないと思うんだけど。オルタナティブなイベントに行って交流していると、そういう面白いミニコミと偶然出会えたりする。

最近ヒットしたのは『寝そべり主義者宣言　日本語版』。中国で寝そべり族が盛り上がって、その一部の人が書いて地下流通した文書。だれが書いてるかわからないんだけど、〈素人の乱〉の松本哉君が中国の友だちから入手して日本語版を出した。流通の仕方も面白くて、各地の独立書店と直接取引という形でやっている。

こういうふうに、素人でも自由に発行するというのは、資本主義的じゃない楽しい試みとしてとても重要ですよね。別に有名な作家になって雑誌に書いたり本を出版するようにならなくても、自分で表現したいことを表現して作るというのはいい。書店に並んでいる本とはまた違った、ミニコミならではの味わいがあったりする。
自分もフォローしきれてないけど、面白そうなジンはたくさん出ていて、なにげにジンはいま流行ってる気がする。われわれも昔、ミニコミやってる人たちと〈東京ミニコミ交流会〉って即売会をやったけど、そういうかんじのイベントもいろいろと行われているようです。

だめ連のミニコミ『にんげんかいほう（27年の孤独）』

神長　だめ連のミニコミ『にんげんかいほう』は、増刊号を含めると十冊出したんだよね。きっかけとしては、だめ連がやったイベント〈就職問題シンポジウム　だめ、可能性はここにあり！〉。その報告も兼ねて、せっかくだからミニコミを作ろうということになって、創刊号「特集：仕事と人生」を作った。シンポジウムの報告のほかに編集部員が書いたものを載せて。ぺぺの書いた文章「だめをこじらせる前に」［三八七ページ参照］とか、おれの「仕事と人生」（『狂い咲け、フリーダム　アナキズム・アンソロジー』栗原康編、ちくま文庫にも収録）っていう詩とか。最初は本当に薄っぺらいものだったんですよね。一部、百円。

ぺぺ　シンポジウムには現在の某塾の社長も出てたっていうね（笑）。

神長　ミニコミ作りは、日頃の交流活動とリンクしながらやってたんだよね。友だちや交流した人に投稿を呼びかけて、その人の書きたいことを好きに書いてもらってそのまま掲載。差別と飛び出す絵本以外は基本的にボツなし。交流で会った人に売ったりして、「こういうミニコミを作ってるんですけど、何か書きたいこととかあったら書きませんか」って言って書いてもらって。玉石混淆じゃないけどなんでもありで、エッセイや評論もあれば、絵、詩、日記、小説、告知なんかもあって、あとはおれらの活動報告みたいなね。

そうやって二号、三号、四号と出していくと、だんだん書いてくれる人が増えて、盛り上がっていったんだよね。一号は百部しか刷らなかったんだけど、途中から五百部になって。

制作は全部手作り。再生紙をいっぱい買って、地域の公民館へ行って安く印刷して、それを運んできてみんなでホッチキスでとめて二つ折りにしてね。楽しかったですよね。

必ず巻頭座談会というのをやって、テーマはその時々で決めてゲストを呼んで、創刊号が「仕事と人生」、二号が「プレッシャーとしての性、恋愛」……。

ペペ 三号が「結婚、家族、あるいはその他の共同性」、その次が「平日昼間の男たちをめぐって」。

神長 あと何やったっけ。「カネ」とか「住宅」というのもやったよな。あと「交流」。最後のほうでは「こころ問題」をやったよね。

ペペ 花ちゃんとかが出たのはなんだったたっけかな?

神長 あれは「にんげんかいほう大作戦」って座談会。

毎号テーマを作ったのと、交流で出会ったいろんな人に書いてもらったのが面白かったよね。作りはじめた当時はまだインターネットがなかったから、表現したい人の場にもなった。

学生の頃本が好きで、本屋によく行ってたんだけど、棚を見るとだいたい並んでる作家の面子って決まっててさ。もっといろんな人の書いた文章を読んでみたいなとか、有名でもないいろんな人が書いたほうがいいよなって思ってた。『にんげんかいほう』で実際にそうやって作ってみると、無名の人のことばがやっぱり面白かった。

いまではSNSとかがあるし、インターネット以降飛躍的にいろんな人が文章を書いたり表現するようになったわけだけど、フェイスブックとか『にんげんかいほう』と似てるなって思う。

おれ的には、『にんげんかいほう』はタイトルのとおりで、みんなが考えていることを書いていくことで、人間解放されて生きていけるようになってったらいいなというようなイメージだったかな。上手いとか下手ではなく、雑多な声をあげて表現している場だったのが良かったな。ある意味それ自体が、ひとつの小さな運動のようにも思ったんですけど、どうですか。

ぺぺ　小さいグループの紹介をいっぱい載せてたよね、「こっち系」の広告みたいなね。「電話ネットワークはじめよう！」とかね。

神長　ありましたね、活発にね。小さいグループの、だめ連界隈の動きっていうのが。〈デート部〉とか、草野球〈青春ダイナマイツ〉とか、〈性界に喝！〉、〈老人と遊ぼうピンポンパン〉、〈ずんどこダンスパーティー〉などなど。見返してみると、ヘボい企画がいたずらにいっぱいある(笑)。楽しかったねえ。

ぺぺは連載してたよね。

ぺぺ　「喰い込んだるで」ってねえ。わりと普通の人のキビしい経験とかだめ経験にフォーカスしてインタビューするっていう。

神長　一般の雑誌のインタビューは、まず成功者の成功談だからね。「こんなことをやってがんばって金持ちになって成功しました」、みたいなね。そんなものを読んでも参考にならないどころか、つまずきのもとになるんじゃないかっていうことでね。だめな人の失敗談のほうが参考になるんじゃないかってね。たんにぺぺがキビしい話が好きなだけだと思うけど（笑）。

ぺぺ　好きでやってました。「いや！　キビしいっすねえ」とか。グッヒヒヒ（笑）。キビしい話を聞くっていう。

神長　世の中にそういうのがなかったからね（笑）。笑いを交えつつね。

ぺぺ　中途半端なくらいのキビしさが現実的かなって思ってたね。

神長　普通の人のショボいキビしい話。意外と人気あったよね、一部マニアの間でね。

ぺぺ　注目が集まってた。「あの人、どうなっちゃうんですかねえ」とか。で、「待て次号！」って。ヒッヒヒ（笑）。

神長　『にんげんかいほう』をパラパラと読み返してみて面白かったのは、赤井堤防さんの「人間動物園」っていうエッセイ。

赤井さんは動物解放というスタンスの人なんだけど、「動物園いかがなものか？」っていう話でね。動物は野生の自然の中で生きるべき、なんで人間のために檻で囲われて生きなきゃいけないんだっていう、まっとうな。最後のオチが、「檻に囲われてる動物を見ているということは、実は見ている人間が檻に入っているっていうことなんじゃねえか」って。非常に重要なことが書いてあると思ったね。

ペペ　いまでは動物園のゴリラもスマホ依存になってるって言うね。人間がみんなスマホをいじってるところを見せるから。

神長　ほんとかよ。

ペペ　ほんとほんとと。ラジオでやってたもん。

神長　なんでゴリラがスマホ持ってるんだよ。

あと、『にんげんかいほう』で言ったら、『にんげんかいほう』を批評するトーク誌『現代の菊池』っていうミニコミも出てた(笑)。

ペペ　個人トーク集。

神長　自分で一人二役やって突っ込みを入れる会話集ね。『にんげんかいほう』の第七号が出ると、それに合わせて「特集・第七号」とかね。アッハッハッハハ(爆笑)。七号を批評しているっていうね。『にんげんかいほう』を読んでることが前提だから。かなりマニアックな、ミニコミ界のミニコミだよね。

友だちのひきこもり名人が『LOVE寂聴』っていう瀬戸内寂聴推しのミニコミを作ってるけど、A4の紙を八つ折りにしてある号もあって、それも自分のスタイルだからね。インターネットとは違って、ミニコミならではの物質性があって、メディア自体を自分で作るというところがアート的でもあるし、それもミニコミの面白さですよね。ミニコミは、作っている人に会うか、置いてあるお店でしか手に入らないという偶然性が介在するところも面白い。

ペペ　『にんげんかいほう』は、イベントに行っちゃあ売ってたからさ。そうするとねえ、ちょっといい小遣いになってたんだよね。だって三百円で五百部売ったら全部で十五万円になるからね。あとね、そうやってると、「こういうことやってること自体応援したいから」って、千円くれたりする人がけっこういるんだよ。これが多くて、それはびっくりした。

神長 『にんげんかいほう』やってたときは、楽しいんだけど座談会のテープ起こしをするのが大変でね。いまユーチューブでやってる「だめ連ラジオ　熱くレヴォリューション！」は、『にんげんかいほう』の座談会のイメージがちょっとある。

ぺぺ 座談会は、にっちもさっちもいかない知りあいを適当にしゃべらせているのが一番面白いんだよ。

神長 「だめ連ラジオ」のゲストもだいたい無名の友人だからね。普通のメディアや雑誌だと、ちょっと有名な人とか何かの専門家とかが出てくるけど、素人が出てくるというのは面白いですよね。面白い友だちがたくさんいるから。有名な人ばっか注目してもしょうがないっていうかね。

SNSによって消える時間

ぺぺ いまは、無名な人もみんなネットをやっているからねえ。そのへんが昔とはかなり違うよね。

神長 ある種ミニコミ化した社会にもなっているというのかね。フェイスブック、ツイッターなどいろんなSNSがあるわけだけど、そのへんはどうですか。

『にんげんかいほう』のとき、もっとみんな表現したら面白いのになってよく思ってたけど、いまそうなってんだよね。インターネットになって。

ペペ　SNSは、自分はあえてやってないというところもあるけど、みんなはよくやってるなと思いながらねえ。これは商売でやってるんですからねえ、みなさん。

神長　フェイスブック、ツイッター。運営しているのは会社だからね。

ペペ　大儲けですよ。「みんながよく働くので」ってねえ。

神長　やってるといいこともあるという。

ペペ　これをいまどう論じるかっていうのが、かなりリアルな話っていうかねえ。距離の取り方を含めてみんな悩んでいるんだと思うけどねえ。

神長　おれなんかもそうですよ。おれはツイッターとフェイスブックをやってるんだけど、またこれ、スマホとすごく相性がよくってね。なるべくハマらないように気をつけてるけど、ついつい見ちゃうっていうね。

ペペ　うまくできてるんだよ。人類史上最強のおもちゃだよ、スマホは。

神長　おれなんか面白い友だちいっぱいいるからさ。みんないい情報いっぱい持ってるし、文章もすごく上手いし、いいこともいっぱい書いてるから、フェイスブックなんかついつい読んじゃうもんね。うまくできてる。イベント情報とかもSNSで知るようになっちゃってるから。重要な情報も入ってくるし、人に広められるし、便利なところありまくりね。

でも一方で、どこか微妙な気持ちになるという。これをどう考えればいいのか。

ペペ　いまの世界のあり方を規定する大きな要因のひとつだからね。

神長　三次元の時間が減っちゃうというのはあるよね。どうしてもSNSやスマホを見ている時間が長くなっちゃう。直接的な生のよろこびっていうのとはまた違うじゃないですか。例えばおれも、「こんなイベント面白かったよ」とかって書くことはあるけど、本当に自分が楽しい瞬間にはやらないからね。

ぺぺ　でも、それも崩れてくるというのを、友人の原さんが自分のミニコミみたいなやつに書いてたんですよ。どんなに楽しいときにでも、どうアップしてどうコメントするかをまず先に考える。普通に感動したり、深く味わう時間というのが消える。

神長　落とし穴があるという。現実がSNSに負けちゃう。

ぺぺ　しかも人より先にやらなきゃいけない。

神長　一秒でも早く発信するほうが反応が多いとかね。

ぺぺ　速度の話になるよね。昔、片山洋次郎さんが言ってたけど「情報化社会が進めば進むほど、人間の呼吸が浅くなる」。みんな、ハアハアしてる社会。だから社会全体のスピードも高まっちゃう。

神長　便利すぎて寄り道がなくなっちゃう。

ぺぺ　そういうふうにできているんだよ、だから。

三次元生活重要説

ペペ 例えば原発デモの頃もね、デモをやりながら、実際のデモとか運動の話よりも、ツイッターでだれとだれがいまこういう口論をしているという話が軸になっちゃう。そっちが先になっているなと思ってましたけどね。それは原発デモより前からかんじてはいた。飲み会で、ツイッターでだれとだれがケンカしてっていう話ばっかりしているな、というふうに思ってた。

神長 交流していてネットの中の話になるとどこかシラけるよね。現実にこんなことがあったっていう話だと、たいしたことない話でもなんかホッとしたり。

ペペ なんでツイッターの話ばっかしなきゃいけないのって思ってたんだよね。コミュニケーションの軸がそっちに移ったんだよね。

これは良い悪い関係なく、圧倒的に進行している現実だからね。よく思い出すんだけど、中学生か高校生に、「あなたの居場所はどこですか」って、「学校・家庭・スマホ(SNS)」の三択でアンケートしたら、半分以上は「スマホ(SNS)」だったんだよ。

神長 学校や会社、家庭以外の居場所っていうのはとても重要だけど、やっぱり三次元がメインなほうがいいでしょ。そういう場所を作っていくのがいい。

ペペ これはこの本のひとつの核心のテーマだよね。三次元重要説を強硬に主張するナゾのおやじたちも必要かなとは思うんですよ。反動と言われようがなんと言われようが。

神長 ただ、実際にSNSのおかげで知りあっている人とかもいっぱいいるからね。

ペペ　現実の半分ぐらいがこれ（スマホ＝ネット）になっているということですよね。

神長　でも、あくまでもそれは人と会うためのツールとして使いたいなという気持ちであって、自分らのメインのコミュニケーションがそこにあるというふうにはしたくはないな。

ペペ　と、みんな思ってやっているんだろうけど。便利なものを使いこなそうなんて人間は、よくそう言いますけどね。そんなあまいもんじゃないんですよと。お金を便利に使いこなせてるんですか？っていうね。テーマ的にはそういうことと重なる。使いこなすことができないんだよね。武器だってお金だって、ねえ。

神長　たしかにそれはそのとおりだねえ。でも、そういうふうにすら思っていない人がいっぱいいるんじゃないですか。

ペペ　それはただ飲み込まれるだけだよ。

神長　三次元がメインでなくてもいいというふうに思っている人だって、いまやいるでしょ。

ペペ　もしかするとそれでいいのかもしれないし、よくわからないよね。

神長　だめ連をやってても、たしかに三次元の交流が苦手な人もいてさ、そういう人が二次元の交流で居場所を見つけるという道もあったわけだよね。でも、自分がめざしているものは違うなというのはあるよね。

ペペ　それは言ってったほうがいいと思うよ、はっきりと。打ち出したほうがいい。

神長　インターネットの中の世界というのは、やっぱすごい窮屈なかんじがするけれどもね。

ペペ　だから、それは世界が広がっているのか狭くなっているのかっていう議論になるよね。

神長　それはなんか狭っ苦しくなってると思うよ。ある種の情報は増えていたり接しやすくなっているかもしれないけど。

だから物質社会と似ているかもね。資本主義がどんどん浸透して、「モノがあふれてなんでも手に入れるけど、そこには重要なものが何もないようなかんじがする」みたいな。どんな情報も手に入るようでいて、でも一番大切な何かがないみたいなね。

だれがどこへ行ってどんな交流していたとか、SNSを見ていると情報として入ってきちゃうけれども、それで知ってるような気になっても、実際の交流に行くとぜんぜん違うからね。広い空間の中でからだ全体でかんじる体験っていうのは、二次元で得られる情報とは比べようもない。

ぺぺ　情報を便利に使いこなそうとみなさんしているのかもしれないですが、やはりそれに飲み込まれるから。

おれは最初の頃は、いいところもあるんじゃないかと思ってた。たしかに情報自体はいつでもすぐに出てくるから。だから、情報はある意味どうでもいいやというふうになる側面もあるんじゃないのかなと思った。

例えば、飲んで話をしたとして、昔だったら、ものすごく情報にくわしい人が「すごいですね、すごいですね」ってなったけど、情報にくわしいだけだったら別に調べればいいやってなるから。だから、人と話をするときは、「どう生きていきたいか」とか、「何をやりたいか」とか、そういう本質的な話がもっとできるようになるという側面があるんじゃないのかって、おれは思ったんですけれども。だとすれば、それはいいことなのではないかと思ったりしたんだけれども、一筋縄ではいかないよねえ。本当は情報ではない何かを求めてるはずなんだよね。

スマホは現在の最強のドラッグ

ペペ よくできてるから、こっち（スマホ＝ネット）のほうが。

神長 読み出すと本の面白さっていうのはあってさ。本のほうが好きだったりするけれど、でも、なんでスマホ、パソコン、ついやっちゃうかなって。よくできていることのひとつに電気というがあると思うんだよね。かつてはテレビも同じだったけど。

ペペ 光だよね、光。

神長 コンビニも明るくしてるけど、人間はアガるんだよね、明るいとね。

ペペ 光は人間をひきつけるんだよね。

神長 ドラック的な。

ペペ いまの最強の麻薬ですから、スマホは。やめられないのがその証拠。グッヒヒヒッ（笑）。

神長 ただ、厄介なのはそういうものが運動においても無視できないというか。例えば、アラブの春とかのムーブメントはSNSによる拡散が大きく作用したと言われているし、マスメディアが伝えないインディーズ情報を得ることができる。みんなそれでデモ行けたりとかさ。

ペペ エジプト革命はツイッター革命と最初は言われてたわけだからさあ。これはいろいろと意見は分かれているけれども、そこからはじまっているとも言えるんだよね。いまの世界のながれは。

神長　究極的にはスマホとかパソコンがない、あるいはあまりやらないですむ世界にいつかなったらいいなという気はしていますけどね。みんなで焚き火したりとかね、そういうほうがいいんじゃないかってね。そこで「焚き火なう」とかやっちゃうと……。

ペペ　「もうあげたからいいや」、「あげたから帰ります」、ってねえ。ヒャッハハハッ（爆笑）。

神長　〈気流舎〉で、ツイッターが流行りだした頃に「なう禁止」ってあったけどね。

ペペ　「いまはあってもここはない」っていうね。的確なこと言ってた。あれはもうかなり前だからね。

神長　こうやって話しているときなんかに、話しながらずっとスマホをやってる人とかたまにいるけど、目の前のおれと話すよりスマホやってるほうがいいんだなってさみしい気持ちになるね。

ペペ　あれは楽でもあるんだろうねえ。例えばバイトとかに行って、まだあんまり一緒に働いてる人のことを知らなくて、昼飯のときとかに緊張感があったりすることがあるよね。でも、みんなスマホをやってるからあんまり考えなくていいってなる。ラクでいいなって思っちゃったりする。コミュニケーションする必要がない。それはどうなんだ、というのが現代文明の問いじゃないですかねえ。

神長　それはあるよね。だからけっこう、みんなひきこもり的なところがあるんだよね。

ペペ　そうなるよ。楽だもん。

神長　人間関係が面倒くさい。だからコンビニとかが流行るんでしょう。スーパーもそうでしょ。人間関係しなくていい。ただ買い物だけすればいいんだから。意外と交流は面倒くさいっていいうねえ（笑）。

ペペ　そのへんも考えがいのある話なんですよ。

神長　意外と交流もしんどい。意外とみんなしたくない。ひきこもってたほうがラク。一人暮らしが増えたのは、人間関係が煩わしいからというのも一因かもしれない。けど、交流もあんまりしないと、それはそれで孤独だったり、楽しみも減るという。
さすがにおれも、パソコン、スマホ飽きてきたというか。庭の畑の雑草むしってるときとか、いつものあの電気の画面を見なくてすんでるだけでなんかホッとするというか、「ああ、なんか幸せだなあ」なんて思ったりしてるもんな。

ビラのある生活

神長　自分で作るメディアとしては、一番簡単でだれでも作りやすいのはやっぱりチラシというかビラ。
イベントを企画して告知するとき、さらさらっと書いてね、コピーしてね、いろんな人に配るっていうね。重要なＤＩＹメディアの基本中の基本。
われわれもビラは好きで、自分らでやたらとイベントやってたのでビラもやたらに作ったよね。

ペペ　神長恒一詩集『ストハッサン!!』の中に「ビラのある生活」っていうねえ。

神長　ああ！「ビラのある生活」、重要ね。

運動や文化系のイベントに行くようになって、それまで知らなかったビラ文化っていうのと出合って。イベント行くといろんなビラもらうでしょ。昔はインターネットがなかったから、普通じゃなかなか知ることができないマイナーなイベント情報を得る貴重なメディアだった。ビラで興味の湧くイベントを知って、そのイベントに行って、そこでまたビラをたくさんもらって、そのビラでまたイベント行ってってかんじで、交流が止まらなくなる(笑)。自分でもビラ配って、開かれた出会いのある生活になって、ビラが飛び交う独特の交流圏ができてって楽しいという。

イベント行って交流のときにビラを撒くと、話しかける口実というかきっかけになったり、名刺がわりにもなるっていうかね。「今度こういうイベントやります、よろしく」って。反応がダイレクトにあって、「これは重要なテーマですね」ってトークがはじまったり。

だめ連のビラはだいたいヘボいかんじの手書きのビラで、逆に目立ってすごくウケる人もいれば、一度クラブで知らない人に渡したら、いきなり破ってくしゃくしゃにして投げ捨てられたな。あれはなんだったのか(笑)。

どうですか、ビラは。

ぺぺ　いろいろ思い出したんだけどねえ、学生の頃はいわゆる運動のビラみたいなものが身近だったねえ。
ビラというのは、会議やって団体で出すものっていうイメージがあったんだけど、神長さんにしろまわりにいるヘンタイ系の人っていうのは気軽にばんばん作るっていう。けっこうびっくりしたっていうか、感心したっていうか、そういうのを思い出したよねえ。

神長 ああ、なるほど。運動系のビラは勉強にもなるからよく熟読してるね。ビラはもらうと必ず読む。あとイベントのビラとかも、楽しみなやつは枕元に置いて寝たり。

ぺぺ ビラ愛がすごい。

神長 何度も読み返しちゃったり。デモとかイベント行くと何種類もビラもらうでしょ。あれはいいおみやげというか、家に帰ってきてその日もらったビラを読んで、こんな問題があるのかとか、今度こんな取り組みやイベントもあるのかって。その日の余韻に浸りながら(笑)。あとたまに、自分の考えやエッセイみたいなものを書いて、個人で配っている人がいるでしょ。そういうビラも大好きなんだよな。

ぺぺ おれなんかでも、「イベントやるならSNSで拡散すればいいでしょ」みたいになっちゃうんだけど、あったほうが面白いよね。

神長 うん。でも前ほど作らなくなったでしょ。

ぺぺ 現代社会だからね。

神長 昔はイベントをやるたびに二面付けにして、五百枚ぐらいチラシを刷ってた。阿佐ヶ谷の区民センターで印刷して、阿佐ヶ谷、高円寺、中野ってひと駅ずつまわって。チラシを吊るせるアングラなお店がいっぱいあってさ。吊るしながら散歩するのが楽しみだった。

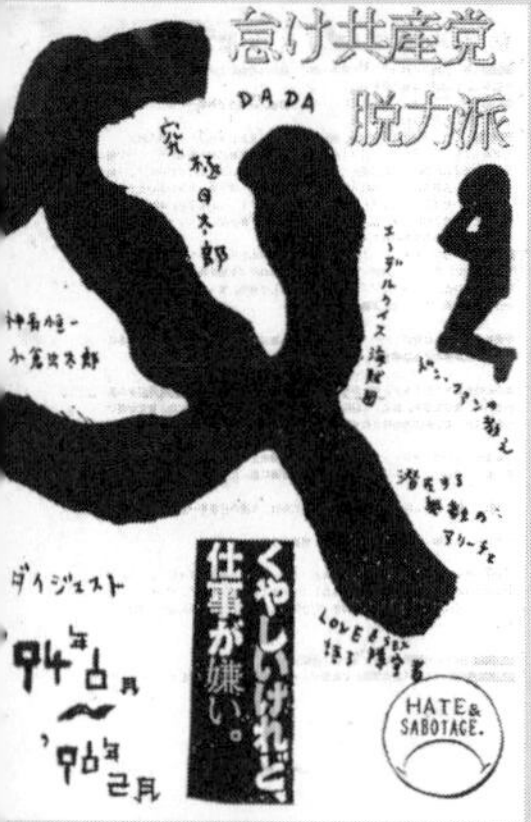

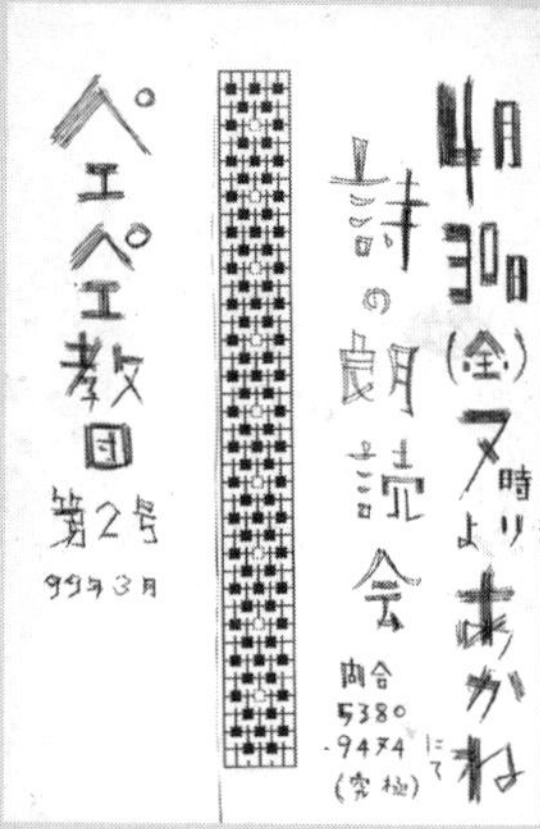

さまざまなミニコミとビラ

左ページ：上は『にんげんかいほう』創刊号と 9 号、9 号は 132 ページもある。左下は『沈没家族』 2 号。中段右がペペの連載「喰い込んだるで」。右下は神長の詩「ビラのある生活」。

右ページ：上はミニコミの帝王（魔王）・究極 Q 太郎さんのミニコミ。中段左から、『ANARCHIST INDEPENDENT REVIEW』、『tokyo なんとか』。下段〈だめトランス〉のチラシとさまざまなビラ。

作る、配る、もらう、交流する。無限の交流の入口としてビラはおすすめ！

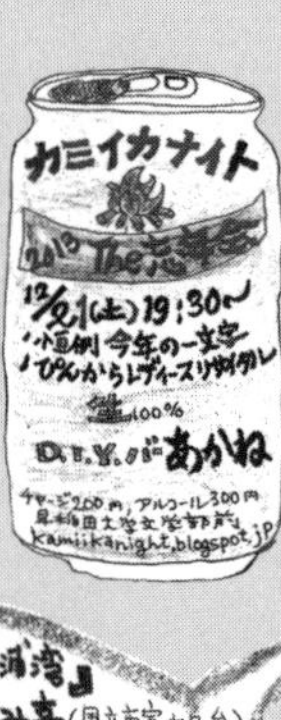

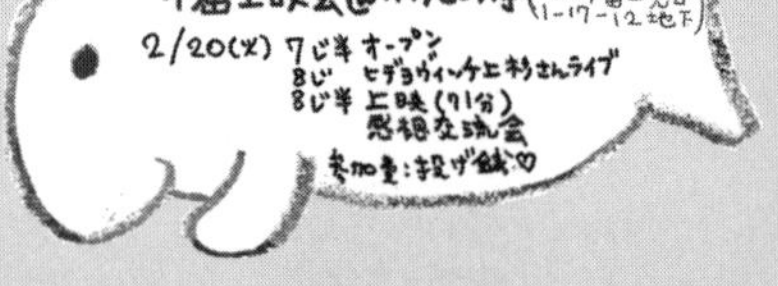

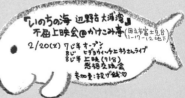

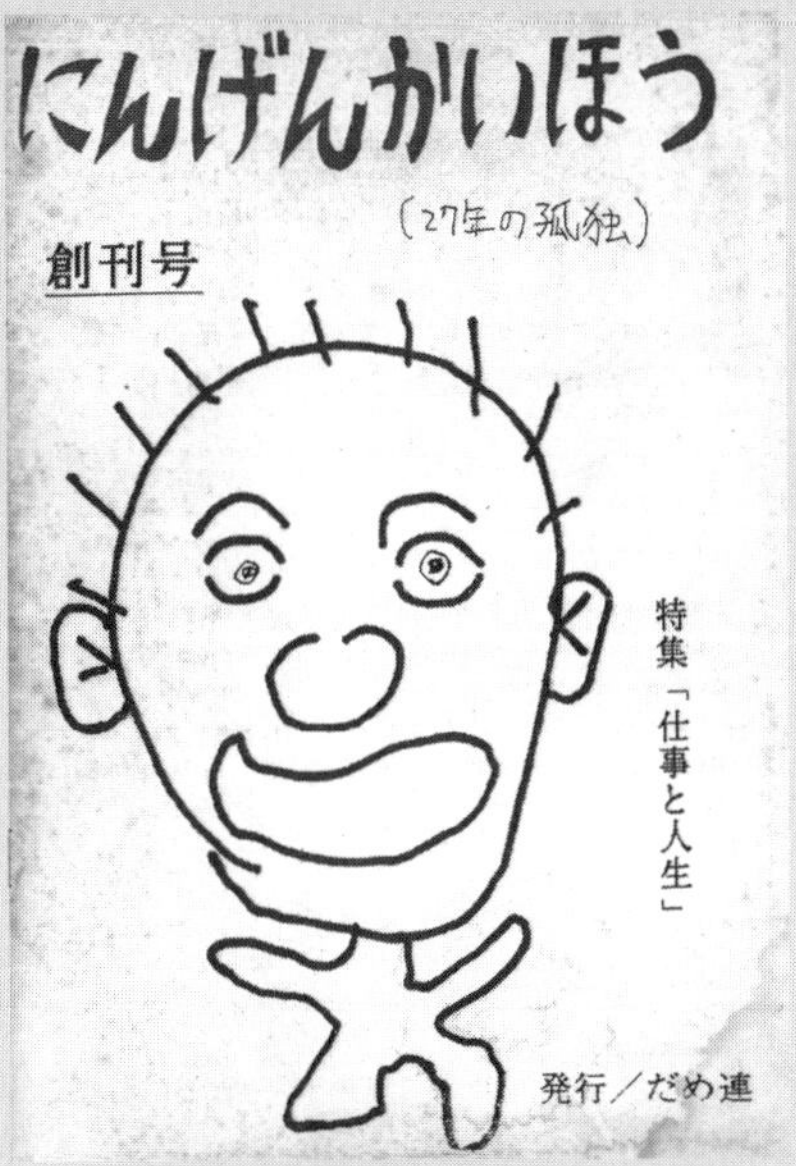

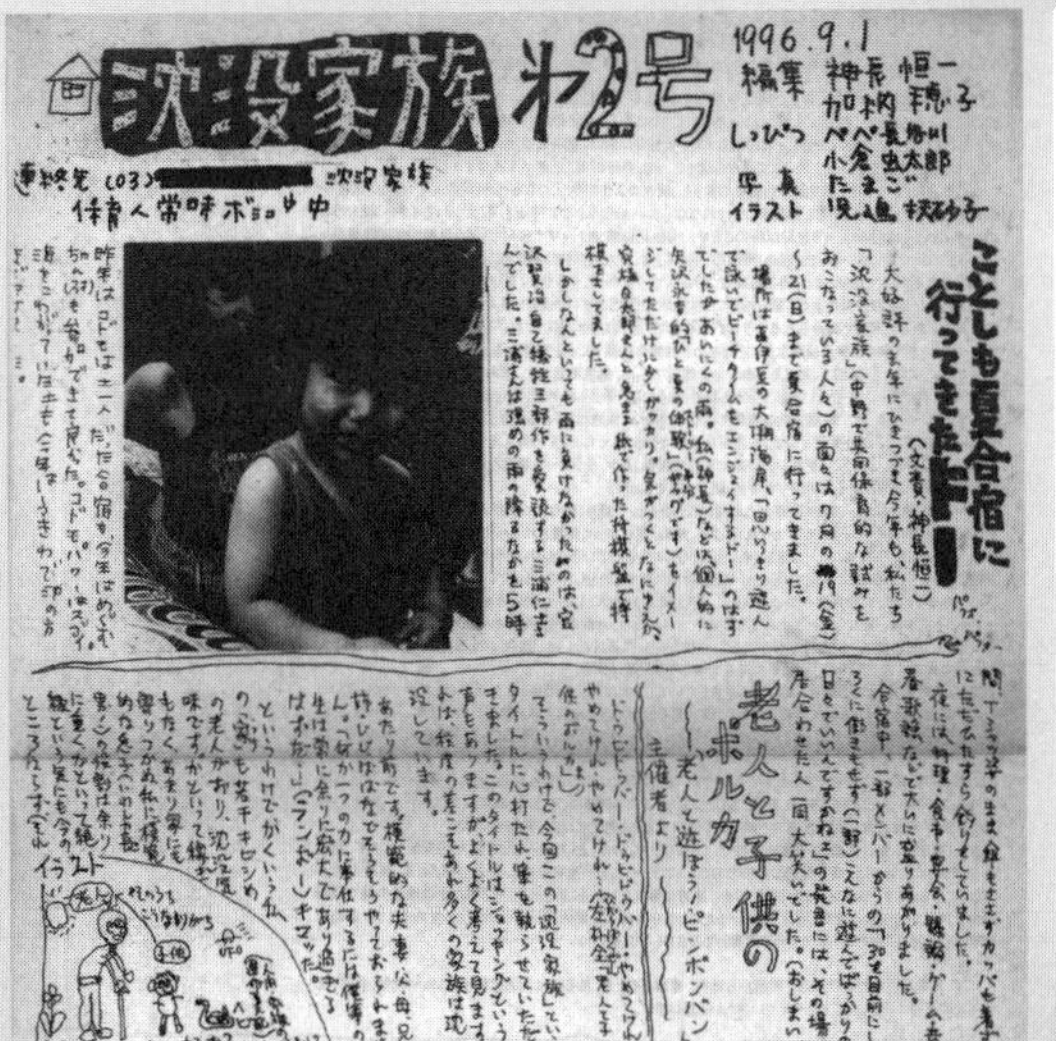
沈没家族 第2号

1996.9.1
編集 神長恒一
加納穂子
しっぴつ ペペ長谷川
小倉虫太郎
写真 たまご
イラスト 見逃 枝砂子

連絡先（03）[redacted] 沈没家族
保育人常時ボシュウ中

ことしも夏合宿に行ってきたよ

老人と子供のポルカ

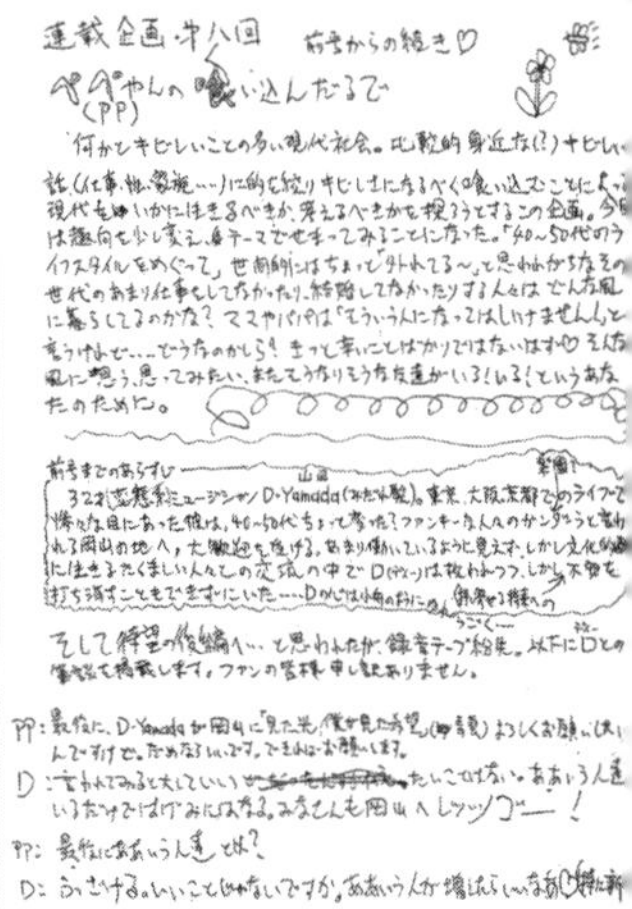
連載企画・第八回　前号からの続き♡
ペペやん（PP）の喰い込んだるで

何かとキビしいことの多い現代社会。比較的身近な（?）キビしい話（仕事、趣味、家族……）に的を絞り キビしさになるべく喰い込むことによって現代をいかに生きるべきか、考えるべきかを探ろうとするこの企画。今回は趣向を少し変え、テーマでせまってみることになった。「40〜50代のライフスタイルをめぐって」世間的にはちょっと外れてる〜」と思われがちなその世代のあまり仕事をしてなかったり、結婚してなかったりする人々はどんな風に暮らしてるのかな? ママやパパは「そういう人になってはいけません」と言うけれど……どうなのかしら? きっと辛いことばかりではないはず♡ そんな風に想う、思ってみたい、またそうなりそうな友達がいる! いる! というあなたのために。

前号までのあらすじ
32才泣態系ミュージシャンD・Yamada（山田）（みたか縦）。東京、大阪、京都でのライブで惨々な目にあった彼は、40〜50代ちょっと変った? ファンキーな人々のカンダ（楽園?）うと言われる岡山の地へ、大飛躍を遂げる。あまり働いているように見えず、しかし文化的に生きるたくましい人々との交流の中でD（デイー）は救われつつ、しかし不安を打ち消すこともできずにいた……Dの心は小舟のようにうごく……（飢餓せる精神への）

そして絶望の後編へ…と思われたが、録音テープ紛失。以下にD（デイー）との会話で掲載します。ファンの皆様申し訳ありません。

PP：最後に、D・Yamadaが岡山に「見た光、僕が見た希望」（感想）よろしくお願いしたいんですけど。ためなるんです。できれば、お願いします。
D：言われてみると大していい たいことはない。ああいう人達いるだけではげみになる。みなさんも岡山へレッツゴー!
PP：最後にああいう人達とは?
D：ふざける。いいことじゃないですか。ああいう人が増えたらいいな新しい時代に新
PP：ありがとうございました。

19

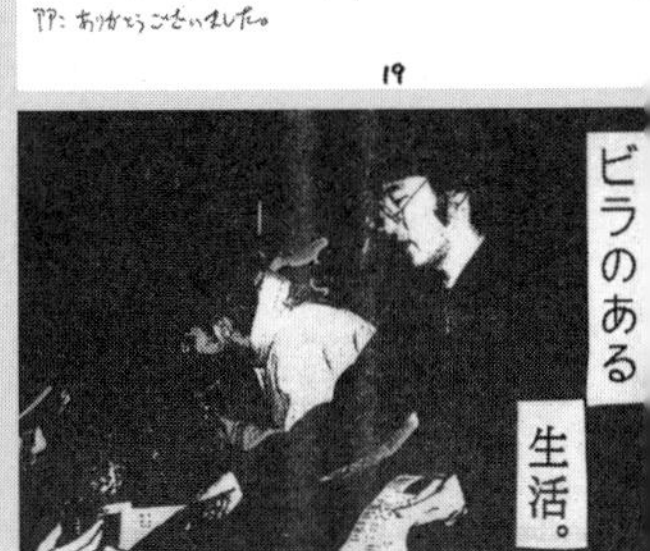

ペペ　「神長恒一関係のビラが気になってしょうがない」っていう人がいたからね、当時。「神長恒一関係」といわれるジャンルがあって。グッヒヒヒッ（笑）。

神長　イベントをやたらと企画してたから、ビラにはまってよく作ってた（笑）。インターネットがなかった頃は、ビラを作って配るのが、「今度こんなことやります」っていう発表だったんだよね。

ペペ　はまってたよ、「神長恒一関係のビラが多い」ってなってたから（笑）。

神長　マスメディアじゃないビラを配っていって、アンダーグラウンドな独自のシーンを形作っていきたいって思ってたな。コンビニの雑誌の間に挟んだりとかもしたなあ。

ペペ　うん。

神長　自転車のかごに入れたりもした（笑）。知らない人にも読んでもらいたくってね。ビラという招待状。

イカさんもビラ作るの好きでけっこう作ったね。イカさんはまた変わった形のばっかり作ってるのね。おにぎりとか葉っぱの形とか、あと何か蛇みたいな細長いひもみたいなやつとか（笑）。

ペペ　おれもこの間、〈なんとかBAR〉で〈自由労働者連合〉のビラをコピーして撒いたよ。無造作にビラをポケットに突っ込んでたら「カッコいいですね」って。なるほどって思ったよね。これはちょっといい話。ハッハハハッ（笑）。

神長　ビラを配っておけば、もしかしたらイベントに来てくれるかも、また会えるかもってね。次につながるかんじと期待感がよかったんだよね。

ペペ　あと、「このイベントまでは生きてるぞ」じゃないけど、置いておくと励みになる。

神長　よく楽しみなイベントのビラを部屋の壁に貼ってる人とかいるよね。簡単にできるんでね。ネットもいいけど、ネット以外ではこのへんからはじめるのもおすすめ。表現の楽しさも加わるからね。だめな人でもやりやすいメディアっていうかね。

ペペ　四、五人規模のイベントでもビラを作ると面白い。

神長　最近はフライヤーってかんじで、きれいにデザインされたカラーのものも多いけど、おれは手書きのヘボいのが好きなんだよ。なんか、思いが伝わってくる。

ペペ　A3だったら一枚の用紙で八枚くらいとれるから、ああいうのを一時期よくやってましたよね。

神長　ぺぺの書くビラも味があったね。ネットの告知はハードル高いって人にはいいかもしれない。いまだと逆に目立つかも。

一生に一度はビラを作って配ってみるのも面白いと思う。自分の中で何かが変わるかも?!

だめ連は、「交流・トーク・イベント・諸活動路線」で活動してきた。

交流・トーク

資本主義よりたのしく生きる　その4

だめと思われたくないプレッシャーと優越感からの解放！

だめ連ラジオ「熱くレヴォリューション！」50回記念イベント

二〇二二年十月十五日、立川・シビルにて

だめをこじらせる前に

神長　ピポピポピポ、ピーン。だめ連ラジオ、熱くレヴォリューショ～～ン！

今日はなんと五十回目。五十回目を記念してね、タイトルが「ダメと思われたくないプレッシャーと優越感からの解放」ってね。一応だめ連のメインテーマのひとつ「だめ問題」。昔は「だめ問題」ばっかり話してたんですけど、ラジオではテーマにしてやったことがなくて。ちゃんとまとめて話す機会も少なくなっちゃったんでね。やっぱりいま重要な問題なんじゃないかということで、あらためてこの機会にもう一度話そうってことです。

だめ連が一番最初に主催したイベントで「就職問題シンポジウム」というのをやったんですけど、「だめ、可能性はここにあり!!」ってね。それがまさに三十年前、一九九二年ね。早稲田奉仕園でやったんですけど、そのときに私発表したのね、「だめ問題」について。

それで今回話をするのに、どういう話をしようかなってレジュメを作ったんですけど、途中で、昔どんなことを話したかなと思ってね。それで三十年前のイベントの資料を見返してみたら、ほとんど同じだったっていうね(笑)。あんまり進歩がなかったっていうことで、参考までに三十年前も同じこと言ってたよっていうことで、そのときの貴重な資料を持ってきました。これは家に帰って気が向いたら読んでください。これはこれで終わり(笑)。

ペペ　アウトラインだけでも話したらいいんじゃない。

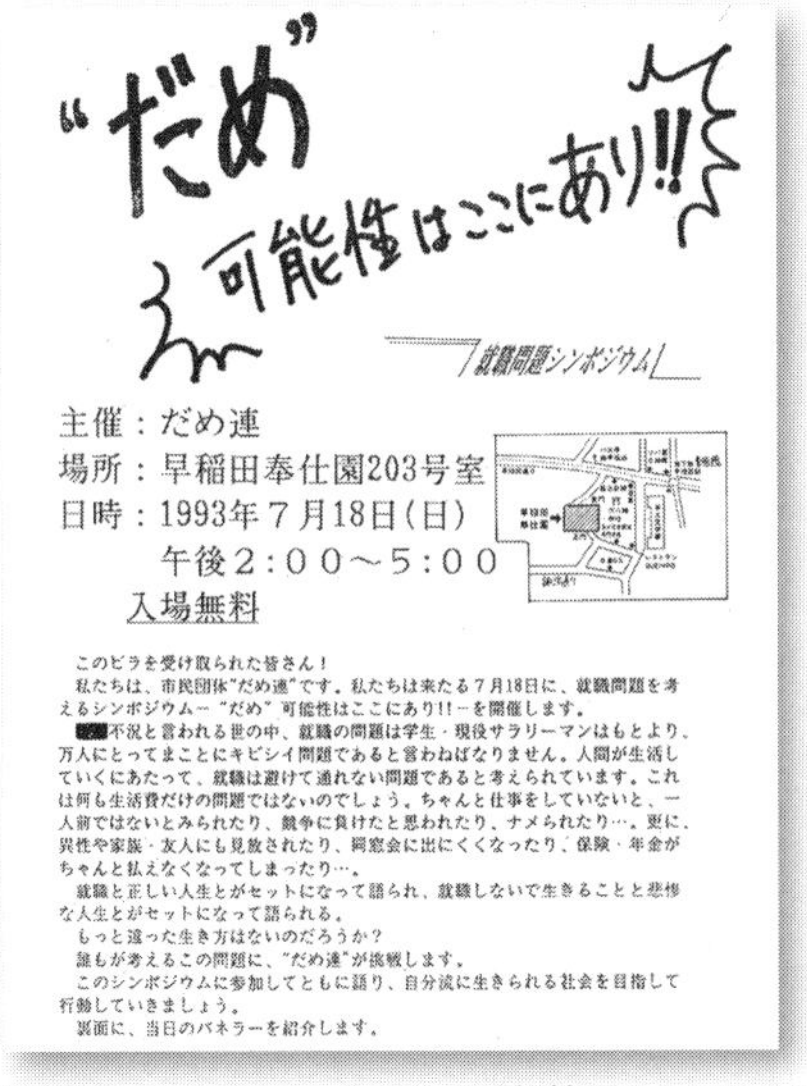
“だめ”可能性はここにあり!!
就職問題シンポジウム
主催：だめ連
場所：早稲田奉仕園203号室
日時：1993年7月18日(日)
午後2:00〜5:00
入場無料

このビラを受け取られた皆さん！
私たちは、市民団体“だめ連”です。私たちは来たる7月18日に、就職問題を考えるシンポジウム—“だめ”可能性はここにあり!!—を開催します。
[redacted]不況と言われる世の中、就職の問題は学生・現役サラリーマンはもとより、万人にとってまことにキビシイ問題であると言わねばなりません。人間が生活していくにあたって、就職は避けて通れない問題であると考えられています。これは何も生活費だけの問題ではないのでしょう。ちゃんと仕事をしていないと、一人前ではないとみられたり、競争に負けたと思われたり、ナメられたり…。更に、異性や家族・友人にも見放されたり、同窓会に出にくくなったり、保険・年金がちゃんと払えなくなってしまったり…。
就職と正しい人生とがセットになって語られ、就職しないで生きることと悲惨な人生とがセットになって語られる。
もっと違った生き方はないのだろうか？
誰もが考えるこの問題に、“だめ連”が挑戦します。
このシンポジウムに参加してともに語り、自分流に生きられる社会を目指して行動していきましょう。
裏面に、当日のパネラーを紹介します。

「就職問題シンポジウム　“だめ”可能性はここにあり!!」

神長　いや、まあまあ、どうせ同じだから(笑)。そもそも就職自体どうなんだっていうことで「就職問題シンポジウム」っていうのをやることになったんだけど、そのイベントを報告しようってこともあって、ミニコミを出したんですよね。『にんげんかいほう(27年の孤独)』。創刊号がその特集で「仕事と人生」っていうね。そこに、ペペが「だめをこじらせる前に」っていう文章を書いてね。それがこちらの資料なんですけど。じゃあ、せっかくなので、これを読んでもらっていいですかね。

ペペ　読むの？　三十年前だよ。

神長　感慨深いよ。

ペペ　「だめをこじらせる前に！

仕事なんてと思ってみたところで、多くの人は(私も含めて)生活の大半を仕事関係で過ごしていたりする。「何をなさっているんですか？」という問いは私を含め、少なからず人をビクッとさせ、「少しはうだつを上げたいものだ。」と思わしめているはずだ。パチンコ屋は必ず「出ます、出します、とらせます」というが、本当にそうしたらすべてのパチンコ屋はつぶれてしまう。似たようなことがうだつに関してもいえそうな気がする。すべての人のうだつがあがれば、うだつという店は潰れてしまうだろう。

競争と日々の、うだつプレッシャー「だめと思われたくない」の中で、だめをこじらせる人がおのずと登場する。新興宗教、自己啓発セミナー、蒸発、自殺……きびしすぎる。

仕事と人生は個人の選択の問題であるといわれるが、苛酷な状況を問題として語りあったり、なんとか変わらないものかと試みるのは可能だ。だめ連シンポがそのようなものの一歩となったかどうかに関しては諸賢のご意見を承りたいところだが、諸ジャンル、諸年齢、諸思想を持った人びとが共同の場をもてたという事くらいはいえるであろう。

あなた、私、その他……だめをこじらせている人、こじらせそうな人はいませんか?ぜひ、だめ連にご一報ください。」

たしか、このだめ連シンポに出ていた高校の同級生が、いまは大社長になったんだよね。

神長　いろんな人が来てたね。

ぺぺ　お金のことだけを考えてる人は、お金持ちになったりしますよね。クックックックク(笑)。

神長　三十年やってきて、またもとに戻ったっていう(笑)。

だめと思われたくないプレッシャーと優越感からの解放

神長　じゃあまず「だめ問題」。これはね、一見「だめ問題」って言うとバカバカしいけど、これが意外とバカにできない影響力があって。意外とみんな影響を受けているんじゃないか。

このだめ問題というのはいろいろあるんですけど、メインはやっぱり「だめなやつだと思われたくないプレッシャー」っていうのがあるわけですよ。だめ連では昔よく「ハク、うだつ」っていうことを問題にしてて。これは余談ですけど、だめ連がデビューしたときに『現代思想』っていう雑誌で特集されて、そのときにテープ起こしした人が深読みして「ハク、うだつ問題」のところを「剝奪《はくだつ》の問題」ってしちゃって。いやいや、「ハクをつける」「うだつを上げる」の「ハク、うだつ問題」ですからね(笑)。

資本主義社会ってのはやっぱり「だめなやつプレッシャー」っていうのがあるっていうか。この資本主義社会と労働・消費のサイクルはそれで成り立ってるところもあってね。ここ二十年くらいでよく聞くようになったことば、「勝ち組、負け組」それから「自己責任」「能力主義」「生産性」とかね。よくみなさんも知ってると思いますけど、こういうふうにしてプレッシャーが日々かけられているわけですよ。勝ち組だとなぜか憧れの対象で、負け組だと惨めだとか不当にバカにされる。お金に結びつく能力とか生産性、こういうものばかりが良しとされてるっていうね。そうするとだめをこじらせちゃう人がどうしても出てこざるをえない。自殺、うつ、絶望犯罪、往々にしてこういうことになっちゃったりもする。

絶望犯罪ってのは、ちょっと前にぺぺが言ってたんですけど、津久井やまゆり園事件の植松とかもそうかもしれないし、小田急線とか京王線とかで起こった通り魔的な犯罪、ああいう事件です。経済的にも苦しいし仕事も続かない、友だちもあんまりいない。いろいろ煮詰まってって展望もない。それで他害しちゃうっていう、そういう絶望からくる犯罪ですね。これもやっぱりだめプレッシャーっていうかね、だめをこじらせてああなっちゃう部分があると思うんです。

資本主義社会っていうのは競争社会で、競争っていうのがね、やっぱり分断をもたらしますよね。人びとの交流とか連帯とか共闘とか、そういうことをさせないような動きになっちゃう。そういう作用がある。無縁社会の一因にもなっている。みんなで幸せになるという発想にいかない。

あとはだめにまつわる問題ですけど、成功と名声、ハクをつけるとかね。これも落とし穴になりがち。

それと比較の問題ですね。これもいろいろありますよね。ライバル心とか、嫉妬したりとかね。これも日常のなかでは重要な問題ですよね。

それに優越感と劣等感。優越感というのは裏返しで、やっぱりこの競争社会のなかでは劣等感と優越感の問題っていうのもあってね。これはイケてる人の問題っていうのもあってね。だめな人は劣等感で深刻なほど苦しめられてる人もいるし、資本主義社会に乗っかってイケてる人、優越感っていうのもどうなんだって。それでアゲアゲになってもあんまりいい気分じゃねえだろと思うんだけど。ある種の餌、ニンジンね、そういうものでがんばっちゃうっていう承認の問題というのがある。承認されたいって、まあ私もありますけどね（笑）。これもいまのキーワードになっている。要するに競争に勝つことで承認される、「あいつ、すごいなあ」なんつってね。でも、それはちょっとショボいんじゃないかってね。そういう話ですね。

こういう比較で承認されようとすると、なめられたくないなんてがんばっちゃって、そうすると競争社会に楯突くことができなくなる。競争社会そのものを問わなきゃいけないんじゃないかってことですね。競争社会からこぼれ落ちた人を見下して、そういう人の苦しみや良い面を見なくなってしまう。人をバカにして自分を上に立たせようとすると、自分自身もその価値観を内面化しちゃいますからね。結局、それで苦しむことになる。つまり、イケてる人も優越感の奴隷なんじゃないかっていうね。踊らされてんです。

その優越感や劣等感からの解放が重要だということで、やっぱり、だめな人でも楽しく生きられる社会、経済的な能力が低くても承認される社会であるべきなんじゃないか。競争とか比較っていうのがある限り、やっぱりつねにだれかがだめな人に必ずなっちゃうわけですよね。だいたいだれでもだめなところなんてあるわけです。

次は自殺の問題。だめをこじらせて自殺しちゃうっていう問題。自殺ってのはいろんなパターンがあるとは思うんですけど、やっぱり社会的なプレッシャーによって自殺しちゃうことってけっこうあると思うんですよ。すべてがそういう原因じゃないだろうけど、社会的なプレッシャーが軽減されるだけで、やっぱり自殺っていうのは減らせるはずだってね。そう思うわけですね。それはそういうふうにしていったほうがいいだろう。

資本主義社会のなかで、例えばホームレスの人っていうのはやっぱり差別されてると思うんですよ。ホームレスになるのだけは嫌だ、とかさ。だけど、そう思うなら中途半端でもいいから少しは助けるとか。交流したらいい。おれも野宿生活している人とたまに交流することありますけど、精神的にいいかんじで暮らしてる人とかやさしい人、すてきな人なんていっぱいいるわけですよ。野宿生活自体は大変だと思うけど、当たり前だけどみ

んなその人なりに人生を生きているわけです。ホームレスを下に見る人は、全部自分に返ってきてるんです。

　生活保護もそう。生活保護バッシングとかね。あれも最悪ですけど、やっぱり国もお金を払いたくないってなって、生活保護は恥だみたいな印象を意図的に植えつけるじゃないですか。生活保護は権利なわけです。いまの大変な労働環境では、仕事が続かなくなるなんてことが普通にあるわけじゃないですか。うつになっちゃったりすることもあるわけでしょ。そういうときに生活保護が簡単に、堂々と取れればいいわけですよね。そうしたら死ぬことはない。だけど、それが恥みたいに思わされている。行政も冷たくてとても取りにくい。それで自殺に追い込まれちゃう人もいるわけですね。生活保護バッシングこそ、人殺しなんじゃないかと、ふと思うわけです。

　そもそも能力主義、生産性っていうね。そういう資本主義の物差し自体がすごく問題なんだと。そういう金儲けにつながるようなことでばかり評価される世の中ってのは、これはもう明確に間違った価値観。経済成長に貢献するために生まれてきたんじゃないんだよ。そういったなかでリストラとかパワハラ、いじめとかがあるわけですよ。最近聞いた話でも、「あいつは仕事ができないやつだ」って上司がいじめてきたとかね。そういうことがあるわけですね。

ぺぺ　だめ連ラジオを全部聞いてる人でしたねえ。

神長　いじめてるほうもビビってるって言ってたよね、能力主義でね。自分は明らかに「負け組」側なのに、それが嫌で無理やり「勝ち組」側に回ろうとしちゃったりしてね。それでいじめたりとかしたりして。そういうことはひどいけど、ありがちな話になっちゃってる。

　そもそも「能力」っていうのはなんだろうかってね。能力っていうことば自体が、あんまりいいかんじがしないニュアンスがあるけれども、でも仮に能力って言ったっていろんな能力があるわけですよ。別にお金に結びつかない、いろんなことってあるじゃないですか。それに、能力っていうのもちょっと個人主義的っていうか。だれそれがすごいとか言ったって、じゃあそれはその人だけの実力なのかっていうかね。いろんな人とふれあったりするなかで培ってきたものだったりもするわけだから。別に純粋にそいつ個人のものというわけでもないだろう。競争社会の優劣の価値づけのなかで個人の能力みたいなものが出てきて、それもある種近代的な問題なのかもしれない。けどさ、それも何かおかしいっていうかね。自然や社会の関係性のなかで生きてるんであって、個人ってものが強調されすぎてるんじゃないか。

現代の権力、だめ問題

神長　だめなやつだと思われたら嫌だなとかって思わせるような競争の原理って、これは現代の権力なんじゃないかって。世間からの評価っていうプレッシャーが、大小あれど多くの人にあるわけでね。人目を気にする、恥ずかしい、こういうのがあるわけですよね。イケてないといけない、とか、格好良くないといけない、とかね。

　ここでちょっと岡本太郎さんのことばを。「今《こん》日《にち》の芸術は、うまくあってはいけない。きれいであってはならない。ここちよくあってはならない」。いいじゃないですか、ねえ。

　あと、これは素朴なだめ問題で、「強がる」とか

「自分を大きく見せようとする」とか「見栄を張る」とか、多かれ少なかれあるじゃないですか。でも、これはやっぱり注意したほうがいいよね。それでだめをこじらせたりしますから。恥ずかしがらずに弱音を吐いたほうがいい。

価値観でも例えば、「大きいことが良いことだ」とか「強いことは良いことだ」とか「早いほうがいいんじゃないか」「多いほうがいいんじゃないか」とか、根強いでしょ。これもやっぱりとらえ返したほうがいい。SNSなんかでも、「フォロワーが多いほうが偉い」「いっぱいついてると偉い」んじゃないか「〈いいね〉がいっぱいついてると偉い」んじゃないかとか、ありますよね。いいね問題(笑)。これもなかなか悲しいものがありますよね。

じゃあ、そこからどうやっていったらいいかということでね。やっぱり「だめに開き直る」そして「だめをポジティブに生きるというアナキズム」が重要なんじゃないかってね。

アナキズムの定義って人によっていろいろあると思いますけど、「さまざまな権威権力から自由に生きようとする意志」っていうのが、これがおれにとってのアナキズムのひとつですね。

ミーハーに生きない。開き直っただめ人間。これはある意味、現代において最強なんじゃないか(笑)。

「だめでええじゃないか!」。「だめ上等!」と。これは解放、リベレーション。で、また岡本太郎さんのことばですが、「駄目なら駄目人間でいいと思って、駄目なりに自由に制約を受けないで生きていく。そうすれば、何か見つけられるチャンスがおのずから開けてくる。決意するのだ。よし、駄目になってやろう。そうすると、もりもりっと力がわいてくる」。

そういうことを言っています。

どうですか?

ぺぺ　いや、岡本先生が多いですね。

神長　まあまあ。これで終わりだから、岡本先生はね。

あともうひとつ。奇人・変人・ヘンタイで行こうってね。これは水木しげるさんなんだけど、水木しげるさんが幸福観察学会っていうのを一人でやってて、「幸福の七ヵ条」っていう有名な文章があるんです。その第一条「成功や栄誉や勝ち負けを目的に、ことを行ってはならない」、第三条「他人との比較ではない、あくまで自分の楽しさを追及すべし」ってね。「怠け者になりなさい」というのもある。この第三条のところには、「こうした人たち(奇人変人)には、好奇心の塊のような、我が道を狂信的なまでに追求している人が多い。つまりだれが何と言おうと、強い気持ちで、わがままに自分の楽しみを追い求めているのです。だから幸せなのです。さあ、あなたも奇人変人になりなさい。ワッハッハ」って書いてある。いいじゃないですか。「ワッハッハ」っていうのがいいですね。そうやって好きに生きたらいいじゃないか、ってね。

だめ連ワードで「ヘンタイ」って昔からよく言ってたんですよね。これはペペが言い出したと思うんだけど……。

ペペ ヘンタイ研究にかなり費やしましたけどね。

神長 人生をヘンタイ研究に費やしてきた(笑)。

ペペ うーん。

神長 なんですか。ヘンタイの醍醐味っていうのは。

ペペ ヘンタイもいろいろですからねえ(笑)。やっぱり面白い、ということなんじゃないですかねえ。びっくりさせられるからねえ。「ええ!」とかねえ。ヒヤヒヤする。

神長 ペペと昔から一緒によく交流してきたんですけど、とりわけヘンタイを追い求めてね(笑)。突き抜けた人に会うと世界が広がるとかあるよね。こういう人もいるのか、とかね。面白いですね。

ペペ ゆらぎがすごい。

神長 「ええーっ!」とかね、「いいのかなあ」とかね。ちょっと具体的に言えないけど、とんでもない人はいっぱいいますからね。

ペペ ヒイッヒッヒヒ(笑)。

神長 まわりで困る人もいっぱいいますけどね(笑)。

ペペ ヘンタイ研究はね、これからも続けていきたいと思います(笑)。

ヘンタイもまた定義が難しいんでねえ。特別な人じゃなくても、一見普通の人でもね、「うわ!」っていうのもあるし。奥深すぎて……。

神長 一見してわかりやすいヘンタイ、どこからどう見たってヘンタイっていう人もいるしね。

ペペ なんでこんなに元気なんだろうとか、意味わかんないなあとか、そういう人もいるじゃないですか。どういうことなんだろう、とかねえ(笑)。意外とそういうのはありますよ、日常のなかで。

神長 でも、おおむね元気出るよね、そういう人と交流すると。救われない人もいるけど。

ぺぺ　いろいろいるよ。またジャンルが分かれてくるんだよ、いろいろと。

神長　大変なヘンタイもいますからね。ちょっと暗い話になりますけどね。

だめ＝オルタナティブ、熱くレヴォリューション！

神長　私なりに考えたんですけど、やっぱりレジスタンス＝抵抗、これが重要なんじゃないかってね。悪い支配者、支配的な権力に対して抵抗するとかね。だいたい世の中、なぜか悪いやつらが仕切っちゃってますからね、とんでもないことに。やっぱりちゃんと文句を言って、「ふざけんな！」って変えていかないといけない。認めるわけにはいかない。

奴隷根性ではだめ。ニヒっちゃいけない。ルサンチマンはだめ。ネトウヨとアンチフェミニズムは最悪、と。

最近でもあるでしょ、辺野古の件でひろゆきに「いいね」しちゃうやつとか。ああいうのは、最悪ですからね。ああいうふうになっちゃだめ。

抵抗、つまり闘う、社会との闘争ね。そういう気持ちが重要なんですね。

ではここで大杉栄さんのことば。

「闘え。

闘いは生の花である。

みのり多き生の花である」

すばらしいですね。闘い重要、っていうね。

社会にはいろいろ納得いかないことは多いですけど、一人でも反逆する。これはアナキズムのひとつかと。一人でもスタンディングするとかね。

でも、連帯っていうのも、またこれもアナキズムなんじゃないかっていうことでね。だめな人同士で集まって語りあう。それで声をあげる。やっぱりここにひとつの希望があるんじゃないか。この社会に適応できない人たちがともに闘うのがいいんじゃないか。

世の中これからキビしい人がどんどんどんどん増えていくと思うんです。現に、ここ数十年の間も増えてきているじゃないですか。そしていままでは「中流階級の没落」、そういうことがよく言われてます。テレビでもやってました。中流階級のなかには下流階級の人をちょっと見下ろしてたりする人もいますからね。それがアイデンティティになったりとかしちゃってる人もいる。

われわれはバブル世代なんですけど、やっぱりバブル世代の人は資本主義的な価値観に乗っかっている人が多かったから、他人よりちょっと「いい暮らし」してるだとかね、そういうのがアイデンティティになってたわけですよ。

そういう人たちがどんどんどんどん貧乏になっていく。おれらみたいに最初から貧乏な人はまだいいかもだけど、落ちていくっていうのはやっぱりつらいと思うんですよね。だから、そういう人の意識が変わらないと、また自殺だとかうつだとか、人のことをいじめちゃったりだとか、自分も他人も追い詰めていっちゃうんじゃないか、すさんでキビしいことになっていくんじゃないか。こういう間違ったプレッシャーから抜け出す、これが重要。

貧乏なことは恥ずかしいことなんかじゃない。楽しい貧乏というのもあるんだよってね。だめの可能性ね。ひきこもりだとか、不登校だとか、働かないとか言ってるけど、むしろそういう人たちのほうが真っ当なんじゃないかってね。

こんな過酷すぎる労働だとかは、とてもじゃないけど、やってらんない。人から搾取したり、自然を破壊したりの良くないゲームに参加してる場合じゃない。中国でも「寝そべり族」っていう、もう出世とかどうでもいいよみたいな「降りる人」が出てきています。中国だけじゃなくて、こういう人が世界中でいろいろ出てきてるらしいですね。

ペペ 今日は中国からの方も来ていますので、あとでいろいろと。

神長 だめ連も三十年くらいやってるけど、昔はオルタナティブ的なかんじで生きている人ってそんなにいなかったんですよね。いまはもう交流しきれないくらいいっぱいいるじゃないですか。

ペペ オルタナティブっていうのは、人によって意味が違うけど。

神長 幅はあるんですけどね。資本主義的なものから半歩降りて、みたいなね。その人なりにいろいろ面白いこと、良いことをやっていこうとしている人は、いろんなところにいるんですよね。なにげに増えてきている。

幸せとは何か。そういう話にもなってくるわけですね。お金とか世間的にイケてるように思われるとかじゃなくて、たくさんあるでしょ。ふれあい、交流、創造する、イマジネーション、踊る、歌う、笑う、寝る、闘うとか。だいたい幸せやよろこびだとかは、貧しい人でも偉くない人でも得られるものなんじゃないか。

魂は捨てるな。ロボットじゃないってね。自分たちは血肉の通った人間だっていうことを思い出して、心を取り戻していく。

なんとなく快適に生きられていても、有用性が最優先される社会だから、気がつくとロボットみたいになっちゃうんです。喜怒哀楽を表現できることが重要。血肉の通った汗臭い生きもの、野生を取り戻して生きていくのがいい。

昔、多摩川の河原でテント張って暮らしてた友だちなんかは、お風呂に入ってなかったから、まわりの人から「風呂入れ、風呂入れ」ってよく言われてたって言ってました。でも逆に、「なぜ匂わない」ってね。その友だちはそう言ってました。

ロボット的に生きるんじゃなくて、熱く生きる。ある種のヒューマンリブ、熱くレヴォリューション。自分も社会も変わりうる。オルタナティブと言ってもその内容は蜂起と決起、精神の爆発、燃焼して生きる。こういうことが重要。

以上です。

ペペ がんばりましたね。

神長 昨日打ち合わせで居酒屋に行って、飲んだでしょ。その後まとめたんです。

不安派と恍惚派、二つの「だめ問題」

ペペ だめ問題、だめ問題とかって言ってたけど、ちゃんと詰めてこなかったということもあったんで、そういうこともやったほうがいいんじゃないかってことで話したんだけどねえ。

だめ問題と言ったときに、神長君とおれとで意味が違ってたっていうことに、だんだん気づいてきたんです。もちろん重なる部分はあるんだけど、おれは、「だめとされることによって生じる諸問題」みたいな。

例えば、「おまえ、フリーターじゃねえか。ちゃんとしないとだめだよ」って言われるじゃないですか。そういうことを問題にしよう、みたいに、おれはけっこう思ってたんですけど、神長君はどっちかっていうと、「だめと思われたくない」というところを主に問題にしてるんだなっていうことに、だんだん気づいてきて。

神長　そんなに違ってるかな？

ぺぺ　わかんない。重なるんだけど、意外と力点が違ったんだなって(笑)。気づくのに時間がかかったって(笑)。

神長　最初っから、そうでしょ。まあ、二人いれば違いますからね。

昔、「だめ連宣言」って文章を書いたけど、そのときに「だめ＝オルタナティブ」って書いてるからね。「資本主義的なかんじじゃないようにして生きること＝オルタナティブに生きる」って言ってたんですけど。ぺぺはそういう力点はあんまり好きじゃなかったよね。

ぺぺ　おれは、だめ問題っていうのは「だめ系の人に生じる諸問題」っていうふうに思っていたからね。健康診断を受けることができない、とかね。

神長　おれはどっちかっていうと、イケてる人を問題にしてたんですよね。だからがんばってテレビに出たりとかしてた。

自分が一回就職してサラリーマンやってたもんだから、むしろ普通に働いちゃってる人のほうが問題なんじゃないかってね。だめと思われたくないから就職とかしてんじゃないのとか、良くない仕事を問題にもせずにただ出世しようと思ってるんじゃないのとか、そういうのは間違ってるんじゃないかって、自分の経験をもとにそういうことを言ってきたからね。

ぺぺは大学に七年もいて、就職してないでしょ。

ぺぺ　まあ、いわゆるね。正規雇用はない。当時のフリーター問題みたいなかんじのね。フリーターから下？みたいな。そういう枠組みだったからね。

神長　フリーターであるがゆえにプレッシャーがあるとかね。そういう話でしょ。おれはそのときから、むしろフリーターになったほうがいいんじゃないかって、そういうスタンスだったから。だからそこはちょっと違うんだよね。

昔からよく言われてたよね。ぺぺ＝不安派、神長＝恍惚派、とかね(笑)。

それでは一度休憩しましょう。休憩の後、質疑応答というか、みんなで語りあいましょう。

大座談会……孤立と居場所、その他諸問題をめぐって

二〇二二年十月十五日、立川・シビルにて

いろんな話ができる場所

神長　では、前半の話を受けて、なんかツッコミとか感想とかいろいろないですか。

イカ　学校や会社や家庭内でつらくなっちゃったときどうしたらいいのかなと思いました。例えば能力主義のこととかでも、「何かこれっておかしいんじゃない?」って疑問に思っても、話したり相談する外の人がいないと、内部のノリにあらがいがたいとか。

外部に問題を共有できる人がいれば、自分の考えは間違ってないんだなってなるかもしれない。そういう人がいないと、ほかの人は当たり前にやってるのに自分だけこんなにイヤだってことは、学校や会社や家庭に問題があるんじゃなくて自分がおかしいのかな?とか思わされちゃう。飲み込まれて劣等感を持たされてロボットにされてしまうか、一人で悩み苦しむとうつや自殺までいくこともあるのかなと。

今日ネットで見たんですけど、十九歳以下の女性の自殺率がすごく上がっているらしい。相談できる人はいたのかな?とか、孤独だったんじゃないかな?とか、痛ましいです。

さっき、「オルタナティブに生きる人も増えてきて交流しきれないくらい」っておっしゃってましたけど、いったいどこへ行けば本音トークできるの?って思う人も多いんじゃないかな。自分の考えや悩みや愚痴を話せる人たちと出会いたいです。

孤独は絶望につながり、交流は希望につながるのではないかと思

いました。

げんきいいぞう　いまのご意見で思い出したんですけど、昔、だめ連で、中野駅前の駐輪場のところで月に一回くらい集まってましたよね。あんなふうにね、外で集まれたらいいですよね。

神長　普通の会社だと、そもそも仕事つらいなあとかね、やっぱりあんまりそういう話ってしづらいでしょ。そういう空気がだいたいあるじゃないですか。

げんきいいぞう　職場ではなかなかねえ。職場の体制とかについて何も言えませんよね。できるだけ無難な、無難なように……。

イカ　職場ってたいてい上下関係があるじゃないですか。つねに評価にさらされてるし、クビのプレッシャーもありますよね。そうなると素の自分を出しづらい。猫かぶっちゃう。あたしはけっこう言っちゃうこともあるんだけど。

神長　本当は職場がいろんな話をしやすくなればいいと思うんですよね。おれなんかは、いま働いているところは学童保育と障がい者介助で、運動的な要素もあるし、組合とかもあったりして、話しやすいところ。職場自体も作っていったり変えていくのが一番いいけど、なかなか難しいですよね。

外部に、「仕事つらいな」とか言ってもオッケーな場所があればいい。かつての〈あかね〉とかもそうだし、〈かけこみ亭〉とかもそうだけど、みんな地道に自分たちの居場所を作ってきたと思うんです。まだまだ少ない、もっといっぱい。各駅に二、三軒〈かけこみ亭〉みたいなのがあったっていいわけですよね。そういうオルタナティブな空間を作っていくのがいい。

いまはネットもあるしクチコミとかいろいろ探していくと、オルタナティブなイベントやスペースが見つけられるんじゃないか。あとは芋づる式にオルタナ界の旅がはじまる。

最大のカルトは資本主義⁉

ぺぺ　最近はカルトについてよく考えてたんだけどねえ。

考えていくと、カルトじゃないものが何か、わかんなくなってくるんだよね。われわれ（だめ連）も「カルト、カルト」ってよく言われましたから。普通の会社とかも実はカルトなんじゃないかと。

やっぱり資本主義が最大のカルトなんじゃないのか、というところまでいくと思うんですけど。

神長　けっこうカルトだと思うよ。

ぺぺ　うん。やっぱ、カルトっぽい社長とかいっぱいいるじゃん。

マリオ　なんでやな仕事しないとあかんねん。こんな貴重な時間を使って。

神長　ほんとそうですよね。

マリオ　で、言われるやん。「働きなさい」って。なんで働かないとあかんのか。

ぺぺ　って言うと、「おまえ、カルトじゃねえの」って言われるわけだよね。

マリオ　なんでそんなに嫌なことする必要があるんだろうね。

神長　根底的な問いですよね。

イカ　働かないという生き方もありでしょ。

マリオ　宅配は重要な仕事やけど、僕は興味ないからやりたくない。

ぺぺ　そういう本音を言ってくとね、カルト扱いされるんですよ。

全員　爆笑

イカ　本当に悩んでる人や、病気や障がいがあったりして困っている人が統一教会とかいろんな宗教に誘われる。悩み相談できる人がいなかったりすると、宗教が寄ってきて。

はーぴー　よりどころがないとか、貧乏とか不幸を聞きつけると、ひたひたとやってくる。それで、その人はちょっとほっとするんだろうけど、結局そこからまた面倒なことが起こるみたいな。

社会からこぼれ落ちちゃう人が救われるには

ようじ　社会からこぼれ落ちちゃう人がどんどん増えてると思うんですけど、そういった救われない人が救われたり、承認されるといいったら、具体的にどういうものがあるのかな。

職場に入った新人さんがひと月でクビになっちゃいました。その人はデザイナーとして入ってきたんですけど、まったくできなかったんですね。経歴詐称なんですけど、でも面接対策は完璧で。入社してからは自分と一緒に仕事するのでいろんな話しててすぐ気づいたんですけど、明らかに軽度の知的障がいがあるんですよ。

その人は友だちもいなくて、年齢は四十歳。で、会話もあんまり成り立たない。家が裕福だからクビになっても生きていける人なんですけど、もし貧乏だったら……。障害者年金や生活保護も受けづらい。

こういうこぼれ落ちちゃう人って、世の中には大量にいて、こういう人たちがなんとか自殺せずに生きていくにはどうすればいいのかなと、すごく考えていて。

神長　そういう居場所があればいいんだけどね。けっこう居場所がない人多いでしょう、老人とかだってそうだし。なんとなくぶらっと行って交流できるとかさ、そのままでいてもいいとかさ。これも資本主義の悪いところで、お店ばかりになっちゃってさ。

ようじ　江戸時代くらいまで遡ると、地方コミュニティとかでなんとかなると思うんですけど、都会になるとみんなバラバラだし。

イカ　広場がないよね。そこでなんとなくヒマな人が集まるとか。

ようじ　でも、コミュ障だったらそれもできないと思います。

神長　昔ははらっぱとか空き地とかあってさ、適当に子どもが遊んでるようなところがあったし、別にそこでボケーっとしてもいいみたいなね。そういう空間もありえたと思うけどね。

イカ　でも、子どもが遊んでいるような場所で、一人でボケーっとしていると、不審者？とか、けっこう警戒されちゃったりしてね。ボケーっと一人で座ってるっていうことが、もう怪しくなっちゃう。

神長　他人に説明できるように、なんかやってなきゃいけねえんだよな。

はーぴー　とくに男性のほうが、公園でずっとぶらっとしてたら不審者だって思われちゃう。

ぺぺ　高円寺北口駅前が、比較的いい。ありそうで意外とないのかもしれないなと思うことがある。

神長　あれはいいモデルじゃん。

ようじ　アフリカとかだと交流スペースがいたるところにあって。家と家の間の路地にベンチとビリヤード台があるみたいな。

神長　アジアとか旅してもそうじゃん。みんなけっこう気さくにやってたりするよね。道ばたとかで。

井口　落語の中では、町のちょっと変わったやつも排除しないで、愉快なやつとして出てくる。

イカ　いじわるベンチ、横になれないような仕切りのあるベンチって、いろんな国にあるんですかね。

鹿　中国でも、いま、わりと増えてきている。

はーぴー　日本発だったら嫌だね。

ぺぺ　いや、発でしょ。

鹿　バス停とかにとくに多いです。

神長　日本もそうだもんね。

ぺぺ　あれがカルトなんじゃないか、とかね。いろいろ考えると。

イカ　東京で、バス停にいるホームレスの人が殺害される事件があったけど、横になれないような本当に小さな椅子だったよね。

ようじ　いまの渋谷の宮下公園もカルトっぽいです。

神長　今度は宮下公園の近くの美竹公園が潰されかかってる。十三階の建物にしたいらしい。ずっと炊き出しをやってる場所なのに。

ようじ　十三階っていうのが、もうカルトですからね（笑）。まあ、キリスト教社会ではですけど。

公共の居場所がない

細谷　お年寄りの人がよく公共図書館を利用しているんですけど、しゃべってもいけないから、みんなぼーっとしてるだけで。税金を使って作れる交流スペースっていうと、どんなイメージがあるんですか。

神長　まあなんだろう。公民館とか一応あるじゃないですか。でも、あそこもそんなに機能してないかもね。将棋とかのサークルの人はよく来てますよね。

細谷　サークルに辿り着くまでが難しい。

神長　そうなんだよね。おれのおふくろとかもサークル系の人じゃないから、行く場所がないんだよね、昼間にね。

ぺぺ　図書館とかもそうだけど、安い喫茶店とかもね。なかなか意外と渋い展開を見せてますからね。

さなえ　喫茶店はいっぱいいますね、老人が。

細谷　交流してるの？

さなえ　交流してましたね。外にテーブルがあって、そこにおばあちゃんとおじいちゃんが、こんなにいるんだっていうくらい。中もすごくて、老人ばっかりですごく交流してましたね。

昔、キューバに行ったときも、外にチェスが置いてあって、そこは老人だけでなく若い人も一緒に交流してましたね。ものすごい楽しみってそんなにないけど、外にもテレビがあって公園もめっちゃ広くて、みんなでワイワイやってましたね。

細谷　社会主義すごい。

神長　釜ヶ崎にある三角公園もテレビがあって、みんな見てたよね。

イカ　大阪の天王寺公園も、昔はカラオケ屋台や将棋台とかがあったけど、いまは小洒落たカフェやサッカー場なんかに変わってた。野宿の人とかは使い捨てるかのように排除されちゃって、中産階級ファミリー向けにガラリと様変わり。渋谷の宮下公園はまさにそうだけどザ・資本主義の公園が増えていく。みんなの「公園」を返してほしい。

神長　典型的なジェントリフィケーションだよね。

えいち　ちょっとお金は使っちゃうんだけど、平日午前中のゲーセン。そのコインゲームのコーナーに退職した人たちがいっぱいいるよって聞いたことがある。コインは預けておけるみたいで、そんなにたくさんのお金を使わないで過ごせる場所として目をつけている人たちがいるみたい。そういうとこで異年齢交流とかできないかなあ。学校に行けてない人とかと。

はーぴー　でも、いまのご時世じゃ、子どもは入れないと思う。ゲーセンでバイトしてたことがあるけど、やはりメダルゲームは中年とか歳をとった人が多くて。パチスロと違ってお金ももらえないのに、なんであんなメダルゲームをするのかって不思議に思ってたんですけど、暇つぶしだったのか。

ぺぺ　1パチ（一円パチンコ）かゲーセンかってことになるんでしょうね、やっぱりね。

4n3c　カルトは論外ですけど、外国だと宗教っていうのが一定のバッファーになってて、本当にきつい人を救済するとかあるじゃないですか。

それとあとは政治の問題だと思うんですよ。自民党がずっとやっていれば、こういう競争社会になってしまうのはしょうがなくて。公民館でも図書館でも、だいたいもっと自由でいいはずなんだけど、そういう施設も、目的のはっきりしない人がただ集まるようなスペースにはたぶん自民党政治だとできないと思います。

神長　公民館とかも壊されてきているし、有料になったり高くなっていたりしてるよね。

4n3c 新自由主義的な大阪維新の会なんかは統廃合したりしてますよね。窮屈になってきてます。

マリオ 多目的スペースじゃなく無目的スペースがいい。

神長 そこ重要ですよね。空き地やはらっぱ、公園みたいなものもどんどんなくなってきちゃってるよね。目的がなくてぶらぶら生きていてもいいじゃねえかって、ねえ。

マリオ 子どもにとっても大人にとっても、そういうところがない、ということやんな。僕らの子どもの頃なんかはあったもんね。はらっぱ、広場、田んぼ……。

居場所にはお金がかかる⁉

4n3c さっき昼間のゲーセンという話もあったんですが、だれでも無料で使えて盛り上がってる、もうちょっと自由なスペースが重要だと思うんです。そういうのがあれば、そこに集まった人たちの間で新たなやり方とか楽しみ方が生まれると思うんですけど。

えいち お金の問題ってあって、無料のスペースってなかなかすぐにはできない。〈かけこみ亭〉みたいな良心的なスペースもあるけど、なんでもちょっとずつお金がかかるようになってるんだから、せめて少しは政府が金を出せとは思います。障がいのある人とか、ちょっとキビしい人とかでも、生きていくのにカネがかかることはわかりきってるわけですから。それを出せっていうふうに言っていくのがいいのかなとも思います。

4n3c 税金の使われ方がおかしいんです、そもそも。子ども食堂にはお金使わず、ほぼみんな民間の人の善意の持ち出しじゃないですか。

ようじ 炊き出しなんか、全部税金でやることですよね。

ぺぺ そういうたまり場的なことということは、〈サンキューハウス〉[立川市にある生活困窮者等の支援や交流を目的に活動するスペース]でいろいろやってるけどね。

神馬 〈サンキューハウス〉はだめ連よりもだめかもしれません。

ぺぺ コミュ障カフェ、みたいなこともやってたんですよね。

神馬 コミュニケーション・カフェ。結局はどんな人でも受け入れるっていうのが〈サンキューハウス〉なんで、どんな人でも来ていいんです。だめでもだめじゃなくても。それで、その人が合わなければ来なくていいんですけど、気に入ってくれればまた来てくださいっていうかんじ。

イカ 大阪の釜ヶ崎や横浜の寿町に行ったときに建て替えられた労働センターを見たけど、無残だった。小っちゃくて小綺麗で警備員が監視していてシーンとしていて利用者がいない。前は広くって猥雑で人も集まっていたらしいけど。

神長 雰囲気変わっちゃうんだよね。清潔なかんじで。あれ、わざとやってんだろうなって思うけど。盛り上がらないっていうかね。長居もしづらいとかね。

はーぴー　コロナがあって、それまでは椅子とかテーブルがあったとこもみんななくなっちゃったり、飲食もできなくなったりしてて。

デパートも、それまではいろんな人がただじっと座ってるような場所があったけど、それがかなり減ったと思うんですよ。そこにカプセルトイとか商業的なものが置かれてベンチがなくなる。ベンチも減ったし、余計みんながギスギスしちゃうかんじ。それをここ数年思ってます。

タダで座れるところを能動的に探すのも大事かなっていうふうに思います。立川だと、大型電機店の各階にゆったりしたソファがあって、わたしはそこで打ち合わせしたり、弁当を食べたりしてます。けっこうそこで、ただずっと座ってる人とかもいるし、立川だとおすすめ。商業施設の中だけど、そういう場所を探して使ってくのは大事かなと。

〈あかね〉は理想的だったのか⁉

ようじ　ぺぺさんは二十年以上〈あかね〉をやって、どうでした？

ぺぺ　「だれでも行けるって言うけど、だれでもなのか？」っていうふうになりますよね。普通の人は来にくくなるっていう。

神長　敷居を下げてったらね。敷居の低い人しか来れないっていう（笑）。

ぺぺ　いやあ、いろいろ難しいですよね。

ようじ　かなり救われた人もいますよね。

ぺぺ　まあ、いたのかもしれないですよね。やっぱり普通に店に行って、「自分は精神病院に行ってる」とかって言えないからねえ。

神長　〈あかね〉で友だちができたりとか、そういう人もいっぱいいたからね。なかなかそういう場所が少なかったですからね。

シャイン　〈あかね〉で出会って結婚したカップルっていたよね。

イカ　その後に別れたりねえ。

ぺぺ　安定的なことにはならない。

さかじ　そういうスペースが具体的にあったとしても、そこに自分が行ってもいいのかなっていう気持ちになることがある。デモなんかに参加しても、そこで言ってはいけないことば（主催者側の人たちの趣旨と違うこと）を言ってしまって、注意されたりすることもあるんです。

阿佐ヶ谷ロフトのイベント（「だめ連ナイト〜いまのうちか⁉　集まろう、語ろう、人生、運動〜」）のときに、ぺぺさんが「だめ連でもだめだった人たちがいる」ということを言っていた気がするんですが、そういう人って具体的にどんな人だったのかなあ、自分みたいな人だったのかなあって気になります。

神長さんも、「ルサンチマンはだめ。ネトウヨとアンチフェミニズムは最悪」って言ってましたけど、自分は「ルサンチマン」でひっかかるところがあるかなあって。自分は「ネトウヨ」ではないんですけど、「アンチフェミニズム」っていうと、フェミニストにもいろいろな人がいるので、難しくて上手く交流できない。そこで得るものはもちろんあるんですが、職場と同じようなかんじになってしまって不愉快な気持ちになってしまったりする。結果的にひきこもることにもなってしまって、こぼれ落ちる人も出てきてしまう。

神長　こぼれ落ちるというか、合う合わないっていうのはありますから。いろんなオルタナスペースってあるけど、やっぱり何人かの具体的な人がやっているから、そのノリとかはやっぱりある程度できちゃうんだよね。おれだって別にどこでも行けるわけじゃない。デモでもそうだし、遊びの場所でもそうだけどさ。

　だめ連だって〈あかね〉だって、そこに来れないからもっとだめっていうわけじゃなくて。そもそもおれが、〈あかね〉が合わないですからね(笑)。だから行かなくなっちゃった。

イカ　やってる人たちも一枚岩でもなんでもなくて、注意っていうよりも意見を言われたことに対して、納得がいかなかったらそこでお話をしたりすればいいんじゃないかな。

4n3c　そういう場がもっとたくさんあればいいんだけど、やっぱり数が少ないっていうのも問題としてあると思う。数があれば、どこかに自分に合うところがあると思う。庶民は暮らしていけなくなって、これから脱落していく人が増えたとしても、政府は受け皿を作れないと思う。

神長　しっくりくるかっていうことで言ったら、そう考え出したらどこもしっくりこないよなってなりますよね(笑)。

さなえ　あたしが〈あかね〉でカウンターに入りはじめたときは、すごいプレッシャーだった。

　〈あかね〉には本当にいろんな人が来てたけど、ぺぺさん、神長さん、究極(Q太郎)さん、さっちゃんなんかはだれとでも交流するじゃん。すごいなって。でも、やめていくスタッフもいたじゃん、お客さんのプレッシャーに負けちゃうとかさ。ぜんぜん交流スキルない人とか、いろんな人がいるじゃん、ヘンタイの人とかいっぱい(爆笑)。それをいなしていなして。猛獣使いじゃないけど。

神長　〈あかね〉はレベルがすごすぎたからね(笑)。かなり特殊な……あんなとこないから。

さなえ　ほんとにいろんな人が来てすごい場所っていうか、難しい場所だったんだけど、それでもそこで出会った人もいたし、つながった人もいたりするんだよね。だから孤立してないし、そういうことをあまり考えなくて大丈夫なんです。

居場所にしがみつくのは危険！

ぺぺ　思い出したんだけど、行政系でやってる、「こころ系」の精神の人とかへのレクチャーみたいなものでも、居場所問題みたいな項目があって、「必ず、最低三か所は行ける場所を作ってください」って言うんだって。これはね、一か所しかないと、そこを命がけで守るから大変なことになっちゃうんだよ。だから必ず三か所は作ってくださいって言われるらしい。

神長　それは難しいね、難しい。

ぺぺ　それは難しいから大変なんだけど。まあなるほど、って話でもあるんだよね。

はーぴー　三か所ってちょっとハードルが高いね。

ぺぺ　そうなんだよ。でも一か所にしがみつくと大変なことになっちゃうんだよ。命がけになっちゃうから。

神長　よく考えたらおれなんかも五か所以上はあるなあ。もっとあるかも。あるところでイヤなことがあっても、別のところで楽しいことがあって気分が変わるってことはよくあるなあ。

「寝そべり族」は反体制派⁉

ぺぺ　いろいろな人の話を聞きたい。せっかくなのでね、中国からいらっしゃっている方もいるので、「寝そべり族」のこととか伺えたら面白いかな、と。

鹿　中国の上海から来たんですけど、と言っても郊外の工業地帯から来ました。

寝そべり族とだめ連には親和性があると思います。僕のだめ連のイメージとしては、とにかく楽しく熱くやろうぜみたいなテンション、あったかい。ポジティブに生きていこうというのがスタートだと思うんです。だめ連には、イベントなどを通じて人を集める力があると思っています。

一方、寝そべり族には「われこそは寝そべり族だ」みたいな者がいないんですね。中国でもいまは生きづらさをかかえている人がいますけど、そういう人がSNSとかで、「寝そべりたいな」とかジョークを交えて言い出してきている。

寝そべり族には「ニヒってる」イメージがあるんです、ポジティブなかんじではなくて。だから左翼の中からも、「寝そべりみたいな発想ではだめだ、もっと階級闘争をやろうぜ」みたいな批判も出てくるわけです。

ぺぺ　極めて興味深い。

鹿　寝そべり族の人も別に反体制派とは限らない。だめ連の人たちは左翼だと思うんですけど。

ぺぺ　いや、そこも含めていろいろ興味深いです。

鹿　漠然と、資本主義は悪いと思っているけども、ほかの組織というかセクトなどと連帯できるようなスペースを作るとか、そういう発想はあんまりないと思います。どちらかというと、個人でやっていくというノリが強い。
日本でも『寝そべり主義者宣言』という冊子が出ていますけど、あれがけっこう読まれているということにびっくりしています。

ペペ　〈模索舎〉だけで二百部以上売れてるっていう。

鹿　その中でも「個人で寝そべるのは良くない」みたいなことが書かれていたと思うんですけど、『寝そべり主義者宣言』みたいなスタンスはあんまり共有されていないし、既存の左翼の延長線にいるみたいなイメージもあります。寝そべるように見せかけて、中身は既存の左翼というかんじがあって。「寝ることこそ立つことだ」と言うんですが、結局、寝ることの価値が立つに回収されていたりする、そういう一面がある。とことん寝てやる、みたいな、そういうのはない。だから、左翼からもあんまり評価されない。
だいたいこんなかんじです。

ペペ　そういう意味では、勝山さん。

イカ　ちょっといいですか。グループでやるということに対して、政府からの弾圧というかプレッシャーがあるんじゃないかなっていう気がしたんですけど、そのへんはどうですか。

鹿　中国には若者たちが集まって共同生活をするスペースとか、オルタナな本屋さんみたいなスペースはあります。そういうスペースを作る人とニヒって寝そべり族になる人との温度差はけっこうあります。政府から弾圧されてやれなかったというのではなくて、最初から集まって一緒にやるみたいなモチベーションがなかった。
インターネットではまわりと状況や情報を共有したり、寝そべって生きていくライフハッカーみたいな、働かずに生きるコツを共有したりすることは多いです。例えば、高級食材の捨ててある場所を共有するとか。

居場所が居場所になるまで

神長　じゃあ、ひきこもり名人の……。

ペペ　最近お父さんが亡くなって、ひきこもりなのかなんなのかっていう。

勝山　ダディーが亡くなって一人暮らしになりました。

ペペ　これはひきこもりなのか？っていう。アイデンティティ！

勝山　う〜ん……。何を話せばいいんでしょう？

全員　爆笑

イカ　ママンもダディーも亡くなって。

勝山　そうそう。だから「生活保護は恥」とか言われても、「知らん！そんなものは」と。恥なんかあったら生きていけない。世間で言われる当たり前とか常識とか、そんなものに従っていたら、即、飢え死にですから。
生活保護は大変だっていうのもわかるんですけど、それに対する答えは「だからなんなんだ」っていうだけであって、もう行くしかない。
　恥ずかしいから取れないというのは、つまり選択肢があるということ。そういう余裕があるけれども、こっちは背水の陣ですから。
　だめ連を初めて知った頃とかは、僕にも生活保護を受給するのが恥ずかしいという気持ちはありました。僕も若かったし親も若かったから余裕があったし、僕ももうちょっと暗かった。だめ連を見て、「なんでこんな明るいんだ、だめなのに」って思いました（笑）。
　ぺぺさんと神長さんの二人がちょうど自分より五歳くらい年上で、二人を見るたびにつねに、あと五年は大丈夫だって思います。
　今日も話を聞いていてひたすら癒されるんですね。

全員　爆笑

勝山　「だめ連ラジオ」もすべて聴いているヘンタイリスナーのひとりです。

ぺぺ　すべてを聴いている人って何人かいて、衝撃を受ける。

神長　ひきこもりってことで言うとさ、仕事とか学校、消費する以外に行ける場所ってあんまりなくて、そうするとひきこもりになって当然っていうかさ。
　そこで、集まったりなんだりする作戦がいいのか、それかさっきの寝そべりのようにひきこもるのがいいのか、そのへんはどういうかんじなんですか。

勝山　最近、居場所ってブームですよね。国とか行政が作りたがって。でも、そういう用意された場所って、ほんと、腐った匂いがするっていうか。

全員　爆笑

勝山　明らかに仲間ではない支援者、腐れファシリテーターが……。

ぺぺ　プロだからね。

勝山　そんなところにだれが行くんだって話で。自分は五十歳だけど、居場所は結果論。結果的に居場所になってる。友だちもそうで、なんで友だちになったのかわからない。ひどいところもあるけどウマが合うとか。「ひきこもりについて考える会」とかやってますけど、居場所ではないです。話をする会が結果的に場所になってたりする、たんなる飲み会が居場所になってたりする。「多様」っていうことばで、いろいろきな臭い連中が作ろうとしてるんだけれども、もしそこに税金が民間にながれる形で使われてるのであれば、ちょっとそれは違うんじゃないかなって。
　基本的に「最初から楽しい居場所っていうのはない」と思っています。

イカ　名言が出たね。

勝山　初めて居場所に参加したときに、だれも知ってる人がいなくて、座ってじっとしてるわけじゃないですか。これ、地獄じゃないですか。でも、そこを通らないとだめだなって、僕はいくつか参加していて思いました。
　今日も、ここに一番乗りしました。来たらだれもいなかった。

全員　爆笑

勝山　最初に来れば、ぺぺさんか神長さんとサシで話ができるかもって思ってたのに、いない。「だめ連の方ですか?」って受付で言われて……。

全員　爆笑

勝山　「だめ連ではないですけど、イベントの参加者です」って言って、三階まで付き添ってもらって電気をつけてもらってってやったのは僕なんです。

神長　そうだったんですね。ありがとうございます(笑)。

勝山　一番最初に来て最後まで残るっていうのを繰り返して、それでも居場所になるかどうかわからない。けど、僕自身は繰り返してきたし、それしかないんじゃないかな。諦めではないけど。

あと、今日、休憩のときに喫煙所に行かなかったのはミステイク。

全員　爆笑

勝山　タバコを吸わなくても、喫煙所に行くべき。これが交流の極意。ああいうところで人とつながるきっかけとかができるので。タバコを吸わないとうっかり忘れちゃう。そういうことをちょこちょこやってるくらいですかね。話がずれちゃいました。

さかじ　ひきこもり問題っていうのは中国でもあったりするんですか。

鹿　ひきこもりはあるんですけど、あんまり取材して取り上げられることはないです。

ぺぺ　メディアには出ない。

鹿　ひきこもりと言ったら日本、みたいな。

ぺぺ　「KA・RO・U・SHI」みたいな。

鹿　そうです、そうです。

サスケ　学校へ行かない子どもとかも多いですか。

鹿　そうですね。いっぱい。

さかじ　表立ってそういう問題が出てこないっていうことは、ひきこもりの人はそんなに数は多くないということなんですか。

鹿　取り上げられていないだけかも。IT企業も過労死とかもいっぱいありますし。インターネットを検閲する会社もあるんですけど、そういう会社の中でも過労死があります。

オルタナスペースはスナック?

イカ　居場所とか行ける場所を作るのは、ちょっとした努力や勇気が必要だと思うよ。知りあいがいないところに行くって勇気がいるじゃん。

神長　だいたいさ、オルタナスペースってスナックみたいなもんだからね。

全員　爆笑

神長　常連ばっかりだからね。やっぱ、扉開けるのに勇気いるんだよね。期待と不安と。

イカ　〈あかね〉だってそうじゃん。扉開けられなくて何度も回って……。

ぺぺ　三十回くらいね。

イカ　初めての人には声かけたほうがいいんじゃないかな。

さなえ　迷いなく入ってくる人と、早稲田の文学部の正門からじぃーっと見ていて、近づいてきて近づいてきてやっと入る人と、両方いますよね。

イカ　いきなり入ってくる人っていうのもけっこう要注意じゃない（笑）。

神長　テンション高くって、こっちが押されちゃうからね。

ぺぺ　次はコミューン系の方とか……。

神長　笹塚系の……。

中西　初めてだめ連のこういう集まりに参加させてもらったんですけど、何より思ったのは居心地がいい。しゃべらなくてもここに居ていいんだなって思わせてくれる、なんとなくの皆さん雰囲気っていうのがすごい良かったです。

神長　ありがとうございます。

ぺぺ　笹塚コミューンの簡単な紹介を。

中西　大学を中心に出会った二十代、三十代の集まりです。でも、いろんな人と会うためには大学以外の回路があるといいなと思って。スペースを自分たちで持ったら、大学じゃできないようないろんなこともできますし、そういうのを作ろうとなりました。

えいち　笹塚にスペースがあるんですか？

中西　笹塚コミューンって名乗ってるんですけど中野新橋にあります。笹塚は家賃が高すぎて。どんどん中野のほうに追いやられて。みんな大学院生なので得意なことをやろうとなって、いまは中学生の塾をやっています。塾をやると親御さんともつきあいができて、密な関係も作れます。

N．N．　今日、話を聞いてて、悩んでいることがけっこう似ているなって思いました。居場所問題とかまさにそうで、僕らはそのために自分たちでスペースっていうかたちで作っているわけです。どうやってだめに生きていくか。僕もいま、就活とかしてるんですけど、就活戦線異常ありまくりで、ほんと困ってます。でも、そういうふうにしてても別に生きていられるじゃんっていうスペースを作っていくのは大事なんじゃないかなって思います。

イカ　就職をしようと思ってるんですか。

N．N．　僕はそうですね。仕事をして生計を立てたいなっていう気持ちがあります。

イカ　でもキビしい？

N．N．　そうですね。

「交流一日、寝込み三日」

リサ　私はインドネシアの友だちが多くて、インドネシアではわりと、笑う・歌う・踊るが実践できているんですけど、それとは別に「寝る」「寝そべる」っていうキーワードが今日出てきました。

最近、「ナップ・ミニストリー」っていうアメリカの黒人女性のインスタグラムのアカウントをフォローしていて、その人は「ナップ＝昼寝」にこだわって発言して、『休息は抵抗だ宣言』という本も出しているんですけど、その人の投稿で「昼寝っていうのは自分のバウンダリー＝境界をはっきりさせること。自分ができないことに「ノー」を言わないと寝ることができない」「昼寝は革命的な行為だ」って言ってるんです。

黒人女性の経験として語られるんですが、国からの抑圧への対応とかコミュニティで女性がやるべきとされているケアワークとか、そういうのを全部引き受けていくと、本当に寝る暇がない。「自分の寝る時間を確保するためには、警察は廃絶しなきゃいけないし、家父長制とも闘わなくちゃいけないし、私の昼寝の権利っていうのは全体的な革命なんだ」って言っていました。

私も『寝そべり主義者宣言』を資本主義のオルタナティブとして面白いなって思ったんですけど、警察廃絶とか監獄廃絶の運動に関心があったので、そういう運動で発言しているアメリカの黒人女性たちに注目していたら、「寝る」っていうキーワードで、中国における反資本主義と、アメリカの黒人女性の賃労働とケア労働の二重の重圧っていうフェミニズム的なことと、監獄廃絶もかかわって「昼寝の権利」っていうのがつながってきたから、面白いなって思いました。

あと、だめ連のキーワードのひとつが「交流」だと思うんですけど、交流ってすごく時間とエネルギーがかかる。

ぺぺ　けっこう大変なんだよ、これは。最近気づいたんだよ。

神長　遅いよ！　気づくのが(笑)。

リサ　だめな話とかも、自分はもちろん共感してるし、他人事じゃないから自分も話したいし話を聞きたいんだけど、下手な聞き方――自分の境界をちゃんと意識しない――をしちゃうと、聞きすぎて疲れちゃう。ちょっとそれは勘弁してよ、みたいなときもあったりして交流の難しさをかんじます。「心を取り戻す」「熱くレヴォリューション」っていうのも、ちゃんと自分のできることとできないことっていうのも考えないと、うまくいかないなっていうか。本当に自分がやりたいこととか、本当に自分が使いたい時間はなんなのかということを、どういう関係においても考える必要があるなって。

獄中者への支援を見ても、「大変だ、話を聞かなきゃ」っていう共感的気持ちや政治的連帯っていう気持ちがあっても、上手く聞かないとこっちも奈落の底に落ちるようなことになる。共感、連帯は「心を取り戻す」のに大事だけど、自分のメンタルの維持も含めて、どうやって自分の魂を守るのかっていうことも考えないと「熱くレヴォリューション」は続かないなって。

今日は、寝るっていうことの革

命性と自分の魂を守るっていうことについてあらためて考えさせられました。

ペペ なんかで、「交流一日、寝込み三日」って言っている人を見た。気合いを入れて交流会に行くとね、その後の三日間は動けないということなんですねえ。だから気をつけないといけない。

神長 だいたい、行く何日も前からね。

ペペ 気合いが入りまくっちゃってね。

神長 過剰な期待感でね。

ペペ コロナでけっこう一人に慣れてきたから、「いや、人と会うのって大変なことだな」って思ってきたんだよ。

神長 いま頃気づいてんだ(笑)。

ペペ そういう問題もある。

イカ 体力が落ちてるっていうのもあるんじゃない。

ペペ そういう問題もあるかもしれないねえ。大変なことなんだよ。

だめを受け入れて、なるべく社会のせいにして生きる

細谷 今日聞いていて思ったことなんですけど、「だめをポジティブに生きる」っていうのがテーマですよね。

神長 はい。

細谷 ポジティブに生きる前に、だめを受け止めるっていうのもあるのかなと思ったんです。

自分の記憶だと、「なるべく人のせいにしつつ、社会のせいにする」っていうのもだめ連のテーゼですよね。だめを受け入れるって言いながら社会のせいにするって、なんか変な気がして矛盾するんじゃないかと思うんだけど、よく考えると矛盾してなくて。だめを受け入れる、自分はだめであると。でも、その「だめ」は自分のせいじゃないんだというふうに思える。「障害の社会モデル」ということばがあって、障害というのはあくまで個人の問題じゃなくて社会のあり方が障害を生み出しているっていう考え方がありますよね。

そうなると、自分がだめだということをまず受け入れる必要がある。そのことによって初めて、自分のだめさを社会のせいにすることができるんじゃないかなと思ったんです。

こんなこと考えたのは、最近若い人と話していたら、なるべくネガティブなものは見たくないと目や耳を閉ざしちゃうんですね。具体的には、あるところで若い女性がアメリカにおけるレイプの話をしてたんですよ。それに対して男の子が、なんか無関心なかんじで聞いてて。彼が言うには、「そういうネガティブな話は聞きたくない」と。「ポジティブなことだけに向かっていたい」と。「そのことによって、自分がポジティブになれるからだ」って。まさに最近流行りのポジティブシンキングの罠にはまっちゃってるかんじ。

だからやっぱり、だめを受け入

れるっていうのと、人のせいにする、社会のせいにするっていうこと、これこそだめ連のすばらしさかなと思いました。

ぺぺ　次々と問いが出てくるかんじですね。到底残り五分じゃ難しい。

神長　今日のニュースで、ウクライナ戦争でロシア軍が戦略的にレイプをやっているっていうのがあったよねえ。

ぺぺ　前回のだめ連ラジオで戦争のことをやったんで、今回、いきなりそれ飛ばしてこれか⁉っておれも思ったんですけども。

神長　でも領土の拡大とかそういうのも戦争とつながってますから。大きいことはいいことだ、みたいなだめ問題的な思考ね。

　戦争の問題も根源のところでだめ問題がありますから。人を殺してまでもっと富が欲しいとか、支配したいとか。支配者層のそういう欲望が変われば戦争もなくなりますよ。プーチンよりだめ連のほうが幸せなんです。

ぺぺ　この次にやるイベント（ＬＩＮＥグループ　マフノ「ウクライナのアナキスト達は今」）のビラとかも持ってきてるんで、そっちのほうもそっちのほうで、まあ考えながらということでね。やっていきたいです。

神長　もう、時間ですね。

ぺぺ　まあ、五十回もやってきて良かったと。今後のやり方なども含め、ご意見などを参考にしつつやっていきたいと思いますので、よろしくお願いします。

神長　よろしくお願いします。今日はどうもありがとうございました。

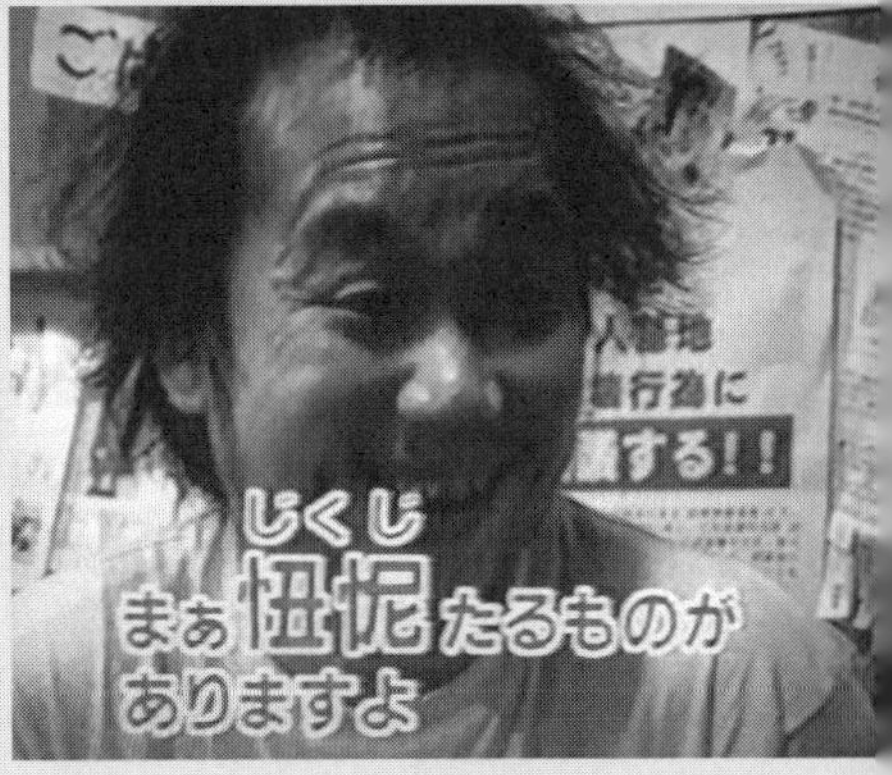

上は、あかねにて。左からペペ、究極Ｑ太郎さん、神長。
左下は『寝そべり主義者宣言　日本語版』を手に、松本哉さんと。
右下はペペ。

鼎談1……酒井隆史＋栗原康＋神長恒一

資本主義の外への想像力と生の躍動

二〇二三年八月二十五日、〈素人の乱12号店〉にて

神長　どうも！　今日は、スペシャルゲストとして酒井隆史さんと栗原康さんを迎えてトークしていきたいと思います。よろしくお願いします。

酒井　光栄です。

神長　一応、今日履いてきたこのサンダルはぺぺの遺品でして。

酒井　そういうの履いてたよね、よく。

神長　便所サンダルね。

一同　爆笑

神長　一応、ぺぺもね、薄く参加っていうことで。

一同　爆笑

神長　酒井さんとは古くからの仲間というか、九〇年代の初め、だめ連がはじまるかはじまらないかっていう頃からの最初の仲間。早稲田大学のノンセクトの学生運動界隈で、道場親信さんとかと一緒にね。ぼくらも特別な思い入れのある人です。昔は、哲学の学習会とかもやってましたよね。

酒井　「サルでもわかる哲学研究会」ね。

神長　フーコーとかね。

酒井　そのほか、衝撃的な報告とかをいくつか……（笑）。

栗原　それも聞いてみたかったですね。

神長　栗原さんとの出会いは、宮下公園での夏祭り。古本コーナーがあって。そこで栗原さんの『大杉栄伝――永遠のアナキズム』っていう本を買って、読んだら面白くて、それからハマって愛読者になって、たくさん読ませていただきました。うなずきまくりながら読ませていただいてます。

栗原　『だめ連ラジオ』にも呼んでいただきまして。

神長　大阪特集のときには、酒井さんにも出ていただいてね、恐縮です。

資本主義を批判して、それで楽しくどう生きていくかという新たな展望、今日はそのへんを楽しく自由に語っていければと思っています。

快楽と資本主義

神長　本のタイトルがでっかいテーマなんですが、われわれ、一応革命団体なんで（笑）。権力を取ってどうこうとかそういう革命じゃない革命なんですけど。

だめ連がはじまった頃の九〇年代は、いまから考えると世の中はまだ「まったり」していた。だけどその後、びっくりするような大変なことが次々と起こった。まずは東日本大震災での福島第一原発の爆発。でかい一発っていうか、自分が生きているときにこんなことが起こるんだっていうようなことが起こった。

そのほかもいろいろですよ。資本主義が幅を利かせまくって、ネオリベだと。ちなみに、この「ネオリベ」っていうことばは、ぺぺが最初に言い出したという説があるんですよね（笑）。

栗原　そうだったんですか!?

酒井　いやいや、それ本当です。おれ、驚いたから。まあ、その手の話をしてたら、ぺぺが「ううむ、ネオリベ、問題ですよね」とか言い出して。まだ憶えてるよ、そのシーン。「それまで略すんだこの人。マジか」って。

一同　爆笑。

酒井　「しょうがねえなあ」って思ってたら、まさかの流行。さすがというかね。でもこれで神話化させるのもなんなんで、あいつの造語でぜんぜん流行しないほうが多いということはつけ加えておきます！

神長　ネオリベで、世の中がどんどんすさんでいって、格差拡大や生きづらさが問題になって。その後も大きいところで言うと新型コロナウイルスがあって、ロシアのウクライナ侵攻があって。怒濤の日々なんだけど、さらに今年の夏なんか温暖化で。

酒井　国連のグテーレス事務総長なんて、もう温暖化の段階をへて沸騰化だって言ってるから。

神長　もうね、ある一線を越えちゃったんですよね。

酒井　越えた。

神長　燃えちゃってるじゃないですか。

酒井　燃えてる燃えてる。

神長　ハワイだってね。そういうひどいことには枚挙に暇がない。昨日(八月二十四日)は原発事故の汚染水を垂れ流すっていう。

酒井　汚染水！　ひどい話だよ、本当に。

神長　怒り心頭っていうかねえ。

酒井　外道だよ、外道！　外道国家だよ。

神長　そういうね、あまりにもひどい資本主義の現状の解説というのをね。最初にちょっと酒井先生のほうから……。

一同　爆笑

神長　いきなりで大丈夫っすか？

というのも、ぺぺがちょっと気にしてたんですよ。資本主義問題みたいなでかい問題をおれらみたいなのが感覚ベースで語っていいのかって。

酒井　だめ連ってさあ、感覚もあるんだけど、一方でけっこうことばもあるじゃない。神長君って感覚をことばにするのがうまいけど、ぺぺはある程度理論を知っているからさ。あの人、また読まないである程度把握するじゃん。またね、ちょっとした一文から本質を摑むのがうまい。

でもさ、本当にからだで理解しないとことばも本当には理解できないということもあってさ。ことばはなんとなく持っているけどからだで理解してない、そういう人は研究者なんかでもごろごろしてるから。そういう面ではね、おれはいまもときどき引用するけれども、やっぱりだめ連から学ぶものは多いわけよ。何かの言説で言われていることを理解するときに、神長君のことばとか、ぺぺの発言とかさ。そういうので納得することって多いんだよね。もちろん、ほかにもいろいろな人がいたけどね。

神長　ほめさせてしまってなんかすみませんね、ほんとにね。

一同　爆笑

酒井　でもね、日本で資本主義というとき、いまだ根深い問題があると思っててさ。「資本主義の快楽」みたいなことを言う人がいまだにいるわけ。おれも、ある程度はそれを重要視しないとまずいとは思ってるけど、それでもそういう人ってさ、たいてい快楽の幅があまりにせまい気がするんだよ。「資本主義じゃないとこういうことはできないでしょう」みたいに言うんだけどさ、資本主義がなかったら、おんなじことももっと楽しかったかもしれないって思わないのかな、と。

神長　はいはい。まさに今日話そうと思ったのはそのことですから。

酒井　おれもたぶんだめ連とかを経由して理解したというか、うっすら思ってたことがより明確になったことだとは思うんだけどさ。

例えば、いま、文学とか映画をみんな楽しんでいると。「あれ？　でも資本主義がなくなったら文学とか映画ってどうするんですか」とか、そういうふうに思う人が多いんだけど、資本主義がなくなったらもっと面白い文学、もっと面白い映画が撮れる可能性があるじゃない。制約なく自由に、より深く、みんなで議論を深めたりしながらやれるかもしれない。たんに消費するだけじゃなく、みんなの共通の経験にしたりとかさ。

こういうふうに想像力が働かない人がめちゃくちゃ多い気がするんだよね。そういう人が、「資本主義の快楽が大事」とか言いたがる傾向があるとは前から思ってて。重要なのは、同じ快楽でも資本主義じゃなかったほうがより楽しいんじゃないか、より楽しくありえるんじゃないかという発想。これはすごく大事なことだと思うんだけど、なかなかそれを体感的に言える人はいない。とくに日本では少ないと思う。日本の外ではけっこういると思うんだよ。だからアナキストが多いと

酒井隆史（さかい・たかし）
1965年生まれ。大阪公立大学教員。専門は社会思想、都市史。著書に『通天閣』青土社、『賢人と奴隷とバカ』亜紀書房、『暴力の哲学』河出文庫など。訳書にデヴィッド・グレーバー＋デヴィッド・ウェングロウ『万物の黎明——人類史を根本からくつがえす』光文社、ピエール・クラストル『国家をもたぬよう社会は努めてきた』洛北出版、ピーター・フレイズ『四つの未来——〈ポスト資本主義〉を展望するための四類型』など。

思うんだけども、日本だと、快楽が資本主義でしか味わえないと考えている人がすごく多いと思う。快楽が資本主義に封じ込められているっていうかね。だから、我慢しなきゃいけない、禁欲しなきゃいけないってなる。

神長　そこはまさにこの本のひとつのテーマで、だめ連の基本路線としては脱成長で、あんまり働かないあんまり消費しないとかなんですけど、そうすると、エシカルだとか禁欲的だとか言われたりするんだけど、逆だと思うんですよ。資本主義的じゃないやり方、例えばDIYというのも重要で、メシでもなんでも――今日はコンビニで買っちゃってるけど（笑）――みんなで料理して食べるとかね。あるいは、空き地の草むしりをしてそこで勝手に野菜を育てるゲリラガーデンとかね。

便利じゃなくて面倒くさいかもしれないけど、むしろそういうことのほうによろこびがあるなと。うまいものを食うにしても、高級レストランに行ってってていう発想じゃなくてさ、みんなで炊き出しをやって食べるみたいなこと。たんに味としてうまけりゃいいというものじゃない。実はそこにこそ、すごい快楽、よろこびがあるんじゃないかと。

栗原　自分の知りあいのアナキストでも、うまいものを一緒に食おうっていうのを大事にする人が多いですよね。コミューン的なことをやってる人たちのところに行くと、自分たちで採ったものだったり食材を持ち込んだりして、あんまりカネがかからないようにやりくりしながら食事を作って、「うめー!」とかって言ってる。それだけでけっこう楽しかったりします。実際、そのほうが居酒屋で飲むより豪華だったりしますしね。

ぼくがそういう資本主義より楽しいなっていう感覚を初めておぼえたのは大学の頃で、やっぱりサークルが楽しかったんですよね。当時はまだ地下部室があって、いまだと大学って、お金を払ってその大学が提供する商品を受け取るみたいなかんじの場になっているけど、その大学の地下を勝手に占拠していた。ちょっと上の年代の人たちが無数に部室を作って、そこを使い放題。ある種の「闇の場所」ができあがっていて、変な人もいっぱい来るんですね。ベンチで寝ていたホームレスみたいな人たちも、鍋とかをやりはじめるとふらふらやってきたり。隣のサークルの人とか、ちょっと年上で怖い人なのかなとか思うような人でも、しゃべってみたら超いい人だったりして、いい食材を持ってきてくれたり。

神長 そうそう。そういうときって別にお願いしなくてもね、みんないろんなものを持ち寄ってね。わらわらっと集まってくるんですよね（笑）。

栗原 うちらだと「大五郎」みたいな安い酒しか買えなかったのに、ちゃんとしたビールを買ってきてくれるとか。それだと資本主義の論理になっちゃうかもしれないけど（笑）。

変なカオスみたいなものがふっと湧き上がっていて、資本主義でお金を払って得られる快楽とはぜんぜん別のものがありましたね。大学生のときにそういうのを見たら、異様なんだけどやっぱりワクワクしちゃうじゃないですか。

困った人を見よ

神長 栗原さんに言われて思い出したけど、おれも同じだもんね。おれは大学を卒業して、その後就職して、十か月で引退して無職になってぶらぶらしてて、その頃にペペが沖縄食堂でバイトしてて、それをきっかけにノンセクトの学生運動入りするんだよね。早稲田のノンセクトの地下部室に行くんだけど、あそこが面白かったんだよね。

酒井 そういうところでの経験をどれだけ大事にできるかっていうことなんだよね。それはどこまで過大視してもしきれないような経験だと思うんだよね。

栗原 康（くりはら・やすし）
1979年生まれ。東北芸術工科大学非常勤講師。専門はアナキズム研究。
著書に『大杉栄伝 永遠のアナキズム』角川ソフィア文庫、『死してなお踊れ――一遍上人伝』河出文庫、『アナキズム――一丸となってバラバラに生きろ』岩波新書、『サボる哲学――労働の未来から逃散せよ』NHK出版新書、『超人ナイチンゲール』医学書院など。
趣味は長渕剛、錦糸町河内音頭。好物はビール、最近は日本酒もちょっと好きです。

多くの人が、そういう経験は一過性のものとしていて、それとは切れたところでいろいろ考えたりするんだけど、でもね、それはものすごく普遍的な経験で、いろいろなことばをそこから紡ぎ出していったほうがいいと思うんだよね。

栗原　学外から来ている人もいたと思うんですけど。歳をとってもずっとブラブラしている人とか。

酒井　いたね。

栗原　そういう人から勉強を教わった覚えもありますし、お世話にはなったんです。

とはいえ厄介だったりもするという……。

酒井　厄介なのよ。でもその厄介ぶりがまた大事なんでね。

そうそう。ノンセクトからだめ連へと(ごくごく一部が展開というか合流、あるいは交錯するなかで、だめ連が一番焦点化したのは、やっぱり「だめな人問題」「困った人問題」「困った人問題」なんだよね。「困った人問題」というのは、みんながあんまり重要視していなくて、なんとなく排除する傾向にあったりする人。だって、そういう人がいると、組織が解体するような危機に陥ることもあるでしょう。それをなんとか組み入れながらやっていく、とくにノンセクトにはエキセントリックで組織を破壊しそうな人が来るけど、だめ連はけっこうそれに真面目に取り組んでいるところがあるじゃない。

神長　いやあ、真面目に取り組めたかどうかはわからないけど、でも結局ずっとそういうことの連続でしたねえ。ぺぺはそこを意識的にやってたでしょうね。

酒井　いまだにぺぺの謎っていうか重要なポイント、だめな人への対応と忍耐力。

神長　界隈のイベントはたくさんあって、とくにゼロ年代以降は文化的なアナキズム的な運動が盛り上がってきて。そういうところって困った人ってわりと少ないんですけど、ぺぺはわざと連れてくるんですよね。

一同　爆笑

神長　そうするとみんな困るじゃないですか。でもぺぺ自身は何もフォローしないのね。そういうことがよくあって、大変なことの連続だったんだけど、友だちが、亡くなる数か月前にぺぺから聞いた話によれば、解決をめざしていないみたいな、そういうことを言ってたらしいね。一見かっこいいこと言ってるんだけど、一緒にいたおれ的には「う〜〜ん」ってねえ。もうちょっと、どうしたらいいかっていう議論とかあってもって。意図とか語らないから(笑)

酒井 ここがペペの問題なんだよね、謎っていうか。でも、考えてみたらあいつがだめ連をはじめる前からだよ。よく連れてきてたよね、「この人、ヤバイ人なんですよ」とか面白がってね。

一同 爆笑

神長 ペペはそういう人がすごく好きで、おれも基本的に好きで。だれも注目しないような人、困った人、みんな嫌がっている人で面白い人がいるわけですよ。そこで二人の注目が一致して、気が合ってやってたところもあるけど、やっぱりそういう人が好きな度合いが向こうのほうが上だからさ(爆笑)。どんどんこの人もあの人もって来てさ。だんだんおれもついていけなくなってねえ。で、問題がたびたび起こるじゃないですか、どうしたって。問題が起こると、嫌な思いする人もいたり、なかなか大変だったんですけどね。

これも友だちが言ってたことだけど、ペペが言ってたのは、そういうだれも注目しないようなキビしい思いをしている人というのが、実は一番いまのこの世の中というのを知っているんだ、わかっているんだと。そういうことも言ってたらしい。

一同 爆笑

栗原 そう聞くとかっこいい。

酒井 話半分だよね。

一同 爆笑

酒井 でもね、神長君とペペを見てて思ったことがあるんだよね。それは、なんで笑いが大事かっていうこと。笑いって語ると面白くなくなるから難しいんだけど、やっぱり、だめな人を受け入れるため、排除しないためには笑いがベースにある必要があるんだな、と。面白がってるっていうわけじゃなくて、笑いっていうのが、この人もわれわれとコミュニケーションできる人なんだとか、場を共有できる人なんだというふうにしてくれるんだよね。

十年以上前になるけど、当時ソウルで本当にユニークな運動をやっていた「スユ+ノモ[スユ=スウル郊外の町スユル、ノモ=越えるの意。韓国の高学歴ワーキングプアたちが当時運営していた自律的研究空間]」をたずねたとき、それがひとつの運動の基盤に据えられてて。そのとき、あのときみんなが実質的にやっていたことがなんだったのか、あらためて気づいてハッとしたんだよね。

神長　ぺぺはそのへん意識してやってましたよね。ここは難しいんですよ。この本の中にもそういう話は出てきてて、そのまま載せていいのかどうか迷いましたよ。もちろんぺぺは、愛があって言ってるんだけど。孤立しがちな人ともみんなで交流しようよっていう。

栗原　その場にいないとわからないニュアンスとかもありますしね。

酒井　そうなんですよね、それでだれかを排除して気づかないということもあるでしょうし。

これは本当にどうでもいい話なんだけど、一時期、われわれはよく、なんと表現したらいいんでしょう、こう「新しい出会いを目的とした交流会」(一部では俗に「合コン」と呼ばれたりするもの)をやってたことがあってさ。おれ、その頃、あんまりうまく眠れなくてさ、睡眠導入剤的なもの(当時はまだ規制が緩くて、普通に薬局でそれなりのものが入手できた)を飲んでたんだよね。そこでまずはじめに「他己紹介」とかやるわけね。ぺぺってそういうの好きだったじゃん。そしたらいきなり、「酒井さんです。最近はトランキー酒井って呼ばれてます」とか言うわけだよ。おれ、もう今日終わったよって。

一同　「トランキー酒井!」(爆笑)

神長　もう、合コンなんて聞いたら、酒井さんをディスってってねえ。アゲアゲでしょ。目的そこにあるから。「酒井をつぶす」みたいなね。今日はモテないようにしてやろうみたいな。

一同　爆笑

酒井　悪意もあるからね。ここが難しいんだよ。

神長　意地悪だったりしますからね。うれしそうに笑いながら(笑)。これは普通の人は真似しないほうがいい(笑)。

栗原　聖人ではない。

神長　そこが微妙にまた人気のもとだったりするんだよね。絶妙にね。

これはでも、使えない話ばっかりだな。

一同　爆笑

資本主義がなければ、時間を自由に使うことが可能になる

酒井　話を戻すために言うと、やっぱりネオリベって「効率」とか「生産性」をお題目に掲げて（あくまで「お題目」）、で、ギリギリ締め上げるからさあ。われわれの日常生活で、人そのものをじっくり見てつきあうとか、受け入れるとかできないよね。基本的にはほら、食の問題をはじめ、すべてに通底しているのは時間の問題でしょう。

よく言われることだけど、アナキストってコンセンサス（合意）に長い時間をかけるでしょ。でも、例えばマンションの管理にしても、「そういうの面倒でしょ」って言う人がいるんだよ、左派とかにも。

神長　まあ正直な反応でもありますよね。

酒井　でも、ひとつ考えるべきなのは、みんな忙しいからそうなるんだよねっていうこと。面倒くさいに決まってるじゃない。忙しいなかで、事務的に早く終わらせたいっていうそういう気分も強いだろうし。

でも、一方でよく引用されるけど、宮本常一さんの『忘れられた日本人』ってあるでしょ。あの本に出てくる人たちって、何日もかけて話しあう。みんなで集い、飲み、トークするのが楽しいから、議論をしてコンセンサスを得ていくわけ。

例えば、今日も飲み物を買っちゃったけど、意地悪な人はそれを見て「資本主義に絡め取られてる」とかって言うんだよ。でも、絡め取るように仕組みができているわけなんだよね。そうじゃなかったら、労働は週に三日で一日五時間とかあるいは週二日労働とかだったら、自分たちで麦茶を作ったりするでしょう。振る舞ったりするでしょう。ベーシックインカムが三十万円とかあったとしたら。

栗原　お酒もだいたい自作のビールとどぶろくでいけそうな気がします。

酒井　そうそう。「作ってきたからあげるよ」とか「百円でいいよ」とか、そういうふうになると思うんだよね。そうであったら、みんなが集まって一日中トークしながら会議をやるとかって、そんなに苦痛じゃないと思うんだよね。苦痛な人もいるかもしれないし、そういう局面があるということは前提でね、でも、われわれが考えるほどじゃない

と思います。
　想像力が資本主義そのものによって狭められてて、資本主義というのは時間をわれわれから奪っていくものだという前提がない。「もし資本主義がなければ、われわれは時間を無尽蔵に使える。そうなったらどうなるだろう」っていうところを考えなきゃいけないと思う。

どうして労働時間は短くならないのか

神長　デヴィッド・グレーバーの『ブルシット・ジョブ――クソどうでもいい仕事の理論』でもあったかな。よく、ケインズ（経済学者）の話が出てくるじゃないですか。

酒井　「テクノロジーが発達した百年後には、労働は週三日で一日五時間でもいい」という話ね。ケインズの指し示した「百年後」というのがおよそ現在にあたるわけなんだけど、ケインズからしたら本当はそれもいらないんだよ。人間は労働に慣れちゃってるから、少しくらい働かないと逆にイカれちゃうだろうと。

栗原　逆に不安になると。

酒井　だからとりあえず働かせとけと。でも、それでも週三日で一日五時間。

神長　おれなんか、いまそのくらいなんだけど。

一同　爆笑

神長　まあそれはいいとして、なんでケインズが言っていたようなことになってないんですか。

酒井　ひとつはグレーバーの言うように、みんなを労働に緊縛したいから。
　やっぱり資本主義って経済的な装置ではなく支配の装置なんだよ。これはもうずっと前からマルクスも言ってたことだけど、資本主義というのは、経済的合理主義の世界というよりは、人から生きる選択肢をどんどん奪っていって、ボスの言うことを聞くしかないようなからだにしてしまう、そういう従属させていくというシステム。だから、支配層はなんとしても死守するよね。資本主義が生産性とか成長とかをネグレクトしてでも従属だけはさせたいというのがあるからさ。それは大きいんじゃない。だから再配分させない。ではどうするかといったら、ブルシット・ジョブを作って仕事をさせる。
　例えば最近でも、雇用・労働対策とか打ち出して仲介業者にばらまくみたいな話があるよね。これなんか典型的で、スキームを作って労働生産性を上昇させるべくトレーニングの期間をもうけるとかって予算をつける。それを、オリンピックのときの電通とかパソナみたいな企業にばらまくと。そうやってどうでもいい仕事をでっち上げてシステムに縛りつけようとする。必要とする人や困っている人に直接給付すればいいのにさ。本来はばらまいてもぜんぜんいいわけで、なんの問題もないと思うんだけど、それだとみんなが路上にたむろしたり遊び回るだろうと。つまり、彼らにとっては遊んでるような人たちっていうのは脅威なんだよね。

神長　いじめも入ってますよね。

酒井　サディスティックだよね。

神長　やっぱりみんなが楽しそうにしているのは気にくわないんですかね。

酒井　神長君は昔からそう言ってるよね。それは本当にそのとおり。楽しそうにしてるのがいやなんだよ。

栗原　また、ちょっと働いててつらいって思ってる人が楽しそうにしている人たちを叩くんですよね。たいして稼いでないし搾取されてるだけじゃんみたいな人が、逆にそうなってくる。

　働くために働いているようなかんじっていうか。酒井さんが言ったように、本当に統治のためですよ。奴隷制みたいに上に従う身体みたいなものを作るだけみたいなのが延々と続けられてて嫌だなって思う。

仕事がないから忙しい

栗原　初めてベーシックインカムの発想を知ったとき、そういう統治を突き抜けちゃう開放感がありました。それは文字どおり、働かなくていいんだっていうことでもあり。だって、「労働↓生産↓消費」っていうサイクルをずっとぐるぐるやっている社会に対して、ベーシックインカムの論理ってシンプルでいいじゃないですか。もともと昔から伝わる技術とか知識とかがあって、その積み重ねで商品ができているんだから、なんでもかんでもだれかの所有物や独占できるものと見なさなくてもいい。むしろだれが使ってもいいものがあってもいいし、生きているだけでばらまかれるカネくらいあってもいいと。

酒井　本当はね。

栗原　最近あらためてベーシックインカムの発想っていいなって思った出来事があったんです。

森元斎君の紹介で山形県の鶴岡に山伏の友だちができたんですけど、彼は採集で生きてるんですよ。多少は小金を稼ぐために、葉っぱを干して草履やカゴも作ってますけど、基本的には採集生活です。

採集って労働じゃないんですよね。農作物みたいに、働いて耕してがんばって商品を作って売ってとか、そういうんじゃなくて、生えてるものを採るだけ。彼はそれを括弧付きで「畑」と呼んでいるんですけど。

ぼくも何回か連れていってもらったんですけど、過酷ではあるんですよ。超急斜面で死ぬんじゃないかみたいな。そういうところで収穫して、川で冷水に浸したり残っている雪の中に入れておいたりして洗うらしいんです。でも、そういうことをしているときに、長時間かけてがんばって採集したものが、川に流されたり、雪に入れていたのをだれかに盗られちゃったりするらしいんですね。でも彼は「ぜんぜん悔しくない」って言うんですよ。

どうしてかっていうと、彼がやっていることは労働じゃない何かだから。彼は、もともとだれのものでもないものを採っているだけだから、それがだれの手に渡ったとしても、食べた人はうまかったかなあって思うだけだって言ってました。

そういうかんじのことって、意外とちょっと前までそれなりにあったと思うんです。なのにネオリベが入ってきて、資本主義だけの頭で考えるようになってくると、「労働―商品―所有」みたいなかんじになってしまう。なんでも所有の論理で考えていくというか。

山伏の彼は採集したものがスーッと流されていくのを見て、思わず手を振っちゃったと言っていて。そういうかんじっていいなって思いましたね。

酒井　いま、われわれが知っているシリアスな農業って、本当にキビしいよね。そのうえ、お百姓さんがたいへんな思いをして作ったコメの一粒でも無駄にしちゃいけない、みたいな倫理が、労働の尊さとセットでついて回ってる。でも、実際のところ、人類は長い間いろいろな生業とともに農業をやってたんだよね。狩猟もやるし農業もやるみたいなね。
そもそもいろいろな生業を持っているから「百姓」だったわけでしょ。それが「モノ生産（単一生産）」になるにつれて脆弱になる。そうやって単一のものにしがみつくようになるんだけど、それって効率化のために国家が命じてそうなっちゃってるわけでしょう。それでも、農家は「隠れ田畑」を作っていろいろな作物を植えたりして、飢饉とか気候変動とかが起きても対応できるように、ある程度はバッファーを作ったりしてた。
だから、ごく最近、ごく近年のことなんだよね、「もうこれしかない」「これを失ったら死ぬ」みたいに思わされてしまったのは。これは本当に不幸なことだよね。
よく言われることで、ベーシックインカムを導入すると、みんな労働しなくなって、怠け者ばかりになって、ゲームばっかりやってぶくぶく太った人ばかりになるっていう話があるよね。でもアナキストって、そうじゃないんだと、みんなが本当にやりたいことをやりはじめるんだって言うじゃない。これって、神長君がずっと前から言ってたことだよね。「仕事がないから忙しい」って言ってたじゃん。これ、傑作なんだよ！　またうまいこと言うよねえ。「労働がないから忙しい」（爆笑）。

栗原　いいことばですねえ。

一同　爆笑

神長　「働いてる暇がない」なんつってね。睡眠もしなきゃ遊ばなきゃ活動もしなきゃみたいなね。楽しくてしょうがないんだから。面白いアイディアも次から次へと湧いてきて忙しいっていう。

栗原　実はいま、大学の非常勤クビになっちゃって、今年の春から十月まで労働時間ゼロなんですよ。

一同　爆笑

栗原　何してたんだろうと思うけど、たしかに忙しかったです。

休暇のない世界と「アンチワーク」「寝そべり族」

酒井　大学四年生を見てていつも思うんだけど、もしかすると、大学四年の夏休みが終わったら六十五歳くらいになるまで夏休みなんかないんだよね。十日くらいまとめて休む人生がほとんど、ないかもしれない。気が遠くなりますよね。

神長　深刻な問題ですよね。

酒井　深刻な問題ですよね。
　みんなは周知だろう、有名な南の島のジョークをあげると、浜辺で寝そべってる現地の人に対して白人が「働け」って言うのね。そうすると島の人は「なんで働かなきゃいけないんだ」って言うの。それに対して白人が「働けばおれらみたいに裕福になれる」って答えるんだけど、「裕福になって何をするんですか」って聞かれると、「こうやって浜辺でのんびりできるんだよ」って答えるっていうね。はじめから休んでるじゃないかって。

神長　基本ですよね。だからもう寝そべっちゃえばいいってのはありますよね。

酒井　もはや六十五歳どころじゃなく七十歳までかもしれないんだよ。二十歳そこそこで夏休みが終わったら、それから五十年近く、平日に三連休を取ることすらほとんどないかもしれない。もっとぐちゃぐちゃになるかもしれないけど。

神長　これはリアルに深刻な問題ですよね。人生それでいいのかってねえ。なんのために生きているのかよくわかんないよねえ。

栗原　おれ、一日働いちゃったら三日くらい動けないですよ。

神長　また労働が過酷ですからね。

酒井　ますますそうなるよ。これからますますそうなる。

神長　降りていくしかないですよね。

酒井　降りるしかないって思う人が増えるは当たり前だよね。

神長　世界的にも増えてますからね。

酒井　英語圏では「アンチワーク」と「静かなる退職」。中国は「寝そべり」ってね。そうなるよ。
　働いているとさあ、疲れて帰ってきて何もできなくなって、無駄な時間を過ごすじゃない。どうでもいいユーチューブを観ちゃったりとかさ。「今日一日何をやったんだろう？」ってなっちゃうんだよね。

神長　まずあんまり働かないでね。自分の時間をいっぱい作るというのが第一歩。これは重要なことですよね。

酒井　「仕事がなくなっちゃったら何もやることなくなる」とかって言っている人は、自分のやりたいことをあんまりバカにしないでもうちょっと大事にしたほうがいいと思うよ。

栗原　やりたいことを口にしたりする人をバカにす

る傾向もあります。

遊びを発明する

神長 でも一方で、おれの交流の経験的には、自分の好きなことをはじめている人はけっこう増えてきているなともかんじる。みんなでお祭りをやったり盆踊りを踊る人もいれば、スペースとか読書会とか人が集う場をはじめてる人とかね。

酒井 中国の「寝そべり族」をはじめ、世界的に起きていることだと思うけどね。真面目に言われるがままに働いてて、じゃあいいことがあるからっていったら、なさそうだなってね。

神長 何をやっていいかわかんないときは、とりあえず遊んでみるのがいいと思うんですよね。消費的な遊びじゃなくてね。カネがないから遊べないとかって、ぜんぜんそんなことないからね。

栗原 草野球とかもありますよね。道具は全部借りればいい。

酒井 何をやるにしても、「カネがかかる」みたいに頭が慣らされているんだよね。

神長 買い物好きにさせられちゃってるんだよね。カネをかけたほうが面白いみたいな風潮があるけど、かければかけるほどつまんなくなりますからね。音楽かけて踊るにしてもね。

酒井 昔、ぺぺもメンバーにして「グルーヴ部」ってつくって、「ズンドコ・ダンスパーティー」っていうのをやってたね。

神長 やってましたね。

酒井 友人でお金のある人にターンテーブルを買わせておれの家に置いてたけど、公園とかでもやってたからね。

神長 以前、酒井さんも本の中で「運動は発明だ」とかって書いてましたよね。遊びも発明でね、カネをかけないでいろいろ工夫してやってったほうが面白いですよね。

酒井 いま、子どもの頃からゲームをやっちゃうけど、グレーバーはゲームとプレイって分けるじゃない。ゲームっていうのはルール、つまり官僚制ともすごく親和性があるのね。プレイっていうのは発明するんだよね、遊びを。

自分も子どもの頃、親戚のおばさんがわれわれ子どもたちを集めて、脚本と紙人形を作らせてって、クリスマスにやってたんだよね。やっぱりルールを与えられたゲームより自分たちで何もかも決める遊びのほうが面白い。だから、おれは即興が好きだし、即興的なトークが好きなんだよね。

神長　おれもいま学童保育で働いててよくかんじるけど、学童には電気を使うおもちゃとかないんですけど、そうするとあるものだけでみんな遊びを発明するんですよね。なんでも遊びにしちゃう。思いつきでいろいろやってみちゃう。

あと、子どもは楽しむ力がすごいですね。こないだも子どもとシャボン玉遊びをしたんだけど、おれは日頃はシャボン玉そんなに楽しいとは思ってないのに、一緒に遊んでいるとこれは面白いなってなってくるんだよね。

酒井　資本主義ではないあり方の想像力を広げていったときに、ひとつだめ連だみたいなやり方はあるよねと思うんだけど、重要なのはその手前の段階で、だれもが自分の中にある自分の経験を過小評価しないことだと思うんだよね。

さっき言ったように、日本では、「そんなのだめだよ」とか「意味ないでしょう」とか、いろいろな形ですぐ潰されるからね。

自分の経験、楽しかった経験や自分の夢、そういったものを過小評価しすぎるようなカルチャーになっていると思うんだよね。例えば研究者なら、「いま読んでいるこの哲学の本と自分の経験というのはぜんぜん関係ない。こっちのほうが高尚なものなんだ」みたいな形で、自分の経験をつねに過小評価するようになっている。

でも、ほんとうに振り返ってみたら、資本主義の外で楽しかった経験って、みんないっぱい持っているはずなのよ。それを相対化する前に過小評価しちゃうから、普遍的なものだと思っていないんだよね。

神長　資本主義的な快楽というのは刺激が強くてわかりやすいんだけど……。

栗原　そこに普遍的な快楽があると思わされちゃう。

神長　幸せとかよろこびってことばにしづらいんだよね。学童で遊んでて、「あそこにセミがいるね」って子どもが言って、「どこどこ?」って探してさ、「あそこ、あそこだよ!」って指を差してもらったりしてセミを探してるときとか、相当なよろこびがあるんだよね。それをことばにするのが難しい。その子との関係性とか表情とか、そのときの独特の空間とかあるんですよね。

栗原　四十歳を超えてからでも、お酒を飲んで帰れなくなって友だちと公園にいたとき、無我夢中になってセミを捕まえようとしていたら朝になっていたことがあって。それだけでめちゃくちゃ楽しいんですよね。

酒井　不幸を語ることばっていっぱいあるけどさ、ポジティブなことを表現する語彙って、日本ってすごく貧しくさせられていると思うんだよね。

また「幸せ」っていうことばが軽く使われるじゃない。例えば食レポとかでも、「食べておいしかった。幸せ」とかって言うんだよね。「幸せ」って、そんなときに使うことばじゃないと思うんだよね。「コスパが良かったから幸せ＝うまい消費をしたから幸せ」みたいな場面で「幸せ」なんてことばを使ってなかったじゃん。

自分の経験のポジティブな部分を評価することばというのがとても貧しくなっているし、それをつなげて自分の人生の枠を広げていくことも困難になっている。

仕事に自分の心を奪われるな

神長　グレーバーの『ブルシット・ジョブ』の扉ページに「なにか有益《ユースフル》なことをしたいと望んでいるすべてのひとに捧げる」ってありますよね。

おれは大学卒業して就職して十か月で辞めたんだけど、いろいろな思いがあって辞めたというか。おれは基本的にはわりとレールに乗って生きていたんですよ。というより、資本主義以外の生き方の選択肢をあんまり知らなかったし、あと、みんながやっているから、これってそれなりに妥当な生き方なんだろうなとかって思って。

でも、ちょっとやってみたら、やっぱりそういう生き方ってつまんないなと思ったんだよね。資本主義的な快楽やよろこびってあるけど、それって面白くないなって。もっと面白いことがいっぱい世界にあるはずだって、そういうふうに思って、このままやっててもだめだなと思ったというのが一番の理由。

で、辞めるときに、「朝礼で挨拶しろ」って言われて、そのときに言ったのが「これからは人のためになる仕事をしようと思います」って。

一同　爆笑

神長　終わった後に上司の人から、「おまえ、あんなこと言うもんじゃないよ」とか言われたりして(笑)。

百貨店で服を売ってたんですけど、やっぱり朝礼で部長が言うわけですよ。「購買意欲をあおって一枚でも多く売ったほうがいい」とかさ。でも、服なんてみんなある程度持ってるんですよね。駅前なんかも服屋ばっかりじゃないですか。それなのに無理やり買わせてもさあ。

おれ、ぜんぜん意識高い人じゃなかったんだけど、そんなの資源の無駄だし、環境を汚すし、どうせ第三世界から搾取してんだろうなってね。これ、やればやるほど悪いんじゃねーかなとか(笑)。

そういうことをやるのは、やっぱり楽しくない。生活のためだからとか言いながら、自分の精神も犠牲にしちゃうわけじゃないですか。

こないだも、あるイベントに行ったとき、疲れたから途中で友だちとちょっとお茶を飲みに外に出て、でかいきれいなビルがあったから、そこで休んでたの。友だちが具合が悪かったから横になってね。そしたら、夜中なのに守衛が一人いるんだよね。その守衛が近づいてきて、友だちに「そこは敷地なんで横にならないでください」とか言うわけ。おれ、怒っちゃってさ。「あなたね、この人、気分悪くて横になってるのに、心配もしないで、仕事だから「出てってください」って、何を言ってるんだよ」ってブチ切れちゃった。

こういうかんじで仕事に心を奪われちゃってる、そういうことがすごく多いと思うんだよね。

渋谷区の美竹公園での野宿者追い出しの際の職員の対応にしても、オリンピックのときの明治公園からの締め出しにしてもひどかったんです。本当にカネで心を買われちゃってる。もっとみんな、自分を大事にしたほうがいいよって。「そんな仕事辞めたほうがいいよ」って、そういう抗議の現場ではよく言ってます。

生活のためとか出世のためとかなんだろうけど、それは本当に仕方がないことなのか。いい加減、別の人生を考えてったほうがいい。

酒井　これしかないっていうところまで剝奪されているから、すがらざるをえない。

でも、『ブルシット・ジョブ』って、そこまで心を欺瞞化できないような人たちの話でもあってね。

この本がなんで日本でもこれほどの反響を呼んだかって言ったら、ひとつは日本にあまりにもブルシット・ジョブが多すぎるというのがあるんだけど、やっぱり社会的に役に立つ仕事をしたい、意味のある仕事をしたいというオルタナティブを提示したところだと思うんだよね。そこが人の心を摑んだんだと思うんだよね。これはやっぱりアナキストじゃないと出てこない発想で、マルクス主義者からは出てこない。マルクス主義者にとっては、価値のある労働ではなく当然ながら生産的労働が中心だから。

多くの人がうっすらと、「無意味な仕事じゃなくて社会的に意味のある仕事をして生きていければいい」って思ってるんだよね。

でもこれにもジェンダー差とかもあると思うんだよね。男性でこじれているケースだと、エリート意識を持ちながら、労働にある種のアイデンティティを据えている人とか。さっき栗原君が言ったように、底辺に落ちそうなところで「必死でおれはがんばってんだよ」って思っている人とかさ。そういった人たちは、なかなか「社会的に意味のある労働」みたいな発想にならないかもしれないけどね。

栗原　ちょうど『ブルシット・ジョブ』を読んでいた頃にコロナ禍があって、読んでいるとエッセンシャルワーカーがかっこいい。自分も何かしたいなと思ったことがあって。

そうしたらあるとき、目の前で杖をついていたお兄さんが熱中症で倒れてしまって。おれは「きたあ!」って思って、経口補水液とかめっちゃ買ってきて介抱していたんです。そのお兄さんはさっきまで病院に行っていて、そこでひどいことを言われたみたいで、「救急車は呼ばないでください」って。だから途中で助けにきてくれた女性二人と一緒に日陰まで連れていって休んでいました。それで三十分くらいたって、けっこう良くなってきたんですね。女性二人は用事があるので帰らなきゃいけないと言って、「お任せしていいですか」って言われたので、「いいですよ」と。そうしたら十五分くらいして警察が来ちゃったんですよ。どうもその女性たちには後ろめたさがあって、人助けのイメージがたぶん、「警察を呼ぶ」とかなんですよ。で、警察に問答無用で救急車を呼ばれちゃって。男の人が怒って、「なんで呼ぶんですか」って言ったら、若いほうの警官が「なんだ、てめえ！」って職質みたいになっちゃって。警官って無駄なんですよね。本当に「おい、コラ！」って病人にやるんですよ。

でも、怖いなって思ったのは、やっぱり警察を呼んじゃう感性。本当は無意味なんだけど、そういうのを呼ばなきゃいけないみたいに思わされているところがある。ちょっと考えれば、あきらかに不必要なことでも、警察や行政をたよらないと安心できないみたいな。人助けの心までもが権力に取られがちになっている気がします。

踊り狂ってストライキ！

神長　じゃあ、こういう状況でこれからどう反撃していくか。いろんな反撃の仕方があると思うんですけど、自分的にはやっぱり「昔」っていうのが重要かなという気がします。

例えば、なんで首根っこ捕まえられて仕事してるのかっていうと、「クビ問題」というのが大きいと思うんですよね。クビになると食っていけなくなるという恐怖。でも、将来のためにいまを犠牲にしてばかりいてもしょうがないわけですよ。いまやりたいようにやって、いまを生きなきゃどうしようもない。その点、ちょっと前の人たちは、自然の中で野草を摘んだりとか、狩猟採集とか畑をやってたわけですね。生きるということが、いまよりもっとダイレクトだった。

一時期レイヴに行って過剰に踊ってたんですけど、自分が踊り狂って、すごく解放されて自由になったことがあったんですよ。そのときに、なぜだかふっと「一万年前ってこんなかんじの状態だったのかな」みたいな感覚になったんですよ。踊りながら思ったのは、一万年前の人たちの生きている感覚とかって、いまの感覚からすると実はぶっ飛んでたんじゃないかなって。ある種統合を失調した状態というか、解放されてたんじゃないか。いまは、過剰に統合されすぎちゃってて息苦しい。「精神疾患」になるのも当たり前の反応というか。昔の人の生きているときの状態というのは、実はすごくよろこびにあふれていたり、感情そのままであったり、自然と一体になって疎外がない。そういうふうに生きてたんじゃないかなという気がするんですよね。

いまのわれわれは、かたよったすごく狭い世界に閉じ込められているなという気がして、自然と一緒に生きている感覚、野生的な感覚を取り戻していくっていうのが重要なんじゃないかなって思ってるんですよね。

栗原　踊りっていいですよね。復活したら久々に行きたいなって思っているのが、錦糸町でやってる河内音頭なんですね。高架下でめちゃくちゃ爆音が響くなかで踊る。完全にみんな我を失ってるんですよね。なおかつ、だいたい平日にやってるから、サラリーマンがスーツ姿で来ていたり、ギャルのお姉ちゃんもいれば、地元の八十歳くらいのおばあちゃんたちもいる。それがものすごいスピードで踊りながら、からだをぶつけ合って、汗ダラダラになりながら「ウッヒョー！」って踊り狂ってて。

そういう有象無象が一緒になって踊っているって、ふだんはないじゃないですか。あと、なぜか錦糸町の河内音頭にはアナキストっぽい人がいっぱいいるという。

酒井　はじめたのが朝倉喬司さんたちだからね。

栗原　そうですね。きっと朝倉さんたちも爆発的なエネルギーをかんじたからはじめたんだと思うんですけど、そういうときって、たぶん自分が抱えている肩書きとかそういうものを全部ひっぺがして踊り狂って全部忘れちゃうみたいな。原始に戻る感覚。本当に人がゼロになっていっちゃうっていうか、たぶんああいうのがある意味でストライキなのかなって思ってて。実際に、本気で踊りまくったら、疲れて次の日は働けませんよね。

それこそ江戸時代くらいまでだと、文字どおり踊りがストライキだったりするわけじゃないですか。働いていてむかついたら、「お陰参り」とかいって、仕事を辞めて踊りに行っちゃうみたいなかんじだったし、盆踊りの起源ともいわれている一遍上人の踊り念仏も、だいたい「逃散《ちょうさん》」なんですよね。多くの農民たちが仕事を辞めちゃって、「もうこんなところで働いているのはいやじゃあ！」と言って、踊る坊主集団に加わってくる。元武士もいれば元貴族もいるし、女性も入っくるし、そういう人たちが息苦しさをかんじていた自分の肩書きやアイデンティティをひっぺがして、ただ踊り狂う、「もう働かない」みたいになっていく。

そういう、ふだん当たり前だと思っていた自分の地位や立場、上下関係すらも全部忘れさせてしまうような場って大事だなって思うし、さっき温暖化って言ってましたけれども、温暖化対策って働かないのが一番ですよね。

神長 本当にそうですよ。

栗原 昔のお伊勢参り、お蔭参りみたいにみんな踊り狂って、それで何か月も働きませんみたいになっちゃうのが、実は一番の温暖化対策だったりする。そういう感覚を、ちょっと踊りにいくだけで取り戻したりする。

だから自分たちでやるのもいいし、面白そうな盆踊りに行って踊るだけでもいい。それだけでも意外と、何か変わるきっかけにはなるのかなと思います。

神長 栗原さんが「あばれる力」って書いてましたけど、一人ひとりが本来持っている野生の力が押さえつけられちゃってますよね。それを取り戻して暴れまくる、踊りまくる。だめでええじゃないか！ いま、フラワー！

栗原 少人数でもいいから、一回ちょっと「ウッヒョー！」ってなってみるといいんです。どんなにちいさな行動でも、そこには革命的な力が宿っていると思います。

神長 うつとかもはねのけちゃいますからね。生きる力を取り戻す。

栗原 統合されてない失調状態が当たり前ですから。

酒井 「憂鬱など吹き飛ばして」って『ＹＭＣＡ』ですよね。

納得いかないことには声を上げる

神長 酒井さんも言ってましたけど、資本主義の統治の問題。身体と精神が支配・管理されちゃってね。監視カメラだらけの世の中にされちゃってね。

酒井 自由だと思い込まされてね。なんにもできないのにね。

神長 仕事はあんまりしないで、資本主義とつきあわないで、遊んだり活動したりね。もう世の中どんづまっているのは明らかなんで、どう面白くいい社会のなかで自分も生きていくかっていう活動を、すでにはじめている人ははじめてますよね。

酒井 なかなか思い切って仕事を辞めたりとかできない人が多いでしょう。そういうときに、何か言ってくれって頼まれることがあっていつも困るんだよね。
で、これは実際に聞いた話でもあるんだけど、例えば、会社で目標を書いて到達目標を定めて、それを数値化して一年後にポイントを付けて、それから面接して問われると。その初めての面接のときに、担当者に向かって「これって明らかにブルシット・ジョブですよね」って言ったら、「うん。そうだね」って返ってきたという。でも、そうするともう真面目にやらなくていいでしょ、二人ともわかっているから。そういう意味ではブルシット・ジョブってすごくいい概念。
だから、まずひとつは真面目にやらないということ。どうでもいいような書類仕事とかを、なんとなくやらなきゃなみたいな空気があるからみんなやってんだろうけど、なるべくもうやめていく。一つのひな型をみんなで写すだけにしようよとか、そうやって骨抜きにしていくということはひとつあるよね。
あとさ、ブルシット・ジョブの前提がそうなんだけど、われわれはたんに隷属するためだけに働くふりをさせられて、一方ではお金は全部上のほうで回すっていう仕組みが、もう見えてきているじゃん。

神長 トリクルダウンは起こらない。

酒井 そうそう。税金を中抜きして金持ちが回してる。この間、オリンピック・万博・コロナなどなどで、富裕層による盗みに近いような構造が国民に見えてきているような気がするんだよ。

神長 オリンピックは今回の問題で、相当みんな正体がわかったしね。万博も、望んでる人はほとんどいない。

酒井 それ以前に、万博はほとんど準備が進んでないから。人民の能力でこれまで日本はなんとなく国家の体裁をなしていたんだけれど、人民をないがしろにして、権力が好き勝手にやりすぎてお金を回していたら、自分たちでは、なんにもやれないということだよね。万博ひとつ、まともにやれないんだよ。

神長 やっぱオリンピックでも万博でも、ちゃんと反対してね。ことばにしてね。行動してね。

酒井 声を上げて、それをちゃんと伝えていくっていうのはすごく重要だよね。基本の基本だけれども、重要だよね。日本だとそういう声が周縁化されてかき消されちゃうけどね。

神長　納得しないことにはちゃんと声を上げるっていうのは、自分が楽しく生きていくためにもすごく重要なことだと思うんですよね。そこで声を上げないと奪われていきますよね。

酒井　声を上げない美徳みたいなね。

栗原　そういうのは強いですよね。

酒井　栗原君はそればかり言ってるもんね。「声を上げないのは美徳じゃない」ってね。最初の一歩だからね。

栗原　ずっと最初の一歩ばかりやっちゃいますけれども。

酒井　ちょっと徒労感があるでしょ。でも、これからですよ。

神長　資本主義から降りつつ、抵抗しながら創造的に生きていくほうが面白いですからね。

「エキセン」への対抗、「いま、ここで、フラワー！」

神長　酒井さんは『奴隷と賢人とバカ』っていう本で、「エキセン（エキセントリック・センター＝極中道）」とかって書いてましたけど、それってオルタナティブのない世界、ないことにしている世界っていうことなんですか。そういうのがないと、資本主義にとってはますます都合が良くなっちゃうってことはないんですかね。

酒井　オルタナティブがない世界というのは、資本主義社会の統治システムとしてすごくやりやすいということでもあるんだけど、それだと自己解体していくよね。逆説的なんだけど、資本主義というのはオルタナ側から活性化されてきたという面もあるからね。それがなくなると自己崩壊する。実際、いまの日本なんてそうでしょう。資本主義面をまっとうにやれているふりすらできなくなりつつある。

オルタナティブがどんなものかというのも大事だけど、オルタナがあるということ、それはそこここにあるということを言っていくことも大事なんだよね。

なんでかというと、「この世界にはオルタナがない」ということだけしか言ってない研究者とか知識人、文化人が、たぶん九八パーセント、あるいはそれ以上なんだよね。だから、資本主義の枠内で、いまの「民主主義」と称する専制体制のなかで、ちょっとだけ変わるしかないみたいな選択肢しか出てこない。
つまりそれは、もう変わらないですよというメッセージを発してるわけだよ。「変わる」と言っているときも、「変わらないんですよ」と言ってるわけ。根本的には何も変わらないけれども、ここだけは変えますよ、というね。だから、みんなもうほとんど、「世界＝資本主義しかない」ってなっちゃうんですね。
また、他人にうるさすぎるでしょ。オルタナで楽しそうにしてると嫌がる。本当は楽しくないくせにとか、本当はわれわれに嫉妬しているんでしょうとか。そこから抜け出していく人を引きずり下ろすのに、異常なまでにエネルギーを使ってるよね。そういう負のエネルギーが集中して「エキセン」という思考の結界を日々つくっている。それを一つひとつ突き崩してことばを与えていく、これがすごく大事だと思います。
九〇年代にだめ連が出てきた頃って、それなりにまだあったと思うんだよね。やっぱり二〇一〇年代だよね。強力にオルタナに蓋をする文化ができて、大阪なんて、「維新と維新の再開発しかない」って、だれもが言うようになっちゃった。

栗原　それまでは釜ヶ崎とか山谷に行って、ぜんぜん働けないけどそこで生きていけちゃっている人たちがいる、ただその事実を目の当たりにするだけで、なんとかやれるんだみたいに思わせてもらいましたけど。

酒井　深刻なんだよ、二〇一〇年代って。オルタナを語るいろいろな語り口があったし、それはだめ連もたくさん作ってきたけど、普遍的なものなんだからいまこそ切迫感を持って引っ張り出してこないとね。
世界の人たちを見てると、本当は二十代とかそのへんの世代ほど共鳴する部分があると思うんだよね。おれらの世代でも一部の人には突き刺さってましたよね。でも、いまだと相当な人に響くかもしれないよね。「フラワー、ナウ！」とかね。

一同　爆笑

しょぼくても「あばれる力」を発動させる

神長　おれなんかずーっと交流しているからかんじるけど、意外とオルタナな生活を選ぶ人って増えてますよ。言論・言説のレベルでは少ないかもしれないけど、交流しきれないくらいですからね。面白いイベントなんかいっぱいあって、行って交流するとみんないろんなこと考えてて、それぞれに面白いこと試みてる。いま、ここを生きはじめてる。

酒井　支配層はいま生じている亀裂みたいなものに対してすごく危機感を持ってて、それをなんとか埋めようと、プチ・スター知識人を投入してネオリベ的なことを言わせようとしたりしている状況だとは思ってるんだよね。

　でも、それしかないと思わされていたけど、そうじゃない可能性もあるって考えられるような雰囲気ができてきたら、だれだってそっちのほうがいいってなるよね。

栗原　たしかに九〇年代からゼロ年代って、それこそ合言葉で「もうひとつの世界は可能だ」みたいに語ることばがありましたよね。世界的に言われてると、すごいことやっているのかなとも思うんですけど、意外と一個一個はしょぼいじゃないですか。それこそ廃車に土を入れて農業をやっちゃいましたとか、使っていない土地があったから占拠して開墾しちゃいましたとか。

　これはいまも一緒で、もうひとつの生とかいうと、何かすごいことやらなきゃってなるかもしれないですけど、しょぼくていいんですよね。ただ、それをめっちゃ自信たっぷりに、「これが普遍！」みたいなかんじで語っていっちゃうっていうのが大事なのかな。

神長　野草を摘むとかもいいですよ。おれもここ何年かで摘むようになたんだたけど、すごく面白いですよね。

栗原　食えるんだと思ったときの変な力の湧き方とかありますしね。「死なないじゃん！」みたいな。

酒井　そのうち野草税とか言いはじめるかもしれないけどね。

一同　やりかねない！（爆笑）

神長　じゃあ、最後にちょっとアジってくださいよ。

栗原　えー！（笑）

「あばれる力」とか「滅茶苦茶な生の拡充」って言っても、今日の話そのもので、一個一個はしょぼくていいんだっていうことです。

　さっきタバコを吸いながら思い出したんですけど、最近パーマカルチャーに興味があるんですよ。日本でもやってる人たちがいるからって、ちょっと千葉まで見にいってきたんですけど、やっているることはけっこう単純なんですよね。

トイレってインフラですから、そこを支配されているかぎり、税金を払わないと生きていけないとか思わされる。ぼくはいま一軒家じゃなくてアパート暮らしだから、なかなかできないんですけど、このトイレは一軒家だったら余裕でできるレベル。アメリカのコミューンとかは、そういう技術をちょっとずつ取り入れてやっているらしくて。

一見するとしょぼい力、小さな技術でも、それを共有していくと、「いくら金がなくても死なねえぞお！」みたいな力が沸き上がってきたりする。

たぶん、そういうのが本当の意味での「あばれる力」なんだと思います。

酒井　「辞めてやる」って言えるよね。

栗原　他人にも「辞めちゃえ」って言えます。

神長　パーマカルチャーも昔の里山文化が参考になってるんですよね。

昔に学んでみんなが知恵を持ち寄って、「あばれる力」「生きる力」を取り戻していけばいくらでもやっていける。資本主義よりたのしく生きていける。

今日はどうもありがとうございました！

鼎談2……雨宮処凛＋松本哉＋神長恒一

好き勝手にたのしく生きる！

二〇二三年十月十二日、〈素人の乱12号店〉にて

神長　今日は雨宮処凛さんと松本哉さんの二大ゲストと一緒に、いろいろ話していければと思います。よろしくお願いします。

雨宮さんとは最初はたしかロフトプラスワンで会ったんですよね。

雨宮　そう。二〇〇〇年ぐらいだったと思う。『新しい神様』（土屋豊監督、一九九九年）っていう、私が右翼から抜けるまでのドキュメンタリー映画が作られて、その頃にぺぺさんとか神長さんと出会うことになったんですよね。

でもその前があって、一九九五年くらいから九九年まで中野に住んでたから、駅近くに自転車を駐めておくと、カゴにだめ連のチラシがよく入ってたんですよ。当時のひどいチラシね（笑）。

そこに、だめな人の特徴として、「小説を書いて賞に応募しようとしている人」っていうだめがあって（笑）。

こっちは北海道から何者かになろうとして上京してきてるのに、そういうのを見たら、自分が何かをめざしていることが恥ずかしいことなんだって思って（笑）。そういうことの先を行ってるすごい人たちがいることとか、東中野の〈沈没家族〉のこととか、なんか自分のすぐ近くですごいことが起きているっていうのは認識してました。

松本　〈だめ連交流会〉は行かなかったんですか？

雨宮　行かなかった。

松本　でもすぐ近くでやってたわけですもんね。

神長　そうですね。だいたい中野の駅前でね。

雨宮　ビジュアルが強烈すぎて（笑）。雑誌とかテレビで見てると、便所サンダルに半纏みたいな。見るからに貧乏で、「この人たちに近づいたら本当にだめになる」って（笑）。こっちは何かをめざしてるのに、居心地が良すぎて絶対そっちに流されてしまう自分の末路が見えたんですよ。

神長　その後、雨宮さんとは〈自由と生存のメーデー〉とかでね。

雨宮　あれが二〇〇六年くらいから。そこでまたよく会うようになりましたよね。〈反戦と抵抗のフェスタ〉とか、いろんなデモでよく会いましたよね。なんだかんだで、もう二十年くらいのつきあいですよね。

神長　松本君とは、最初にあったのは〈家賃タダにしろデモ〉かなあ。

松本　二〇〇五年か〇六年のどっちかですね。だめ連で言うと、ぺぺさんはけっこう長いんですよ。一九九〇年代、おれが大学生だった頃で、ちょうど〈あかね〉ができたこともあって。

雨宮　その頃はぺぺさんはもう大学生じゃなくて。

松本　一応卒業してた。おれが大学でやってた〈法政の貧乏くささを守る会〉とかにも来てくれたり、デモがあったときとかは終わった後に〈あかね〉で匿ってもらったりとか。店ってすげえなあって思ってた。

雨宮　お店をやろうと思ったのは〈あかね〉からなんだ。

松本　それはあると思いますよ。

雨宮　店というか、アジトとか隠れ家みたいだもんね。

神長　その頃はおれがうつでひきこもっててね。

松本　それまでは、おれにとっては神長さんって不気味な存在で。だめ連っていうのがあって、ぺぺ長谷川さんと神長さんのツートップでやってるらしいけど、神長さんっていったいどういう人なんだろう？って（笑）。

雨宮　なぞの黒幕みたいな（笑）。

松本　池田大作みたいなかんじで（笑）。で、出てきたら小汚い格好で「どうも、どうも」みたいなかんじで。「これがそうなのか!?」って。

一同　爆笑

松本　〈家賃タダにしろデモ〉以降はちょくちょく会ってましたよね。

神長　選挙で駅前ライブとかやってたよね。あと、

〈なんとかフェス〉とか、〈原発やめろデモ!!!〉とか、〈No Limit〉でソウル行ったりね。

雨宮さんと松本君は、自分よりちょうど一世代くらい年下なんだけど、おれがうつで堕ちてた頃にその世代の人たちが出てきたりして、プレカリアート運動とか〈素人の乱〉とか、あと〈IRA〉とか〈気流舎〉とかオルタナスペースもいろいろできてきて。おれなんか、そんなふうになってったらいいなって思ってたかんじに盛り上がっていった。おれは横になってただけで、何もしてないんだけど(笑)。そういうところに行ってるうちに、徐々に元気になってきて。だから非常に感謝しています。

アジアの交流無限大イベント〈No Limit〉

神長 ついこの間まで、〈No Limit 高円寺番外地〉っていう十日間にわたる怒涛のイベントが大盛り上がりだったよね。

松本 〈No Limit〉の一回目は二〇一六年なんですけど、二〇一一年の高円寺での原発のデモ以降、アジア圏の人たちとの交流がすごく多くなったんですよね。アジア圏といっても、例えば高円寺あたりにいる人たちみたいなかんじのアンダーグラウンドで活動しているバンドだったりとか、アーティストだったりとか、演劇やってる人とかなんだけど。すげえバカなんだけどコイツおもしれーなあみたいな人。どこに行っても似たような人がたくさんいて。

ヨーロッパとかアメリカに行くと、例えばビルとかを不法占拠してスクワットするとか、そういうのがいっぱいあってすげえなあって思うけど、文化的な背景とかが違いすぎて絶対真似できない。でも、アジア圏だと、価値観だったり背景だったりがどこか似ているから、「あ、そんなやり方があるのか!」みたいにすごく参考になる。とはいえ、やっぱりちょっと違う文化で、そのちょっと違うみたいなあたりが一番面白くてやめられなくなっちゃった。もう勉強しに行くような感覚でひたすら海外と交流して、「こんなやり方があったよ」って日本に持ち帰ってきてみたり。

そういう交流をひたすらやってたんですけど、自分個人といろいろなところがどんどんつながってもあまり意味ないなと思って。いわゆる国際交流って芸術祭とか映画祭も含めてよくあるけど、目立ったことをやっている人とかその団体のリーダーとかが外国へ行く首脳会談みたいなのは、あんまり面白くないと思ってるんですよね。

面白いことをやっている人のまわりで飲んだくれている人、言うことがすげえ面白かったり、顔が面白かったり、どうやって生きているんだ?!みたいな人がいる。そういう周辺でだらだらしてるヤツらっていうのは、あんまり海外とかにも行かないし、そんなに注目されてるわけでもない。でも、そういう周辺の人、いわゆるバカとバカを全部集めたときに、文化がつながるんじゃないかなって思ったんですよね。そういうヤツらが全員一堂に会する機会があったら、絶対面白いんじゃないかって。

やっぱりトップとトップがつながったところで、それはそれだけの話でその人がいなくなったら終わり。もっとローカルなバカな人たちとバカな人たちが飲み友だちになるっていうのを実現させるしかないと思って、それでやったのが〈No Limit〉だったんです。

雨宮　目の付けどころがすごいよね。

神長　重要ですよね。

だめ連も最初は独自のイベントをやってなくて、左翼系のイベントとかアート系のイベントとかに交流しに行ってたんだよね。当時は運動界隈の人と文化界隈の人とがあんまり混ざってなかった。それで交流してるうちに、左翼界隈の人、アート

雨宮処凛（あまみや・かりん）

1975年生まれ。作家・活動家。「反貧困ネットワーク」世話人、「週刊金曜日」編集委員。フリーターなどを経て2000年、『生き地獄天国』（ちくま文庫）でデビュー。2006年から格差、貧困問題に取り組む。著書に『生きさせろ！難民化する若者たち』ちくま文庫、『学校では教えてくれない生活保護』河出書房新社、『「女子」という呪い』集英社文庫、『コロナ禍、貧困の記録』かもがわ出版など多数。

界隈の人、ヒッピー界隈の人、そういう変態の人たちが一堂に会したら面白いだろうなっていうのもあって交流会をはじめたんですよ。

松本　同じ人たちで固まったら面白くないっていうのもありますよね。

神長　最近、『ドカベン』を四十年ぶりに読み返してたんだけど、岩鬼とか殿馬とかさ、野球素人のキャラのたった変態が出てくるのね。そういうバカな人が、野球は上手くないんだけど意味不明の活躍するとかね。そういうかんじですよね。

松本　そういうかんじです、そういうかんじです（笑）。

コンセプトとしては、ある程度有名な人はもちろん呼ぶんだけど、例えばその人にだけ交通費を出したりするんじゃなくて、何もやってない人も含め全員平等で呼ぶようにしてます。来た人全員に、ケースバイケースだけど、泊まるところの面倒を見てあげたり、飯を食わせてあげたり、イベントのチケット代を無料にしたりして。

それを二〇一六年に初めて東京でやったんだけど、二百人ぐらい海外から大バカなヤツらがやってきて。その後、ソウルでやったりインドネシアでやったりして、次はマレーシアでやろうかって話があったんですけど、コロナで立ち消えになっちゃって。

去年ぐらいから、そろそろまたやろうかってなったんだけど、コロナの期間中に高円寺に面白いスペースがどんどん増えたし、高円寺内での人のつながりもすごく増えたんです。じゃあ、もう歩いて行ける範囲でやったほうが面白いんじゃないかと思ってやったのが、今回の〈No Limit 高円寺番外地〉。ライブとかアートの展示とかトークショーとか演劇のイベントとか、あとは連日の飲み会。

神長　イベントはいくつぐらいやったんだっけ。

松本　九月二十二日から十月一日までで、イベントは六十近かったと思う。

雨宮　これだけのイベントをグローバル展開できる人がいるのに、お金儲けのためにその才能を使わないというのが一番すばらしいですよね。

松本　たしかに。スポンサーも一切ないし。

雨宮　発想が代理店みたいなおっさんとか若者がいるじゃないですか。そういう人が入った瞬間に終わるっていうか、センスが違うっていうか。

神長　まさに、「資本主義よりたのしく生きる」っていうかね。
松本　資本主義も寄りつかないですよ。
一同　爆笑

衝撃！『寝そべり主義者宣言』

神長　そのなかでもとくに今回ひとつの注目だったのは、日本の若者の「だめライフ愛好会」と中国の「寝そべり族」のトークイベント。
松本　あと、だめ連とね。
神長　松本君が『寝そべり主義者宣言』っていう冊子を出したのがいつだったっけ？
松本　去年です。二〇二二年一月ぐらいですね。

雨宮　そもそも松本さんが寝そべり族を知ったのっていつですか？
松本　たぶん、日本のネットニュースが最初だったと思う。
雨宮　その瞬間、全員が「中国版だめ連」って思いましたよね。ついに来た！　満を持してだめ連の登場から三十年かかって中国人が寝そべりはじめた！ってね。
神長　寝そべり族の記事の写真を見たら横になってて、昔のだめ連の記事とそっくりだったんだよね。
一同　爆笑
松本　絶対友だちになりそうな人たちだった。
　中国には知りあいがいっぱいいるから、そこでも寝そべりのことは話題になってたんだけど、と

松本 哉（まつもと・はじめ）
1974年生まれ。〈素人の乱5号店〉店主。
法政大学入学後、〈法政の貧乏くささを守る会〉を結成。2005年、高円寺にリサイクルショップ〈素人の乱〉をオープン。〈おれの自転車を返せデモ〉などの運動を展開する一方、同じく高円寺にて〈マヌケゲストハウス〉や〈なんとかBAR〉を開業。近年は東アジア圏の地下文化圏との交流「世界マヌケ革命」を展開中。
著書に『貧乏人の逆襲！タダで生きる方法』筑摩書房、『世界マヌケ反乱の手引書──ふざけた場所の作り方』筑摩書房など。

あるときに、『寝そべり主義者宣言』っていうのが出たよ」って教えてくれて。

それまでは、寝そべり族って、「あくせく働いて出世とか金とかをめざすんじゃなくて、もっと自由に適当に生きていいじゃないかみたいなかんじの人たち」っていうふうに漠然と理解してたんだけど、その冊子はそれをすごく理論化したものでびっくりしました。そういうものすごい文章がいきなり発表されて。しかもどこのだれが書いたかわからないみたいなかたちでね。最初は中国のネット上で公開されたんだけど一瞬で消されて、以降は紙になってばらまかれてるって知って、なんかすげえのがあるなあと。

神長　硬派でね。ゴリッとしててね。

松本　これは面白いなと思って。これ、絶対日本人は知らないから、翻訳して、「中国はいまこんなふうになってる」ってばらまきたいなと思って。しかもちょうどコロナで、中国はロックダウンとかになってて交流も行き来もできない時期だったから、これは最先端の情報だからばらまくしかないと思って。台湾の友だちに翻訳してもらって、日本語版にはおれもちょっと文章を書いて、神長さんにも書いてもらって、とりあえず冊子にしてミニコミみたいなかたちで売りはじめて。

神長　ヒットしたよね。

松本　二二〇〇部くらい売れました。

雨宮　おかしくない?!　流通してないというか、普通の本屋さんには置いてないんだから、わざわざ売っているお店探して買いにいくとか、ネットでちゃんと検索したりとか、だいぶがんばらなきゃ買えないんですよね。

松本　オリジナルの中国ではローカルなアンダーグラウンドで出まわってるから、日本もやっぱりアンダーグラウンドで流通させたほうがいいなって思って。だから、ネットで発売する前に西日本ツアーからスタートして、ジンとかミニコミとかを扱ってくれる書店なんかをまわって、納品しまくりながらツイッターで、「いま、広島に来ています」とか「いま、四国に入りました」「九州に入りました」ってやってたんですよ。そうしたら、どんどん「欲しいです」「欲しいです」って連絡がきて。まだ発売前の状態だったから、みんな超欲しくて。

神長　そっかそっか。うまいね。商売人だからね。

松本　商売人だから(笑)。「ここに来たら今日は買えます」、とかね。

神長 なぞの行商(笑)。でも、そういうのを置いてくれる地方の独立書店があるんだね。

松本 いっぱいありますね。昔からいっぱいあったけど、とくに最近は古書店も含めて本屋さんとかけっこう流行ってますよね。

こっちからのオファーは絶対しなかったんですよ。連絡が来たところにだけ置いてもらって。結局、北海道から沖縄まで扱ってくれましたからね。

神長 表紙もシルクスクリーンでねえ。

松本 あれでぎっくり腰になりましたから。

一同 爆笑

松本 せいぜい二百部とか、それぐらいしか売れないと思ってたんですよ。千部とかシルクスクリーンをやると思っていないから、腰を痛めちゃって。

寝そべり族との直接交流

神長 〈No Limit〉での寝そべり族の話はどうでしたか？

松本 寝そべりは面白かったですね。基本的にはおれらとかだめ連とかと似たような発想なんですけれども、すげえちゃんと考えてやっているかんじがしなかったですか？

現実をしっかり理解した上で、選択肢も準備して決意もはっきりしてる。自分の中ですごく整理されていたかんじがしましたよね。

雨宮 しかも求めてるものがだめ連とまったく同じでしたよね。言ってることがまったく同じ。

神長 そうでしたね。

松本 一方、だめライフのやつらのノリは真逆で、「いやあ……」みたいなかんじで、「とりあえず」みたいなかんじで(笑)。

雨宮 あのボンクラさがすばらしかった。

松本 同じ方向を向いてるんだけど、やっぱり中国のほうがうちらよりすげえちゃんとやってるなって。

神長 金儲けという資本主義のたった一つの価値観じゃなく、それ以外のよろこびを追求しているというね。

松本 あとはやっぱり、『寝そべり主義者宣言』のような文面とか伝え聞いた話ではなく、直接本人がちゃんと説明してくれたのはけっこう衝撃でしたね。「あ！ 本物だ！」みたいな。

神長 直接交流して話を聞くって本当にいいよね。メディアだけで情報を知るのとはぜんぜん違う。今回も直接交流できたのはすごく有意義だったたし、楽しかったですよね。

雨宮 日本から見ていると、いまの中国だとがんばれば金持ちサイドに行けそうに思うけど、かれらに言わせると、やっぱりすでに経済も衰退しはじめてると。どんなに上に行こうと思っても階級上昇できないということにも気づいてて、だからもう競争から降りはじめた。これって、日本と韓国が辿ってきた道のりとまったく同じじゃないですか。そういうなかから、日本ではだめ連が、韓国では〈白い手(パクス)連帯〉が出てきたんですよね。寝そべり族も、資本主義への対抗の仕方としては同じですよね。

神長 登壇してくれた人だけでなく、今回の〈No Limit〉では、日本に留学とかしている人も含めて中国の人が多かったじゃないですか。そういう人たちと、〈なんとかBAR〉とか高円寺駅前広場で交流してわかったんだけど、中国でも資本主義が行き詰まってて明るい将来が思いえがけない。だからけっこう寝そべり族への共感がある。

あと、日本でも「働かない」と「働けない」みたいな話ってあるじゃないですか。おれみたいに「働かない」人と、仕事がなかったりで「働きたいけど働けない」人と。でも、今回中国の人と話してると、一人の人の中にどちらも含まれてるんだなあって。たしかにおれなんかでも「働かない」系だけど、仕事が過酷すぎてとてもじゃないけど「働けない」、というのもあるわけで。

留学してきている人たちも、今回の情報をキャッチしてさ、わざわざ日本の地方から東京に現れてね。それくらい今回のイベントは行かざるをえないってすごく注目してたみたいなんですよね。

雨宮 今回のイベントを知ったきっかけってなんだったんでしょうね。

神長 それも聞いてびっくりしたんだけど、最初のきっかけは松本君の本なんだよね。海賊版が中国で出まわってるんだってね。すごいなあって思って。

雨宮 私も松本さんがいかに中国で有名かっていう話を聞いた。

神長 なぞの動きが起きてるんですけど、そういったながれでみんなが来てるってことなんですよね。

松本　そうなんですよね。例えば、中国でおれの本を読んでくれた人もいれば、まったく別ルートの人もいっぱいいるじゃないですか。音楽つながりだったり、芸術つながりだったり。それが一堂に会しているのがほんとうに面白い。

神長　話してみて共通してるのは、もう資本主義には希望を見ていなくて、そこからずれて違うように生きていこうという姿勢ね。もうちょっと面白いことをやっていこうみたいな。そういうかんじが全体的にあったんですよね。

雨宮　共通していると言えば、上野千鶴子ブームがいま、中国ですごいんですよ。その日本のフェミニズムのシリーズの一環として、私の『非正規・単身・アラフォー女性――「失われた世代」の絶望と希望』（光文社新書、二〇一八年）っていう本が、今年の五月に初めて中国で翻訳出版されたんですね。そういう日本のフェミニズム系の本が翻訳出版がされる背景は、中国も同じ状況だからなんですよね。女性がなかなか結婚できないとか、非正規しか仕事がないとか、しかも一人っ子政策で親のプレッシャーがすごいらしいです。〈No Limit〉でアジアの女性たちと「フェミお茶会」で話したんですけど、やっぱり各国同じような状況でしたね。

松本　フェミお茶会も急に決まったイベントでしたよね。

神長　貴重なイベントですよね。

雨宮　たぶんヨーロッパとかの女性だと、また違う話になると思うんですね。それが家父長制問題とか、アジアの女性ならではのあるある話がすごく面白かったですね。

「だめライフ愛好会」がぬるっと登場

神長　いま、日本各地ですごい勢いで台頭している「だめライフ愛好会」も、あの冊子の影響もあると思うんですよね。

松本　それもあるかもしれないですね。

雨宮　じゃなきゃ、一瞬で数十大学に広まらないですよね。

松本　だめライフ愛好会は、寝そべり族だけじゃなく、だめ連とかおれのやってた〈法政の貧乏くささを守る会〉とか、似たような系統のいろんな種類のものをすごい勢いで吸収しているけど、若いのに、なんでこんな……ねえ。

雨宮　三十年ぐらいたつとリバイバルされるみたいな。逆にだめ連がいまの最先端になってる。カセットテープ感覚でやってるのかなあ。

神長　だめ連も最近また注目が高まってる気がするんだけど、以前脚光をあびたときと、注目のされ方が違うなってかんじてるんだよね。当時は、まだ資本主義がブイブイいわせてたから、そのなかでそういうことをやっている人もいる、みたいな。

松本　うん。ちょっとイロモノ的な扱いでもありましたよね。

神長　そうそう。でもいまは、資本主義に乗っかってても大変なばっかりであんまりいいことないんじゃないか、みたいなのが見えてきて。このまま資本主義でやっててもっていう雰囲気が出てきてる。

雨宮　三十年間同じことをしてたら一周まわって最先端になってたっていう。「寝そべってたらいきなり時代が追いついてきた！」みたいな。ありえないことが起こってる(笑)。

一同　爆笑

神長　「おや？」なんつってねえ、びっくりしちゃってねえ。

松本　周回遅れで一番前を走っているだけなのに(爆笑)。

雨宮　だめライフは、二〇二二年十一月に中央大学で作られたんですけど、(二〇二三年)七月に取材したんですよ。

　さっきも言ったように、だめ連とか松本さんの活動にはすごい影響受けていて、でも、それぞれバラバラなんですよね。だから、全体像まではわからないけど、いまの就活が非常にキビしいだとか、競争がキビしいとか、そういうことに違和感を持った人たちが、「だめ」というすごくふわっとした、いろんな意味を持ちうるところに集結しているかんじという印象です。

　いまは大学の管理もおかしいじゃないですか。就活のプレッシャーに加えて管理が行きわたって自由にできない、そういう窮屈さのなかから生まれてきたのかなあとも思います。

神長　立て看板もビラも禁止なんでしょ。

雨宮　ダンスも禁止なわけでしょう。

神長　あ、そうそう。ある大学ではチアリーダーが練習するのに大学の許可が必要で、カラーコーンに囲まれて踊っているという。

雨宮　子ども扱いされてるというかね。バカみたいですよね。
　あと、やっていることがだめ連と同じですよね。メインは交流。「葉桜を見る会」とか闇鍋をやったり、フリーマーケットをやったり。センスがだめ連と同じで、みんな面白がってもいいのにほかの学生は冷めた目で見るというのが、「ザ・令和」みたいなかんじがしますよね。

松本　逆に面白がりそうな人も多そうな気もしますけどね。どう広がるかが今後の楽しみですね。

あえて雑につながる

神長　ツイッター見てると、「だめライフ愛好会」はここ一週間ぐらいで新たに三つぐらい誕生してますからね。大学外や高校にもできてる。

松本　名乗った者勝ちというシステムはすごいですね。

神長　理想的でもあるけど、真似できるかといったら、おれなんかちょっと考えちゃう。昔、だめ連が流行ってたときも、いろんな地方に支部が立ち上がったんだけど、いまだと、そこで問題が起こったらとか思想の違いなんかが気になっちゃう。そもそも、メンバーや支部を増やすとかいう発想が最近はなくて、だめ連が増えるよりみんながそれぞれ自分なりのやり方で好きにやってったほうが面白いんじゃないかなと思うんだけど、〈素人の乱〉はそのへんどんなかんじなの？

松本　おれはけっこう無責任に、「どうぞ、どうぞ」みたいに、名前は勝手に名乗っていいよっていうかんじでやってますね。いまはどうなってるかわからないけど、ドイツとか韓国で名乗っていた人もいたし、そもそも高円寺にも何号店も関係なくやってる人がいる。
　初期とかはね、もうめちゃくちゃでしたよ。最初に1号店ができて、2号店ができて、それは全部友だちがやってたんだけど、そうやってどんどん増やしていったら、近所の商店街のマッサージ屋をやってるおじさんが、「なんか、素人の乱がやたら増えたなあ。素人の乱ってやると儲かりそうだな」みたいになって、「おれも名乗っていいか？」みたいなことを言うから、「どうぞ、どうぞ」って。で、おっさんが〈素人の乱3号店〉を名乗りはじめたんですよ。そしたら、それまで普通のマッサージ屋さんだったのに、途端にいきなり業種を変えて、何かエロマッサージみたいなやつをはじめて。お姉さんが立ってて、背後に〈素人の乱3号店〉ってあって。

一同 爆笑

雨宮 店名がぴったりだよ、ぴったりすぎるよね。

松本 「いいよ」と言った手前、「やめろ」とも言えないし、困ったなあって思って。一年くらいでつぶれちゃったんで、よかったんだけど。

神長 SNSがあったら炎上してるよねえ。

松本 〈法政の貧乏くささを守る会〉っていうのをやってたときは、だんだん各大学で〈○○大学の貧乏くささを守る会〉っていうのができて、〈全貧《ぜんひん》連《れん》(=全日本貧乏学生総連合)〉っていう全国組織を名乗ったりしてたんですけど、わりと仲良くなってから立ち上げるみたいなかんじでやってましたね。

雨宮 大学って、セクトとか宗教とか、そういうヤバイ組織もいっぱいあるわけじゃん。

松本 そうなんですよ。いろいろややこしいこともありましたから。

だめライフの人たちと話してて面白かったのは、広がり方がやはりSNSがあるからこそっていう点で、距離とか関係なく突発的につながるみたいなことを言ってたことですね。おれとかだめ連の時代は、やっぱり直接会って話してわかった人から広がっていくから、堅実ではあるけれど遅い。だめライフはもうバンバン行くけど、どこのだれだかぜんぜんわからないし、知らないままになくなっちゃったりもする、みたいな。

その違いがトークショーでも話題になったけど、あれ、すごく面白かった。

神長 これからどういう展開になるかまったくわからないからねえ。

松本 そうそう。どっちがいいのかぜんぜんわからない。

雨宮 だめライフっていっても、何も考えずにやってるボンクラもいれば活動家っぽい人もいるっていうのが面白い。

みんなでワイワイしてカレーうどんを作ったり、それだけで楽しいじゃないですか。そういうコミュニティってあるといいですよね。

神長 とても重要ですよね。生きづらい系の人とか、ちょっと孤立して孤独だったりする人たちにとってもねえ。

雨宮　大学でもどこでも、みんなで集まって鍋でもできれば、孤独とかいろいろな問題って解決されるかもしれないですよね。

神長　そう思います。

就職せずにどうすればいいか

神長　だめライフの人たちも、就職することや就職した後の大変さとか、いろいろ考えて揺らいでいるんだろうね。

雨宮　就職した果てにああいう集まれる場がもっと必要ですよね。

松本　だめライフの人たちは高円寺にも遊びに来るし、大学外の人との交流もけっこうあるからいいですよね。

　うちらの時代は、大学のシーンがでかかったのもあるけど、やっぱり大学の中にばっかりいて、他大学との交流とかはあるけど、例えば高円寺とかには飲みには来ても、アンダーグラウンドシーンとの接触は少なかったですよね。

　そういう大人の世界にはあんまり入らずに、結局は大学生とかでなんかやってたからね。

雨宮　そういう意味では、四十代、五十代の大人の相手をしてくれた上に、さらに活動もしてくれて、すごくできた若者たちですね。

　だって自分たちがかれらくらいの歳の頃って、四十代、五十代の大人の言うことなんて聞いてたまるかとか、説教くさいじじいだなって思ってたじゃないですか。

松本　ところで、就職に失敗するじゃないですか、あの人たちはたぶん。

一同　爆笑

神長　いやいや、まだわかんないよ。

松本　失敗したほうがいいんですよ。失敗したときにつながりがあるからなんとかなる。

神長　われわれ界隈の人たちと一回でも交流しておけば、こういう生き方もあるんだなってね。

雨宮　ガチでだめな大人の姿を見せておくべきですよ。

神長　すぐそれをやらないにしても、一応こういうのがあると思っていればさ。

雨宮　なんだかんだみんな生きていける。死んではいないっていうね。

松本　うちらが学生のときって、運動とかちょっと変なことやっている人たちにしても、多くの人が大学を出るときに裏切って普通に就職していくんですよね。結局学生とばっかりつるんでいたから、たぶん別の、もうひとつの選択肢が頭に入っていないんですよね。就職せずにどうすればいいかっていうイメージがぜんぜん見えてない。
　それこそ、資本主義じゃない楽しさのイメージがまったくない状態で卒業するから、本当はやりたくないけどとにかく会社行くしかないか、みたいな。会社に行かなかったら人生の落伍者になる、みたいなイメージを勝手に持っちゃって。
　だからいま、大学生とかが外の大人たちとつながっているのってけっこう希望というか。

ふざけた大人として生きていくという路線

雨宮　考えてみれば、神長さんはバブル期、松本さんは就職氷河期で、こんな生き方をしている第一人者の二大巨頭だけど、不安はなかったんですか。

神長　いや、おれは一回就職したから。それが本当につまんないな、キビしいなって思ったから。

雨宮　早稲田卒(神長)、法政卒(松本)ですよね。そこそこうまくやろうと思えばやれただろうし、まわりはみんなやってただろうに。

神長　さっき松本君が言っていた話ともつながるんだけど、大学出て就職して十か月で辞めた後に行き場がなくて。当時、早稲田大学にサークルボックスがあって、そこに留年してたぺぺがまだいたんですよね。で、おれもそこに出入りするようになって学生運動をやるようになったんですよ。

雨宮　卒業してから(笑)。

神長　そう。で、そこがすごく面白かったんですよ。でも、面白い人がいっぱいいるんだけど、卒業して就職するとそれなりに社会人になっていっちゃう。もったいないなって。でも自分はこれからはフリーターで生きていくと思ってたんで、この早稲田のノンセクトなんかの自由なノリで、ふざけた大人として生きていくという路線がいいなと思ってだめ連をはじめたというのもあるんですよね。
　おれは昔は「恍惚派」って言われてたんですよ、ぺぺはどっちかっていうと「不安派」で。

松本　どういう意味ですか？

神長　「就職しないでどうするの？」ってなったときに、将来とか不安になるでしょ。

雨宮　ぺぺさんが不安派だったの？

神長　そう。昔はキャラが違って、おれがボケで向こうがツッコミだったんですよ。ここ二十年くらいは、ぺぺがボケみたいになってたけど。

雨宮　開き直ってたもんね。

神長　というふうに見えるんだけど、でも、基本不安派のままでしたね。

雨宮　で、恍惚派っていうのは？

神長　あんまり将来のこととか、不安に思ってなかったんですよ。

雨宮　いまも？

神長　わりとそうですね。

雨宮　一貫して楽観的なのがすごいですよね。才能ですよね。すばらしいことですよ。

神長　いやあ、たんにバカなだけですよ（笑）。

雨宮　この姿を就活で自殺しそうになっている学生とかに見せてあげたい。

自由な人たちと出会う意味

神長　松本君は不安はなかったんですか？

松本　いやあ、おれもぜんぜんなかったですね。大学に入った瞬間ぐらいの頃は、大学生活を楽しんだ後に嫌でも就職してサラリーマンになるような人生を歩まざるをえないのかな、とは思っていましたけどね。でも、大学に一年くらい行ったらもうぜんぜん。六年生、七年生、八年生がいっぱいいるし、大学出た後にふらふらしてる、神長さんみたいななぞの先輩とかもいるし。運動だけじゃなくても、演劇の人だったり、音楽やってるようなわけのわからない人がいっぱいいたから。

雨宮　そういう人がいる環境はいいですよね。いまの大学ではそういう人は絶滅寸前ですよね。

松本　ですよね。いまはみんなで就職するために行っているようなものだし。

　おれは九四年に大学に入ったんですよ。そのままストレートで卒業すれば就職できたのかもしれないですけど、無駄に留年とかしてたから卒業は二〇〇一年。気づいたら完全に就職超氷河期の時代で、まわりの人たちは百社受けても受かんないみたいなとんでもないことになってて。でも、就職する人たちがみんなすげえ不幸そうなかんじで。自由に生きている人とのギャップがもう歴然だったんですね。就職しようとしている人がリクルートスーツを着ていることもあって、死の行軍みたいな。どう考えてもこっちやりたくねえなって。

雨宮　独立したのは何歳のときでしたっけ？

松本　三十歳です。でも大学を出たのが二十六、七歳ですから。その間、リサイクルショップでバイトしながら修業させてもらって、あとは路上で貧乏人大反乱集団みたいなことをやってたんです。

雨宮　松本さんが高円寺で店を開いたから、高円寺での〈No Limit〉につながっているという。すごいことですよね。

松本　それこそ、資本主義の世界に入ってやるのって大変だろうなっていうのがあったから、そうじゃないところでやりはじめたほうが、すげえ可能性はあるだろうなって思ったんですよね。

それに、就職していく人たちってみんな、「ちょっと敵の様子を三年見てきて、その後必ず帰ってくる」とかって大風呂敷を広げて、そのままいなくなるじゃないですか。そんなんばっかりだったから、あんまり信用できない（笑）。

でも、たぶん自分もそうですよ。だって会社で働いたらがんばって働いちゃったりとかして、下手したらそのまま会社人間になっちゃったりとか。

雨宮　結婚して子どもが産まれたりしてね。

松本　成績が上がることにちょっとよろこびをかんじちゃったりして。うまくいったらそのまま会社人間になっちゃう。

神長　いやあ、ならないでしょ。

一同　爆笑

神長　おれも最初は、入社したらスルッて行っちゃうんだろうなって思って、一年後と三年後でチェックしようと思ってた。やってみたら、一年ももたなかったという（笑）。

資本主義よりたのしい運動

雨宮　二〇〇六年から反貧困運動にかかわるようになって、困窮者支援とかをもう二十年近くやってるんですけど、結局それって非正規を増やしたりだとか、製造業派遣を解禁するだとか、低賃金だとか、国がやってる悪いことに対するリアクションでしかないというか。そういうもどかしさもあるんです。

とくにコロナ禍では多くの人がホームレス化して民間の支援団体などに助けられたので、それは本当に良かったんですけど、ある意味どんづまりっていうか。政治がひどいからそれに反対するってやっていると、ただただそれに反対し続けなければいけなくなる。そういった反対運動はもちろんすごく必要なことで歯止めにもなってるんだけど……。

松本 負けることのほうが多いから負け癖もついちゃうし……。

雨宮 やれることにも限界があるわけじゃないですか。省庁交渉をしたりとか、院内集会したりとか。だんだん手段も尽きてきていて。結局、二十年の運動の間も非正規雇用の人はむちゃくちゃ増えてて、悪法がむちゃくちゃ成立して、税金や社会保険料が上がって賃金が上がらない。

〈No Limit〉をはじめ、高円寺でやってることって国への対抗ではないじゃないですか。今回も最終日に〈全部に反対デモ〉をやってたけど、国への反対っていうだけではなく、国なんか関係なく自分たちで勝手にやってしまおうっていうノリがあるじゃないですか。

松本 そうそう。むしろ国のほうが「やめろ、やめろ、やめてくれー」みたいな（笑）。

雨宮 何かに対抗する、しかもリアクションで精いっぱいって、それだけをやるのではなく、こっちは勝手にやるよっていう二つあることがすごく重要だなって思います。

神長 だめ連もオルタナティブ路線でやってきたんだけど、「だめ連は所詮消極的な闘争だから、自分はもっと激しい積極的な闘争がしたい」とかって言う人がたまにいるんですよ。

だけど、おれからすると、ちょっと違うんだよというところもあって。貧困問題をはじめ、いろいろな政治の問題って、だいたいいつも、敵＝権力のほうがロクでもないことやって、それに対して反対せざるをえなくなる。それは最も重要なことなんだけど、そうすると後手後手にまわっちゃうじゃないですか。

でも、こっちからオルタナティブを打ち出していく、こんな生き方あるよとか、そういうことが積極的と言えるんじゃないかと。

松本 不服従、「言うこと聞かないよ」というのも、ある意味積極的。「やめろ」と言うのと、またちょっと意味が違いますよね。「やってもいいけど、言うこと聞かないから絶対」、みたいな。

神長　やっぱ楽しい思いっていうのが重要なんですよね。いま、貧困や孤独や劣等感とかでキビしい状況の人ってたくさんいるわけで、それでこじらせちゃうと、「戦争反対」とかっていう気持ちにかなかならないですよね。素直に前向きな気持ちになれない。うつとか調子が悪いと、「幸せになんかなってやるもんか!」ってなりますよね。

雨宮　「みんな死ね」って思いますよ。「世界は爆発しろ」とか。

松本　自分のことでいっぱいいっぱいですからね。

神長　そういう状態の人が戦争反対みたいな気持ちになるまでに、ワンクッション必要なんですよね。楽しめるとか、承認されるとか。だから、交流して、その場が楽しいとか、まず人生のなかで楽しむ経験を重ねる。そういう段階がないと解放されないし、なかなか前向きになれないですよね。もちろん、いま不幸だから怒って悪政と闘うという人もいるけど。

雨宮　高円寺のデモでは酒を飲むのは最初から当たり前だったじゃないですか。むしろ酒を飲むためにデモをやる、みたいな。だけど、二〇一一年以降にデモが盛んになりはじめて、いろいろなデモに行くと、酒を飲んだりすると非国民扱いされたり、たばこを吸っていると怒られたりとかするようになった。

松本　たしかに。何か、いい加減にやるのかだめ、みたいな空気感がありましたね。

雨宮　何かに対して主張する人は「ちゃんとした人間」でなくちゃいけないっていうなぞの規律と規範が生まれてしまいましたよね。運動に真面目に取り組むのは重要なんですけど、そもそも真面目にしていなくちゃいけない場とか嫌だし、ただただ怒ってなくちゃいけないのも嫌だし。原発事故とか安保法制とか、状況がキビしくなればなるほど遊べる余地がなくなっているような気がして。

神長　楽しいデモっていうのも重要ですよね。

われわれは楽しいサウンドデモって何度も経験してるけど、今回初めて経験した人たちにとっては衝撃なんですよ。路上交流会も。

いまの世の中、管理と監視が行き届いちゃって、世間一般に、「楽しんじゃいけない」みたいな窮屈な風潮がある。それだと、うつで苦しむ人が増えていってしまう。カネをかけないで楽しいことをやる、それ自体がある種の運動ともいえる状況になっているよね。

二択を迫る状況を作る

松本　「楽しいとき＝消費しているとき」みたいになっちゃってるじゃないですか。そういうのが何もないところで楽しんでいると、「もっと真面目にやれ」とか言われるという。

神長　〈No Limit〉で初めてそういう経験をした人もいるだろうしね。

松本　やっぱり初めての衝撃っていうのがあるんでしょうね。中国の人はほとんどがデモ自体初参加だったけど、そのデモがよりによってあのサウンドデモっていうのも衝撃だったみたいですよ。

あと、欧米ってけっこう外で酒飲むのは禁止されているから、駅前広場とかでみんなで酒を飲んでいると、欧米人にとってはその時点ですげえテンション上がるんですよね。

「こんなのがあるんだ！」みたいな衝撃をみんなが持つのがすげえ大切だと思います。

神長　いわゆる資本主義的なノリじゃない空間ですよね。

松本　しかも資本主義社会って強いじゃないですか。カネの塊だから財力もあるし、なんなら国家とつながっているから軍隊を持ってるし、すべてにおいて最強なんですよね。しかもそれを仕事でやっているわけじゃないですか、政治家も警察も資本家も。

こっちの反対する人は、仕事は別でやって、合間にやってるわけじゃないですか。だから勝てるわけがない（笑）。

雨宮　向こうは給料をもらってやってるんだもんね（笑）。

松本　こっちは平日働いて土日とかにがんばってやるわけでしょ。勝てるわけないんですよ、権力を持っている人と持っていない人が戦うんだから。

だったら、やっぱり何か違うやり方をしなきゃいけなくて。正面で戦うのは大事なんだけど、それと同時にもう一方の柱が絶対必要だと思うんですよね。勝手にやるやつらがどんどん出てきて止められなくなるみたいな空間を作っていくのが絶対必要。

おれも資本主義っぽい社会が作っているつまらない文化とかを倒したいんだけど、直接的に倒しにいくんじゃなくて、違うものを勝手にやりはじめちゃって、そっちがどんどん勝手に広がっていって、気づいたらそっちのほうが多くなっていたというのが理想的。だからその二択を迫りたい。

資本主義社会で普通にカネの経済のなかで生きるのか、それか、自分で解決しなきゃいけないからめんどくさいけど、人と人がつながって勝手なことをやって生きるのか。後者のほうが盛り上がってこっちに人が来れば来るほど、資本主義の世界はだんだんしぼんでいくじゃないですか。だんだん小さくなっていって、最後に、「ほら、だからやめろって言ったろ」みたいな。そういうかんじでね(笑)。

神長 同感、同感。で、いまはそういうオルタナティブなかんじの交流圏が増えてきている。

雨宮 松本さんは「革命後の世界を先に作る」って言ってたじゃないですか。まさに〈No Limit〉ではそういう光景が出現してたよね。

少しでもオルタナな場を増やすこと

松本 さっき二択を迫るって言いましたけど、じゃあ具体的にどうするんだって言ったときに、例えば自分で店を開くとか、フリーランスで何かやったりとか、自分で判断できて自由に動けるポジションをみんなが築くことがすげえ大事なんじゃないかなっておれは思うんですよ。クビになったらという心配がちょっとあるけど、フリーターでもいい。あるいはいい職場、例えば休みがとりやすくて臨機応変に自由に動けるとか、仕事中に「資本主義よくないと思っているんですよ」と言えるとか。そういう環境に身を置いている人が増えていくのがすげえ大事なことかなって思うんです。

今回、〈No Limit〉をやってすごくよかったのは、自営業者がいっぱいいてみんなで協力してやったこと。フリーランスの人も動きやすいから、期間中は仕事なしにして動いたり。それはやっぱり強みだから、自営業者とかフリーランスはどんどん増えていってほしいなって思って。

神長 おれは障がい者介助をやってるけど、障がいのある人の地域での自立生活自体が運動だし、介助者も何かの運動や表現活動をやってる人が多い。組合もあって、友だちも多くて仲良くやっていて、いろいろな話もできる。休みはとれるけど、代わりにだれかが介助に入るわけで、だれかが休みたいときに代わりに自分が入ったり。

松本　ヨーロッパって、デモとか異様に盛り上がるんですけど、スクワットハウスみたいなところにふだんからみんながたむろしてて、飲んだりしながら悪い政治家の話をしたり、デモの情報交換をしてるんですよね。そういうやつらが集まってるライブハウスとかバーでもデモが話題になって、「みんなで行こう!」みたいなかんじで行くから死ぬほど盛り上がるわけじゃないですか。

そういうスペースがたくさんあって、身動きが自由な自営業者がいっぱいいてって、これから面白いことになるかどうかはそういうスペースや人の数がどれだけ増えるかにかかっているのかなって思っちゃう。

神長　それなりに働いている人も、仕事より自分が上に立てるかっていうのが重要かもね。

週五日、一日八時間、週四十時間労働が当たり前になっちゃってるっていうのがキビしいよね。

雨宮　そもそも週四十時間なんて絶対働けない。それが基準になってるのがおかしい。

松本　サラリーマンの一日八時間と自営業の一日八時間って違いますよね。サボれますし。

あと、自分の裁量というのはすごく大きい。今日だって、この鼎談のために二時間早く店を閉めてますから。

神長　すみませんねえ(笑)。

松本　やっていることとの意味というか、納得してるかしてないかもえらい違いがある。

とりあえず雇われて会社員として働いている人も、ちゃんとオルタナティブな世界と二足の草鞋でやったらいいですよね。

雨宮　そうそう。

松本　それであれば、たぶんぜんぜんそれぞれ意味が違うというか。いろいろなこともわかるし。

高円寺の界隈にも、普通に会社員として働きながらイベントとかに参加する人もけっこういますしね。その人たちはやっぱりストレスが少ないですよね。

それに会社がつぶれたときも、逃げ場というかセーフティーネットがちゃんと確保されているじゃないですか。そういうふうにみんながやれば、おのずと資本主義は滅亡するんじゃないかなとか思うんですけどね。

好き勝手に生きてもなんとかなる！

雨宮　もう資本主義に未来はないっていうのが、日本の場合はこの三十年で証明されつつありますからね。
神長　資本主義がブイブイいってた三十年前と違いますもんね。
松本　ある意味、いまの日本は最先端ですよ。ほかのアジア圏よりも真っ先に急降下してるじゃないですか。
　オルタナティブ・カルチャーが育たざるをえない環境が最先端だから、やっぱりそこはうちらはがんばりどころじゃないですか。
雨宮　だめ連がリバイバルするくらいに最先端だよね。
松本　まだ金持ちになっていない貧乏の国じゃなくて、一回栄華を極めて、そこから急降下してるわけですからね。なかなかそんな国、ないじゃないですか。
神長　経済的にもキビしくなっているけど、楽しみ的にキビしくなっているよね。監視と管理で。
雨宮　中国の人たちが政府の監視をすり抜けようといろんな活動をしてるけど、日本の場合は相互監視で何かやってるとみんなでぶったたくみたいな。
松本　中国ではそんなものないですもん。自分に迷惑がかからなかったら基本興味ないですから、あの人たちは。
雨宮　日本の場合は、はみ出た瞬間に寄ってたかって集団リンチされますからね。
神長　こじれちゃってるんだよね。
雨宮　それも資本主義のせいっていうか、つまらない労働に人生の大事な時間をごっそり取られる日々がつらいから、芸能人の不倫とか自分とはなんの関係もないはみ出た人をぶっ叩いてるわけでしょ。不幸な人が多いからこんなバッシングするんですよね。
神長　日本社会もいよいよどんづまったかんじになってるけど、楽しい自由な空間を作っていくのが重要ですよね。
　松本君が言ったみたいに、自分が主体的に生きていくとか、運動的に生きていくと希望があるかなと思います。
　おれも、やっぱり運動に出合ったときが自分にとって画期的だったし、革命的だったんですよね。それまでは資本主義のなかで与えられた選択肢から選んで生きていくというかんじだったけど、自分が言いたいことを言えて、しかも楽しくやっていいんだというふうに実感したときにすごく開放感があったんですね。

だめ連って、清貧の思想じゃないけどストイックなかんじというか、そういうふうによく思われるんだけど、そういうつもりじゃない。むしろ、資本主義的な快楽よりも、もっと楽しいことを追求しているんだよね。

楽しく面白いオルタナティブな社会や生き方、文化を、ちいさいものでも作っていくっていうふうにいくのがいいかなって思います。

雨宮　私も自分の本の売り上げとか、そういう評価だけの世界で生きていたら、死んでいる可能性があるいですか。だって、むちゃくちゃプレッシャーじゃないですか。そっちだけの価値感、何部売れたとか、連載が何本だとか、そんなことばっかりにこだわっている人が多いじゃないですか。だからこっちがあって本当によかった。

松本　本当にね、好き勝手に生きたらなんとかなるってのは、みんなにわかってほしいですね。

神長　逆に、好き勝手に生きなきゃ、ほんと、みんな死んじゃいますよ。資本主義の一貫した生産性と能力主義、それが問題ですからね。開き直るしかないというか。「だめでええじゃないか!」ってね。

今日はどうもありがとうございました。

あとがきにかえて

この本を読んでいただいて、どうもありがとうございます。

本書をともにつくった「だめ連」のぺぺ長谷川は、二〇二三年二月に天国に旅立っていきました。

胆管がんに罹患していることがわかってからおよそ三年。

がん発覚後、「残りの人生どうしたい」との問いかけに、「遊びまくりたい」と答えたそのことばどおりに、よく遊び、歌い、交流した三年間でした。本書はその日々のなか、ともに語りあいながらつくっていったものです。

ぺぺが息をひきとって、お葬式として「お別れ交流会」をひらきました。二日間でぺぺとの最後の対面に訪れた人、のべ六百五十人！　彼の交流人生そのままに、実にさまざまな人びとが集まった感動的なつどいになりました。

その場で何人もの人が語っていたのは、「ぺぺさんに助けられた」、「わたしなんかの話を聞いてくれた」、「つらかったとき相談にのってくれた」、そんな話でした。ぼくも知らない話がたくさんあった。たしかにぺぺは、亡くなる直前まで人の心配をしている人でした。ぼくは、彼は彼の人生を見事に生ききったと思います。それは、人とのつながりをとても大切にして生きた人生でした。どんな目立たぬ人、だめな人もないがしろにしなかった。人を愛して、人に愛された、まさに、「資本主義よりたのしく生きた人生」だったと思います。

ぺぺの言っていたことば。「どんな人生を生きたいのか」、「どんな社会がいいのか」、それを想い描くこと。そして彼が実践してきたこと。直に交流して、語りあいつながっていくこと。このことばと実践に、これからの世界をきりひらいていく鍵があるのだと思います。

本書を読まれた方、いろんな感想を持たれたと思います。もっといい考えがあるよとか、こんな面白いことをやっているよとか。できれば直接会って話ができたらいいですね。いろんな場所でイベントをやって、交流したいと思っています。東京だけじゃなくていろんな地方にも行ってみたい。旅がてら自費で行こうと思ってますので、よかったら誘ってみてください。タイミングがあえば行きますので。

この本はひとつのたたき台、スタートのひとつだと思っています。ここから先に、よりよい社会になるような話ができていければいいなと考えています。よろしくお願いします。

だめ連最初のイベント「“だめ” 可能性はここにあり!!」での
ぺぺ長谷川

この本は、だめ連の二人、ぺぺとぼく（神長）の三十年間の日々の交流のたまものです。実際、出会ってきた多くの人びとに学び、励まされて生きてきました。いままで交流してきたみなさんに感謝。どうもありがとうございます。

編集の原島康晴さん、この本ができたのは原島さんのおかげです。ぺぺと三人で何度も語りあって楽しかった。ありがとうございます。

ぺぺさん、お疲れさま。みんな感謝してるよ。いつも、人と人をつないでくれたね。たくさんの人を笑顔にしてくれたね。その交流の輪はいつまでも広がっていくよ。ありがとう。

そして読者のみなさん、どうもありがとうございます。

それでは、ぺぺのことばを最後に。

一緒に「夢のある話をしましょう」。

二〇二三年十二月

神長恒一

本書は、神長恒一とぺぺ長谷川による対談（トーク）をもとに編集したものである。

対談日、テーマ、収録時間は以下の通り。

「だめ連ラジオ50回記念」公開収録と鼎談については、それぞれ冒頭に日時を記した。

2021年9月14日……「仕事と人生」（3時間）
2021年9月28日……「食のよろこびを取り戻す」（3時間22分）
2021年10月18日……「住む、暮らす」（2時間49分）
2021年11月9日……「交流・トーク」「表現をする」（2時間49分）
2021年12月7日……「自然の中で遊ぶ」「旅と合宿」（3時間52分）
2021年12月28日……「旅と合宿」「お祭りとレイヴ」（2時間43分）
2022年1月25日……「お祭りとレイヴ」（2時間39分）
2022年2月8日……「デモ」（2時間51分）
2022年3月8日……「デモ」「さまざまなアクション」（2時間17分）
2022年4月5日……「オルタナティブ・スペース」（2時間59分）
2022年4月19日……「イベント」「インディーズ・メディア」（2時間10分）
2022年5月17日……「インディーズ・メディア」（28分）

謝辞……本書の刊行にあたり、事実確認・図版提供などさまざまな方からご協力を賜りました。

この場をお借りして御礼申し上げます。ありがとうございました。

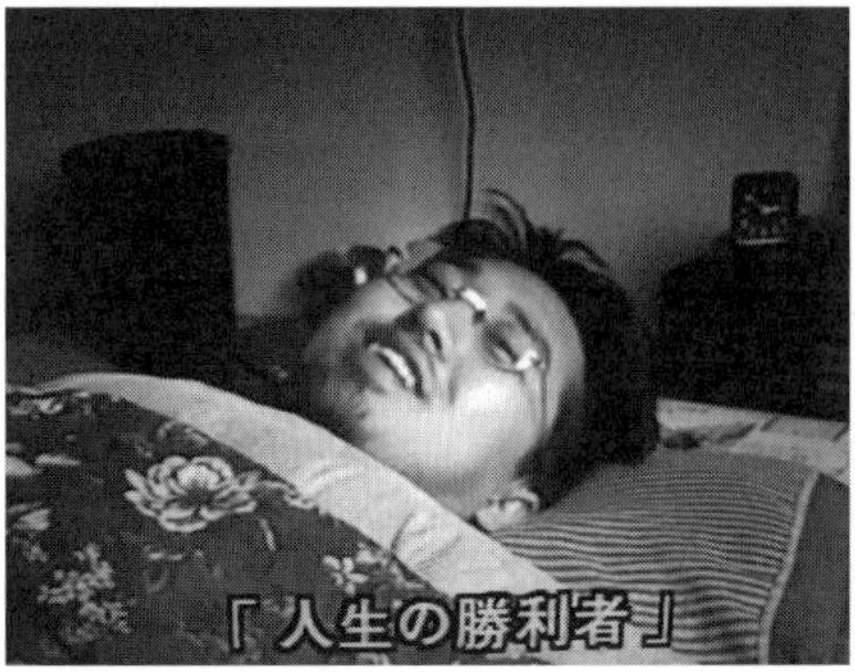

神長恒一

神長恒一（かみなが・こういち）

無職、フリーター生活 30 年。
だめ連。そのほかいろいろ活動。
子どもの頃は、カエルや虫を捕るのが好きだった。
あんまり働かず、寝るのと遊ぶのが好き。
週末は、オルタナティブなイベントに行って
交流しがち。

ぺぺ長谷川（ぺぺ・はせがわ）

バイト暮らし 30 年。

だめ連。バンド「ロバート DE ピーコ」ボーカルなどいろいろ。

オルタナティブ・スペース「あかね」「なんとか BAR」の日替わりスタッフを長年続けた。

交流しまくりの人生。

子どもの頃は、沼が好きでよく遊んでいたらしい。

2023 年 2 月、死去。

だめ連《れん》の 資本主義《しほんしゅぎ》よりたのしく生《い》きる

2024年 1月31日　第1版第1刷発行

著　者　神長恒一+ぺぺ長谷川
発行者　菊地泰博
発行所　株式会社 現代書館
〒102-0072　東京都千代田区飯田橋3-2-5
電話 03-3221-1321　FAX 03-3262-5906
振替 00120-3-83725
http://www.gendaishokan.co.jp/

印刷所　平河工業社（本文）
東光印刷所（カバー・表紙・帯・扉）
製本所　鶴亀製本
ブックデザイン　くまたろう
装　画　五十嵐勝美（カバー）+カミイカ（表紙）+ぺぺ長谷川（扉）
協　力　塩田敦士

ISBN978-4-7684-5953-9
定価はカバーに表示してあります。
乱丁・落丁本はお取り替えいたします。

活字で利用できない方のための
テキストデータ請求券
『だめ連の 資本主義よりたのしく生きる』